CHENG CHUNG
BOOK CO., LTD.

CHENG CHUNG
BOOK CO., LTD.

新版 實用
視聽華語

PRACTICAL AUDIO-VISUAL
CHINESE
2ND EDITION

2

主 編 者◆國立臺灣師範大學
編輯委員◆王淑美‧盧翠英‧陳夜寧
策 劃 者◆教育部

再 版 編 輯 要 旨

本書原版《實用視聽華語》1、2、3冊，自1999年9月出版以來深受海內外好評，並廣被採用至今。

本書七年來使用期間，曾收到國內外華語教學界、各大學華語教學中心或華語文教師及學生對本書建設性的批評與建議。

適逢2003年美國大學委員會宣布AP(Advance Placement)華語測驗計畫——針對已在美國實行的第二語言教學考試，作了一次改革性的創舉，此項壯舉，影響了今後華語文教材編寫、師資培訓、教學方法及測驗等內容之改進，並在第二語言教學上建立了要實現的五大目標，即——Five C's：1.溝通(Communication)，2.文化(Cultures)，3.多元(Connection)，4.辨思(Comparisons)，5.實用(Communities)。

本書原為臺灣師範大學編輯委員會負責編寫，教育部出版發行，目前著手改編之理由：一是採納各方使用者之意見，修改不合時宜之內容。二是響應國際華語文教學趨勢，配合第二語言教學之五大目標進行修正。

本次再版修訂之內容及過程如下：

本教材在改編之前邀請教育部對外華語小組、原教材編輯者、華語文專家學者，商定改編計畫。對原書之課文內容、話題調整、詞彙用法及練習方式等相關各項問題，廣徵各方意見，並達成協議，進行大幅度變動與修改。

原版《實用視聽華語》1、2、3共三冊，再版後將原第1冊改為1、2兩冊；原第2冊改為3、4兩冊；原第3冊保持一冊，改為第5冊。新版《實用視聽華語》共分1、2、3、4、5五冊。每套教材包括課本、教師手冊、學生作業簿等三冊，每課均附有語音輔助教具。

新版《實用視聽華語》第1冊共十二課，重點在於教授學生的基本發音、語法及常用詞彙，以達到使用華語基本實用語言溝通的目的。本冊課文調整後之生字共314個，生詞449條，語法句型50則。

《實用視聽華語》第2冊共十三課，延續第1冊實際生活用語，並達到使用流利華語，表達生動自然的語用技巧。生字共303個，生詞481條，語法句型39則。

《實用視聽華語》第3冊共十四課，內容著重在校園活動和日常生活話題。生字共600個，生詞1195條，語法句型137則。每課加附不同形式之手寫短文。

　　《實用視聽華語》第4冊共十四課，延續介紹中華文化，包括社會、歷史、地理、人情世故。生字共625個，生詞1250條，語法配合情境介紹句型119則。每課加附手寫短文。

　　《實用視聽華語》第5冊共二十課，課文介紹中華文化之特質及風俗習慣；以短劇、敘述文及議論文等體裁為主，內容則以民俗文化、傳統戲劇、文字、醫藥、科技、環保、消費、休閒等配合時代潮流，以提高學生對目前各類話題討論的能力。本冊生詞667條，連結結構之句型91則。每課除課文外，另附有閱讀與探討、佳文欣賞及成語故事。

　　本書所有的生字與生詞及第1、2冊課文，拼音係採用1.國語注音；2.通用拼音；3.漢語拼音並列，以收廣為使用之效。

　　每冊教材所包括的內容大致如下：1.課文、對話；2.生字、生詞及用法；3.語法要點及句型練習；4.課室活動；5.短文；6.註釋。

　　本書第1、2冊由王淑美、盧翠英兩位老師負責改編工作；第3、4冊由范慧貞、劉咪咪兩位老師負責改編工作；第5冊由張仲敏、陳瑩漣兩位老師負責改編工作；英文由任友梅小姐工作群翻譯。並由林姿君小姐、陳雅雪老師、林容年老師及三位助理完成打字及整理全稿工作。插圖則由張欣怡小姐補充設定完成。

　　本書在完成修改稿後，曾邀請華語文專家學者進行審查，經過修訂後定稿。審查委員如下：陳純音教授、曾金金教授、陳俊光教授、陳浩然教授。

　　本書改版作業歷時半年有餘，在臺灣師大國語中心教材組陳立芬老師等工作人員之全力配合下得以完成，感謝所有盡心戮力參與編輯的作者及審核的委員，使這部修訂版《實用視聽華語》得以出版。各位教學者使用時，請不吝指教並匡正。

主編 葉德明
2007年3月

新版 實用視聽華語
PRACTICAL AUDIO-VISUAL CHINESE
2ND EDITION

2 CONTENTS

第一課 | 我生病了①

I

A：這個週末②，你到哪兒去了？

B：我沒到哪兒去。我生病了。

A：你怎麼了③？哪兒不舒服④？

B：上個禮拜⑤我常常覺得很累，也不太想吃東西。

A：看醫生⑥了嗎？

B：看了。

A：醫生怎麼說？

B：他說是感冒⑦，沒什麼關係⑧，不必⑨吃藥⑩，休息幾天就沒事⑪兒⑫了。

A：現在覺得怎麼樣？

B：差不多⑬好了，謝謝。

1

II

A：你感冒好了沒有？

B：早就好了。

A：新年快到了，我們有二十幾天的假⑭，你打算⑮做什麼？

B：還不一定。我有一個朋友，他家在鄉下⑯，我也許⑰到他那兒住幾天，你呢？

A：我可能跟朋友到⑱山上⑲去滑雪⑳。

B：你們怎麼去呢？

A：我們開車去。

B：天氣太冷，開車得㉑特別㉒小心㉓啊！

A：放心㉔，我開車開了快三年了，我開得很好。

ㄉㄧˋ　ㄧ　ㄎㄜˋ　　ㄨㄛˇ　ㄕㄥ　ㄅㄧㄥˋ　ㄌㄜ˙

I

A：ㄓㄟˋ ㄍㄜ˙ ㄓㄡ ㄇㄛˋ，ㄋㄧˇ ㄉㄠˋ ㄋㄚˇ ㄦ ㄑㄩˋ ㄌㄜ˙？

B：ㄨㄛˇ ㄇㄟˊ ㄉㄠˋ ㄋㄚˇ ㄦ ㄑㄩˋ。ㄨㄛˇ ㄕㄥ ㄅㄧㄥˋ ㄌㄜ˙。

A：ㄋㄧˇ ㄗㄣˇ ㄇㄛˋ ㄌㄜ˙？ㄋㄚˇ ㄦ ㄅㄨˋ ㄕㄨ ㄈㄨˊ？

B：ㄕㄤ ㄎㄜˇ ㄍㄜ˙ ㄅㄞˊ ㄨㄛˇ ㄔㄤˊ ㄔㄤˊ ㄐㄩㄝˊ ㄉㄜ˙ ㄏㄣˇ ㄌㄟˋ，一ㄝˇ ㄅㄨˋ ㄊㄞˋ ㄒㄧㄤˇ ㄔ ㄉㄨㄥ 一。

A：ㄎㄢˋ 一 ㄕㄥ ㄌㄜ˙ ㄇㄚ˙？

B：ㄎㄢˋ ㄌㄜ˙。

A：一 ㄕㄥ ㄗㄣˇ ㄇㄜ˙ ㄕㄨㄛ ㄇㄛˋ？

B：ㄊㄚ ㄕㄨㄛ ㄨㄛˇ ㄕˋ ㄍㄢˇ ㄇㄠˋ，ㄇㄟˊ ㄕˋ ㄦ ㄍㄜ˙ ㄒㄧˊ，ㄅㄨˋ ㄅㄧˋ ㄔ 一ㄠ，ㄒㄧㄡ 一ˊ ㄐㄧˇ ㄊㄧㄢ ㄒㄧㄡ ㄒㄧㄢˋ ㄇㄟˊ ㄦ ㄐㄩㄝˊ ㄉㄜ˙ ㄌㄜ˙。

A：ㄋㄚˋ ㄋㄧˇ ㄒㄧㄢˋ 一ㄤˋ？

B：ㄒㄧㄚˋ ㄏㄠˇ，ㄒㄧㄝˋ ㄒㄧㄝˋ。

II

A：ㄋㄧˇ ㄍㄢˇ ㄇㄠˋ ㄏㄠˇ ㄉㄜ˙ ㄇㄟˊ 一ㄡˇ？

B：ㄗㄠˇ ㄒㄧㄢ ㄋㄧㄢˊ ㄋㄧ ㄍㄢˇ ㄇㄠˋ ㄌㄜ˙ ㄅㄟˋ ㄎㄨㄞˋ ㄏㄠˇ。

A：ㄉㄜ˙，ㄨㄛˇ ㄉㄣˊ 一ㄡˋ ㄦ ㄕˋ ㄐㄧㄢˇ ㄊㄢˊ ㄉㄜ˙ ㄐㄧㄚˇ，ㄋㄧˇ ㄅㄚˊ ㄙㄨㄥˋ ㄙㄨㄛˇ ㄒㄧㄢ ㄋㄧㄢˊ ㄋㄧˇ ㄉㄜ˙ ㄇㄛˋ ㄕㄨㄛˋ？

B：ㄏㄞˊ ㄅㄨˋ 一ˊ ㄉㄧㄥˋ。ㄨㄛˇ 一ㄡˋ 一ˇ ㄍㄜ˙ ㄆㄥˊ 一ㄡˇ，ㄊㄚ ㄐㄧㄚˇ ㄉㄞˋ ㄒㄧㄤˋ ㄒㄧㄚˇ，ㄨㄛˇ 一ㄝˇ ㄒㄩˋ 一ㄠˋ ㄅㄛˇ ㄊㄚ ㄋㄚˇ ㄦ ㄓㄨ ㄐㄧˇ ㄊㄧㄢˊ，ㄋㄧˇ ㄋㄥˊ ㄅㄤ ㄧ ㄅㄚˊ ㄇㄚ˙？

A：ㄨㄛˇ ㄎㄜˇ ㄋㄥˊ ㄍㄣ ㄙㄨㄥˋ 一ㄡˋ ㄅㄠˋ ㄕˋ ㄦ ㄕˋ，ㄍㄨˋ ㄒㄩㄝˋ。

B：ㄋㄧˇ ㄇㄧㄥˊ ㄊㄧㄢ ㄒㄧㄤˋ ㄇㄛˋ ㄓㄣˇ ㄑㄩˋ？

A：ㄨㄛˇ ㄇㄧㄥˊ ㄊㄧㄢ ㄎㄞˇ ㄔㄜ ㄎㄞˇ ㄑㄩˋ。

B：ㄋㄚˋ ㄊㄞˋ ㄏㄠˇ ㄌㄜ˙，ㄎㄞˇ ㄔㄜ ㄅㄟˇ ㄉㄜ˙ ㄊㄜˋ ㄎㄨㄞˋ ㄒㄧㄠ ㄒㄧㄣ 一ㄚˇ！

A：ㄈㄤˋ ㄒㄧㄣ，ㄨㄛˇ ㄎㄞˇ ㄉㄜ˙ ㄏㄣˇ ㄏㄠˇ。

Dì Yī Kè   Wǒ Shēngbìngle

I

A : Jhèige jhōumò, nǐ dào nǎr cyùle?

B : Wǒ méidào nǎr cyù. Wǒ shēngbìngle.

A : Nǐ zěnmele? Nǎr bùshūfú?

B : Shàngge lǐbài wǒ chángcháng jyuéde hěn lèi, yě bútài siǎng chīh dōngsī.

A : Kàn yīshēng le ma?

B : Kànle.

A : Yīshēng zěnme shuō?

B : Tā shuō shìh gǎnmào, méi shéme guānsì, búbì chīh yào, siōusí jǐtiān jiòu méi shìhr le.

A : Siànzài jyuéde zěnmeyàng?

B : Chàbùduō hǎole, sièsie.

II

A : Nǐ gǎnmào hǎole méiyǒu?

B : Zǎo jiòu hǎole.

A : Sīnnián kuài dào le, wǒmen yǒu èrshíhjǐtiānde jià, nǐ dǎsuàn zuò shénme?

B : Hái bùyídìng. Wǒ yǒu yíge péngyǒu, tā jiā zài siāngsià, wǒ yěsyǔ dào tā nàr jhù jǐtiān, nǐ ne?

A : Wǒ kěnéng gēn péngyǒu dào shānshàng cyù huásyuě.

B : Nǐmen zěnme cyù ne?

A : Wǒmen kāichē cyù.

B : Tiāncì tài lěng, kāichē děi tèbié siǎosīn a!

A : Fàngsīn, wǒ kāichē kāile kuài sānnián le. Wǒ kāide hěn hǎo.

Dì Yī Kè　Wǒ Shēngbìngle

I

A : Zhèige zhōumò, nǐ dào nǎr qùle?

B : Wǒ méidào nǎr qù. Wǒ shēngbìngle.

A : Nǐ zěnmele? Nǎr bùshūfú?

B : Shàngge lǐbài wǒ chángcháng juéde hěn lèi, yě bútài xiǎng chī dōngxī.

A : Kàn yīshēng le ma?

B : Kànle.

A : Yīshēng zěnme shuō?

B : Tā shuō shì gǎnmào, méi shéme guānxì, búbì chī yào, xiūxí jǐtiān jiù méi shìr le.

A : Xiànzài juéde zěnmeyàng?

B : Chàbùduō hǎole, xièxie.

II

A : Nǐ gǎnmào hǎole méiyǒu?

B : Zǎo jiù hǎole.

A : Xīnnián kuài dào le, wǒmen yǒu èrshíjǐtiānde jià, nǐ dǎsuàn zuò shénme?

B : Hái bùyídìng. Wǒ yǒu yíge péngyǒu, tā jiā zài xiāngxià, wǒ yěxǔ dào tā nàr zhù jǐtiān, nǐ ne?

A : Wǒ kěnéng gēn péngyǒu dào shānshàng qù huáxuě.

B : Nǐmen zěnme qù ne?

A : Wǒmen kāichē qù.

B : Tiānqì tài lěng, kāichē děi tèbié xiǎoxīn a!

A : Fàngxīn, wǒ kāichē kāile kuài sānnián le. Wǒ kāide hěn hǎo.

LESSON 1   I WAS SICK

I

A : Where did you go this weekend?

B : I didn't go anywhere. I was sick.

A : What was wrong with you? Where didn't you feel well?

B : Last week I often felt very tired and I didn't really feel like eating.

A : Did you see a doctor?

B : Yes, I did.

A : What did the doctor say?

B : He said it was a cold, nothing serious. I didn't have to take medicine. Just rest for a few days and everything would be fine.

A : How do you feel now?

B : Almost normal, thanks.

II

A : Is your cold better?

B : I got over it a long time ago.

A : The New Year is coming soon. We have more than twenty days of vacation. What are you planning to do?

B : I'm still not sure. I have a friend whose home is in the country. I might go there for a few days. How about you?

A : I might go skiing in the mountains with a friend.

B : How are you getting there?

A : We're driving.

B : When the weather is very cold, you better be especially careful when driving!

A : Don't worry. I've been driving for three years now. I drive very well.

2 NARRATION

　　上個星期放假，我到山上去滑雪。山上的天氣很冷，我覺得不太舒服，我想也許是生病了。回了家，就馬上去看醫生。醫生說我是感冒，沒什麼關係，休息休息就好了。他還說因為最近天氣冷，感冒的人特別多。我聽了他的話，就放心了，打算到鄉下去住幾天。

ㄕㄤˋ ㄍㄜˋ ㄒㄧㄥ ㄑㄧ ㄈㄤˋ ㄐㄧㄚˋ， ㄨㄛˇ ㄉㄠˋ ㄕㄢ ㄕㄤˋ ㄑㄩˋ ㄏㄨㄚˊ ㄒㄩㄝˇ。 ㄕㄢ ㄕㄤˋ ㄉㄜ˙ ㄊㄧㄢ ㄑㄧˋ ㄏㄣˇ ㄌㄥˇ， ㄨㄛˇ ㄐㄩㄝˊ ㄉㄜ˙ ㄅㄨˋ ㄊㄞˋ ㄕㄨ ㄈㄨˊ， ㄨㄛˇ ㄒㄧㄤˇ ㄧㄝˇ ㄒㄩˇ ㄕˋ ㄕㄥ ㄅㄧㄥˋ ㄌㄜ˙。 ㄏㄨㄟˊ ㄌㄜ˙ ㄐㄧㄚ， ㄐㄧㄡˋ ㄇㄚˇ ㄕㄤˋ ㄑㄩˋ ㄎㄢˋ ㄧ ㄕㄥ。 ㄧ ㄕㄥ ㄕㄨㄛ ㄨㄛˇ ㄕˋ ㄍㄢˇ ㄇㄠˋ， ㄇㄟˊ ㄕㄣˊ ㄇㄜ˙ ㄍㄨㄢ ㄒㄧˋ， ㄒㄧㄡ ㄒㄧˊ ㄒㄧㄡ ㄒㄧˊ ㄐㄧㄡˋ ㄏㄠˇ ㄌㄜ˙。 ㄊㄚ ㄏㄞˊ ㄕㄨㄛ ㄧㄣ ㄨㄟˋ ㄗㄨㄟˋ ㄐㄧㄣˋ ㄊㄧㄢ ㄑㄧˋ ㄌㄥˇ， ㄍㄢˇ ㄇㄠˋ ㄉㄜ˙ ㄖㄣˊ ㄊㄜˋ ㄅㄧㄝˊ ㄉㄨㄛ。 ㄨㄛˇ ㄊㄧㄥ ㄌㄜ˙ ㄊㄚ ㄉㄜ˙ ㄏㄨㄚˋ， ㄐㄧㄡˋ ㄈㄤˋ ㄒㄧㄣ ㄌㄜ˙， ㄉㄚˇ ㄙㄨㄢˋ ㄉㄠˋ ㄒㄧㄤ ㄒㄧㄚˋ ㄑㄩˋ ㄓㄨˋ ㄐㄧˇ ㄊㄧㄢ。

Shàngge sīngcí fàngjià, wǒ dào shānshàng cyù huásyuě. Shānshàngde tiāncì hěn lěng, wǒ jyuéde bútài shūfú, wǒ siǎng yěsyǔ shìh shēngbìngle. Huéile jiā, jiòu mǎshàng cyù kàn yīshēng. Yīshēng shuō wǒ shìh gǎnmào, méi shénme guānsì, siōusí siōusí jiòu hǎole. Tā hái shuō yīnwèi zuèijìn tiāncì lěng, gǎnmàode rén tèbié duō. Wǒ tīngle tāde huà, jiòu fàngsīnle, dǎsuàn dào siāngsià cyù jhù jǐtiān.

Shàngge xīngqí fàngjià, wǒ dào shānshàng qù huáxuě. Shānshàngde tiānqì hěn lěng, wǒ juéde bútài shūfú, wǒ xiǎng yěxǔ shì shēngbìngle. Huíle jiā, jiù mǎshàng qù kàn yīshēng. Yīshēng shuō wǒ shì gǎnmào, méi shénme guānxì, xiūxí xiūxí jiù hǎole. Tā hái shuō yīnwèi zuìjìn tiānqì lěng, gǎnmàode rén tèbié duō. Wǒ tīngle tāde huà, jiù fàngxīnle, dǎsuàn dào xiāngxià qù zhù jǐtiān.

Last week I was on vacation. I went to the mountains to ski. The weather in the mountains was very cold and I felt a little uncomfortable. I thought perhaps I was getting sick, so when I got back, I immediately went to see a doctor. The docotor said I caught a cold, nothing serious, but that I should rest for a few days. He also said that recently the weather has been cold and that many people have colds. When I heard what he said I stopped worrying and made plans to go to the countryside for a few days.

3 VOCABULARY

1 生病 (shēngbìng)　VO：to become ill, to be sick

你生的是什麼病？

Nǐ shēngde shìh shénme bìng?
Nǐ shēngde shì shénme bìng?
What illness did you catch?

病 (bìng)　N：illness, disease

病了 (bìngle)　V：to become ill

他病了，所以沒有來。

Tā bìngle, suǒyǐ méiyǒu lái.
He's sick, so he didn't come.

2 週末 (jhōumò / zhōumò)　N：weekend

她下個週末要去德國。

Tā siàge jhōumò yào cyù Déguó.
Tā xiàge zhōumò yào qù Déguó.
She will go to Germany next weekend.

3 怎麼了 (zěnmele)　IE：What's wrong?

A：你怎麼了？

Nǐ zěnmele?
What's wrong with you?

B：我有一點兒不舒服。

Wǒ yǒuyìdiǎnr bùshūfú.
I'm a little uncomfortable.

9

4 舒服 (shūfú) SV：to be comfortable

你哪兒不舒服？

Nǐ nǎr bùshūfú?
Where don't you feel well?

5 禮拜 (lǐbài) N：week

我在日本玩兒了三個禮拜。

Wǒ zài Rìhběn wánrle sānge lǐbài.
Wǒ zài Rìběn wánrle sānge lǐbài.
I had fun in Japan for three weeks.

禮拜天 (lǐbàitiān) N：Sunday

6 醫生 (yīshēng) N：doctor

他爸爸是醫生。

Tā bàba shìh yīshēng.
Tā bàba shì yīshēng.
His father is a doctor.

醫 (yī) V：to cure, to treat (an illness)

7 感冒 (gǎnmào) V/N：to have a cold; cold, flu

冬天很容易感冒。

Dōngtiān hěn róngyì gǎnmào.
It's easy to get a cold in the winter.

8 沒關係 (méiguānsì / méiguānxì)(méiguānsi / méiguanxi)

IE：no problem, never mind, it doesn't matter

A：對不起。
B：沒關係。

A：Duèibùcǐ.
A：Duìbùqǐ.

B：Méiguānsì.
B：Méiguānxì.
A：Sorry.
B：No problem.

9 不必 (búbì) A：don't have to, need not

我家離學校很近，不必坐公車。
Wǒ jiā lí syuésiào hěn jìn, búbì zuò gōngchē.
Wǒ jiā lí xuéxiào hěn jìn, búbì zuò gōngchē.
My house is very near school, so I don't have to take a bus.

10 藥 (yào) N：medicine（M：顆 kē）

小孩子不喜歡吃藥。
Siǎoháizih bùsǐhuān chīh yào.
Xiǎoháizi bùxǐhuān chī yào.
Children don't like to take medicine.

11 就 (jiòu / jiù) A: (indicating immediacy)

他下個月就要回國了。
Tā siàge yuè jiòu yào huéi guó le.
Tā xiàge yuè jiù yào huí guó le.
He will go back to his home country next month.

12 沒事兒 (méishìhr / méishìr)

IE：never mind, it doesn't matter, it's nothing, that's all right

A：怎麼了？不舒服嗎？
B：沒事兒。
A：Zěnmele? Bùshūfú ma?
B：Méishìhr.
B：Méishìr.
A：What's wrong with you? Don't you feel well?
B：It doesn't matter.

11

13 好了 (hǎole)　SV：to be well again, recover

我已經好了。

Wǒ yǐjīng hǎole.
I recovered.

14 假 (jià)　N：vacation, holiday

我一年有二十天的假。

Wǒ yìnián yǒu èrshíhtiānde jià.
Wǒ yìnián yǒu èrshítiānde jià.
I have a paid leave for twenty days a year.

15 打算 (dǎsuàn)　V：to plan

明年他打算去法國。

Míngnián tā dǎsuàn cyù Fǎguó.
Míngnián tā dǎsuàn qù Fǎguó.
He's planning to go to France next year.

打 (dǎ)　V：to hit, to beat, to strike

算 (suàn)　V：to calculate

16 鄉下 (siāngsià / xiāngxià)　N：countryside

我家不在鄉下。

Wǒ jiā bú zài siāngsià.
Wǒ jiā bú zài xiāngxià.
My home is not in the countryside.

17 也許 (yěsyǔ / yěxǔ)　MA：perhaps, maybe, might

明天我也許不來。

Míngtiān wǒ yěsyǔ bùlái.
Míngtiān wǒ yěxǔ bùlái.
I may not come tomorrow.

許ㄒㄩˇ (syǔ / xǔ)　V：to allow, to permit

媽ㄇㄚ媽ㄇㄚ不ㄅㄨ許ㄒㄩˇ我ㄨㄛˇ一ㄧ個ㄍㄜˋ人ㄖㄣˊ去ㄑㄩˋ旅ㄌㄩˇ行ㄒㄧㄥˊ。

Māma bùsyǔ wǒ yígerén cyù lyǔsíng.
Māma bùxǔ wǒ yígerén qù lǚxíng.
Mother won't allow me to travel by myself.

18 可ㄎㄜˇ能ㄋㄥˊ (kěnéng)

A/SV/N：possibly / to be possible / possibility

他ㄊㄚ覺ㄐㄩㄝˊ得ㄉㄜ不ㄅㄨˋ舒ㄕㄨ服ㄈㄨˊ，可ㄎㄜˇ能ㄋㄥˊ感ㄍㄢˇ冒ㄇㄠˋ了ㄌㄜ。

Tā jyuéde bùshūfú, kěnéng gǎnmàole.
Tā juéde bùshūfú, kěnéng gǎnmàole.
He feels uncomfortable. It's possible he has a cold.

19 山ㄕㄢ (shān)　N：mountain（M：座ㄗㄨㄛˋ zuò）

20 滑ㄏㄨㄚˊ雪ㄒㄩㄝˇ (huásyuě / huáxuě)　VO：to ski

他ㄊㄚ滑ㄏㄨㄚˊ雪ㄒㄩㄝˇ滑ㄏㄨㄚˊ得ㄉㄜ很ㄏㄣˇ好ㄏㄠˇ。

Tā huásyuě huáde hěn hǎo.
Tā huáxuě huáde hěn hǎo.
He skies very well.

雪ㄒㄩㄝˇ (syuě / xuě)　N：snow（M：場ㄔㄤˇ chǎng）

下ㄒㄧㄚˋ雪ㄒㄩㄝˇ (siàsyuě / xiàxuě)　VO：to snow

21 得ㄉㄟˇ (děi)　A：must, have to

太ㄊㄞˋ晚ㄨㄢˇ了ㄌㄜ，我ㄨㄛˇ得ㄉㄟˇ走ㄗㄡˇ了ㄌㄜ。

Tài wǎnle, wǒ děi zǒule.
It's too late, I must go.

22 特ㄊㄜˋ別ㄅㄧㄝˊ (tèbié)　A/SV：especially; to be special

她ㄊㄚ做ㄗㄨㄛˋ的ㄉㄜ中ㄓㄨㄥ國ㄍㄨㄛˊ菜ㄘㄞˋ特ㄊㄜˋ別ㄅㄧㄝˊ好ㄏㄠˇ吃ㄔ。

Tā zuòde Jhōngguó cài tèbié hǎochīh.

Tā zuòde Zhōngguó cài tèbié hǎochī.
The Chinese food she makes is especially good.

23 小心 (siǎosīn / xiǎoxīn) SV：to be careful

他做事很小心。

Tā zuòshìh hěn siǎosīn.
Tā zuòshì hěn xiǎoxīn.
He does things very carefully.

心 (sīn / xīn) N：heart

24 放心 (fàngsīn / fàngxīn) SV/VO：to be at ease, not worry

他爸爸不放心他去外國。

Tā bàba búfàngsīn tā cyù wàiguó.
Tā bàba búfàngxīn tā qù wàiguó.
His father is worried about his going to a foreign country.

放 (fàng) V：to put, to release

放假 (fàngjià) VO：to have a holiday, vacation

我們什麼時候放假？

Wǒmen shénme shíhhòu fàngjià?
Wǒmen shénme shíhòu fàngjià?
When do we have our vacation?

SUPPLEMENTARY VOCABULARY

25 壞了 (huàile) SV：to be broken, ruined, out of order, spoiled

我的車壞了。

Wǒde chē huàile.
My car has broken down.

壞 (huài) SV：to be bad

26 忘ㄨㄤˋ (wàng)　V：to forget

我ㄨㄛˇ忘ㄨㄤˋ了ㄌㄜ他ㄊㄚ姓ㄒㄧㄥˋ什ㄕㄣˊ麼ㄇㄜ了ㄌㄜ。

Wǒ wàngle tā sìng shénme le.
Wǒ wàngle tā xìng shénme le.
I forgot what his surname is.

4 SYNTAX PRACTICE

▼ I. Question Words as Indefinites

In Chinese question words are often used as indefinites to mean "anything", "anyone", or "anywhere". These indefinites can also be used in a negative form like "nothing", "not much / not many", "not very" etc. in English.

1. 你說什麼？ | What did you say?
   我沒說什麼。 | Nothing.

2. 你有什麼事嗎？ | Anything do you want me to help?
   我沒什麼事。 | Nothing.

3. 你這個週末要到哪兒去玩兒？ | Where do you want to go play this weekend?
   我不想到哪兒去玩兒，我要在家休息。 | I don't want to go any place. I want to stay home.

4. 有誰要喝咖啡嗎？ | Does anyone want to drink coffee?
   我要喝，請你給我一杯。 | I want to. Please give me a cup.

5. 你們學校有多少外國學生？ | How many foreign students are in your school?
   沒有多少。 | Not many.

15

6. 他給了你多少錢？　　　　How much money did he give you?

　　沒給多少。　　　　　　Not much.

7. 你有幾個外國朋友？　　　How many foreign friends do you have?

　　沒有幾個。　　　　　　Not many.

8. 那幾個學生在做什麼？　　What are those (few) students doing?

　　他們在跳舞。　　　　　They are dancing.

9. 那兒夏天熱不熱？　　　　Is the summer hot there?

　　不怎麼熱。　　　　　　Not very hot.

10. 你喜歡看電視嗎？　　　　Do you like to watch TV?

　　我不怎麼喜歡。　　　　Not very much. / Not particularly.

Answer the following questions using question words as indefinites

1. 你要到哪兒去？

2. 你有什麼東西？

3. 你有多少錢？

4. 你喜歡吃日本菜嗎？

5. 你昨天跟誰去看電影了？

6. 外面有幾輛車？

7. 那兒很冷嗎？

8. 你買了多少書？

9. 昨天你到哪兒去玩兒了？

10. 你在做什麼？

▼ II. Change of Status with Particle 了

The addition of 了 to any type of stative verb or verb in their positive or negative forms indicates that a new condition or state of affairs has occurred.

（I）

N	(Neg-)	SV	了
天氣		熱	了。
The weather is hot (now).			

1. 東西都貴了。

2. 他的孩子都大了。

3. 我的錶壞了，所以我來晚了。

4. 我昨天覺得不舒服，今天好了。

5. 醫生說她沒什麼病，我就放心了。

（II）

S	(Neg-)	(AV)	V	(O)	了
他	不		教	英文	了。
He doesn't teach English anymore.					
我		會	唱	這個歌兒	了。
I can sing this song (now).					

1. 我忘了他姓什麼了。

2. 你還要嗎？

　　謝謝，我不要了。

3. 現在我會說一點兒中國話了。

4. 時候不早了，我得走了。

5. 你還有別的事嗎？

　　沒有了。

Answer the following questions with the change of status 了

1. 你明天還來嗎？

2. 天氣還熱嗎？

3. 他還不會寫中文字嗎？

4. 你還會唱那個歌兒嗎？

5. 他們還要喝酒嗎？

6. 你還不會開車嗎？

7. 你還喜歡跳舞嗎？

8. 你還不舒服嗎？

9. 外面還下雨嗎？

10. 現在還放假嗎？

III. Imminent Action with Particle 了

If you want to indicate that an action or affair will soon occur, then add a 了 at the end of the sentence. In addition, 快，快要，要 or 就（要）are often placed in front of the verb.

（I）

(S)	快／快要／要	V	(O)	了
我們	快要	放	假	了。
We'll soon have vacation.				

1. 快要上課了。

2. 冬天快到了。

3. 他要回國了。

4. 火車快要開了。

(II) When there is a time word before the verb, 就（要）can be used. This usage indicates that the speaker thinks that the action occurred earlier, perhaps earlier than expected.

S	(Time When)	就	（要）	V	(O)	了
他	明天	就	要	回	國	了。

He is going back to his home country tomorrow.

1. 爸爸就要回來了。

2. 我們馬上就要下課了。

3. 學校下個星期就要放假了。

4. 他下個月就要到歐洲去了。

Use a sentence to describe each picture

5 APPLICATION ACTIVITIES

▼ I. Please imitate the teacher's sentence. Each student says one sentence.

1. 我沒做什麼。（S 沒 V 什麼）

2. 他沒什麼事。（S 沒什麼 O）

3. 我沒買多少東西。（S 沒 V 多少 O）

4. 那個電影不怎麼好看。（N 不怎麼 SV）

▼ II. Each student talks about recent circumstances compared with previous situations.

eg. 現在汽車多了，東西貴了，我是大學生了，etc.

▼ III. Each student talks about something that has already happened or about to happen.

eg. 已經上課了。快要下課了。

▼ Ⅳ. Situations

1. **Conversation between the doctor and the patient.**

2. **Two students discuss their summer or winter vacation plans.**

---

* 咳嗽 (késòu)：to cough
* 頭痛 (tóutòng)：headache
* 游泳 (yóuyǒng)：to swim

* 爬山 (páshān)：to hike
　　　　　　(lit, to climb mountain)
* 打工 (dǎgōng)：to have a part time job

第二課　到那兒去怎麼走？

Ⅰ

A：請問離這兒最近的郵局①在什麼地方？

B：你往②前面一直③走，到了第二個十字路口④往右轉⑤⑥⑦，經過⑧一家百貨公司⑨，再⑩走一會兒就到了。

A：走路去遠不遠？

B：不太遠。要是走得快⑪，只要十分鐘就夠了。

A：從這兒到那兒去有公共汽車嗎？

B：有，你可以坐三號公車。車站就在那邊。

A：謝謝你。

B：不謝。

23

Ⅱ

(at the travel agency)

A：您好，請坐。

B：我打算下個月十號到美國去旅行，請您幫我買機票。⑫

A：您要到哪些城市⑬？

B：我要先到西部的洛杉磯⑭ (Luòshānjī)*，再到東部的紐約跟⑮
　　華盛頓 (Huáshèngdùn)*。

A：好，我看看。七月十號有飛機從臺北經過日本飛洛杉磯。⑯

B：對不起，有沒有直飛洛杉磯的？

A：有，可是是十一號上午的。

B：那也行。

A：然後你再坐飛機到紐約去嗎？⑰

B：是的，請你們也先幫我買票。⑱

A：好的。那您從紐約到華盛頓呢？

B：我跟紐約的朋友一塊兒開車去。
　　八月五號離開華盛頓回臺北。⑲

A：沒問題。八月五號下午三
　　點從華盛頓起飛⑳，好嗎？

B：好的，謝謝。

A：不客氣㉑。

---

* 洛杉磯 (Luòshānjī)：Los Angeles
* 華盛頓 (Huáshèngdùn)：Washington D. C.

ㄉ一ˋ　ㄦˋ　ㄎㄜˋ　　ㄉㄠˋ ㄋㄚˇ ㄦ ㄑㄩˋ ㄗㄣˇ ㄇㄜ˙ ㄗㄡˇ？

I

A： ㄑㄧㄥˇ ㄨㄣˋ ㄅㄧㄥˋ ㄓㄢˋ ㄦ ㄕㄨㄟˋ ㄐㄧㄢ ㄉㄜ˙ 一 ㄐㄧ ㄗˋ ㄖˇ ㄇㄜ˙ ㄅㄧˊ ㄈㄤ？

B： ㄋ一ˇ ㄨㄤˇ ㄑㄧㄢˊ 一 ㄓˊ ㄗㄡˇ，ㄅㄠˋ ㄉㄠˋ ㄦ ㄍㄜ˙ ㄕˊ ㄗˋ ㄌㄨˋ ㄎㄡˇ ㄨㄤˇ 一ㄡˋ ㄓㄨㄢˇ，ㄐㄧㄥˋ ㄍㄨㄛˋ 一 ㄐㄧㄚ ㄎㄜˋ ㄍㄨㄥˋ ㄙ，ㄗㄞˋ ㄗㄡˇ 一 ㄍㄨㄥˋ ㄦ ㄐㄧㄡˋ ㄉㄠˋ ㄌㄜ˙。

A： ㄗㄡˇ ㄌㄨˋ ㄑㄩˋ ㄐㄩㄝˊ ㄉㄜ˙ ㄩㄢˇ ㄇㄚ？

B： ㄅㄨˊ ㄊㄞˋ 一ㄢˇ。一 ㄕˊ ㄗㄡˇ ㄉㄜ˙ ㄎㄨㄞˋ，ㄓˋ 一ㄠˋ ㄕˊ ㄈㄣ ㄓㄨㄥ ㄐㄧㄡˋ ㄉㄠˋ ㄌㄜ˙。

A： ㄎㄨㄥˇ ㄓㄢˋ ㄦ ㄉㄠˋ ㄋㄚˇ ㄦ ㄑㄩˋ 一ㄡˋ ㄍㄨㄥˋ ㄑㄧㄜˋ ㄇㄚˇ ㄐㄩˇ？

B： 一ㄡˇ，ㄋ一ˇ ㄎㄜˇ 一 ㄗㄨㄛˋ ㄙㄢ ㄏㄠˋ ㄍㄨㄥˋ ㄔㄜ。ㄔㄜ ㄓㄢˋ ㄐㄧㄡˋ ㄗㄞˋ ㄋㄚˇ ㄅㄧㄢ。

A： ㄒㄧㄝˋ ㄒㄧㄝˋ ㄋㄧˇ。

B： ㄅㄨˊ ㄎㄜˋ ㄑㄧ。

II

(at the travel agency)

A： ㄋ一ˇ ㄏㄠˇ，ㄑㄧㄥˇ ㄗㄨㄛˋ。

B： ㄨㄛˇ ㄉㄚˇ ㄙㄨㄢˋ ㄒㄧㄚˋ ㄍㄜ˙ ㄩㄝˋ ㄕˋ ㄏㄠˋ ㄉㄠˋ ㄇ一ˇ ㄍㄨㄛˊ ㄑㄩˋ ㄌㄩˇ ㄒㄧㄥˊ，ㄑㄧㄥˇ ㄋ一ˇ ㄅㄤ ㄨㄛˇ ㄇㄞˇ ㄨㄛˇ ㄐㄧˋ ㄆㄧㄠˋ。

A： ㄋ一ˇ ㄉ一ㄥˋ 一ㄠˋ ㄋㄚˇ ㄒㄧㄝˊ ㄔ一ˊ ㄕˊ？

B： ㄨㄛˇ 一ㄠˋ ㄒㄧㄚˋ ㄒㄧㄥ ㄑㄧ ㄨˇ ㄉㄜ˙ ㄗㄠˇ ㄐ一，ㄗㄞˋ ㄉㄠˋ ㄅㄨˋ ㄌㄜ˙ ㄋ一ˇ ㄐㄩ ㄍㄞ ㄏㄡˊ ㄨㄛˇ ㄗㄠˇ ㄕㄥ。

A： ㄏㄠˇ，ㄨㄛˇ ㄎㄢˋ ㄎㄢˋ。ㄑㄧ ㄐㄩㄝˊ ㄕˋ ㄏㄞˊ 一ㄡˇ ㄈㄟ ㄐ一 ㄊㄨㄞˋ ㄊ一ㄢˊ ㄐ一ㄥ ㄍㄨㄛˊ ㄖˋ ㄅㄣˇ ㄇㄟˊ ㄆㄛˋ ㄕㄢˋ ㄐ一。

B： ㄉㄨㄟˋ ㄅㄨˋ ㄑㄧˇ，一ㄡˇ ㄇㄟˊ 一ㄡˇ ㄓˊ ㄈㄟ ㄉㄜ˙ ㄇㄟˊ ㄐ一 ㄉㄜ˙？

A： 一ㄡˇ，ㄎㄜˇ ㄕˋ ㄗˋ 一 ㄏㄠˋ ㄨˇ ㄈㄟ。

B： ㄋㄚˇ 一ㄝˋ ㄒㄧㄥˊ。

A： ㄖㄢˊ ㄏㄡˋ ㄋ一ˇ ㄗㄞˋ ㄈㄟ ㄐ一 ㄉㄠˋ ㄋ一ˇ ㄐㄩ ㄑㄧˊ ㄇㄚˋ？

B： ㄕˋ ㄉㄜ˙，ㄑㄧㄥˇ ㄋ一ˇ ㄇㄟˊ 一 ㄒㄧㄢ ㄅㄨˋ ㄨㄛˇ ㄇㄞˊ ㄆㄠˋ。

A：ㄏㄠˇ ㄉㄜ˙。ㄋㄚˇ ㄋㄧㄢˊ ㄎㄨㄟˊ ㄋㄧㄝˇ ㄐㄩ ㄉㄨˋ ㄍㄡ ㄕㄥ ㄕㄡˋ ㄋㄜ˙？

B：ㄨㄛˇ ㄍㄣ ㄋㄧㄡˇ ㄉㄜ˙ ㄆㄥˊ ㄧ ㄎㄞˋ ㄦˊ ㄎㄞ ㄔㄜ ㄑㄩˋ。ㄅㄚˋ ㄧㄝˇ ㄨˋ ㄏㄠˇ ㄧˋ ㄎㄞˋ ㄏㄨㄚ ㄕㄥˋ ㄅㄨˋ ㄑㄧ ㄊㄞˋ ㄅㄧㄥˇ。

A：ㄇㄟˇ ㄋㄧㄢˊ ㄊㄧㄢ。ㄅㄚˋ ㄧㄝˇ ㄨˋ ㄏㄠˇ ㄒㄧㄚˊ ㄨˋ ㄙㄨㄛˊ ㄅㄧㄢ ㄊㄨㄟˇ ㄏㄨㄚˋ ㄕㄡˋ ㄅㄨˋ ㄑㄧ ㄈㄟ，ㄏㄠˇ ㄇㄚ˙？

B：ㄏㄠˇ ㄉㄜ˙，ㄒㄧㄝ ㄒㄧㄝ˙。

A：ㄅㄨˊ ㄎㄜˋ ㄑㄧˋ。

Dì Èr Kè　Dào Nàr Cyù Zěnme Zǒu?

I

A：Cǐngwùn lí jhèr zuèi jìnde yóujyú zài shénme dìfāng?

B：Nǐ wǎng ciánmiàn yìzhíh zǒu, dàole dièrge shíhzìhlùkǒu wǎng yòu jhuǎn, jīngguò yìjiā bǎihuògōngsīh, zài zǒu yìhuěir jiòu dàole.

A：Zǒulù cyù yuǎn bùyuǎn?

B：Bútài yuǎn. Yàoshìh zǒude kuài, jhǐhyào shíhfēnjhōng jiòu gòule.

A：Cóng jhèr dào nàr cyù yǒu gōnggòngcìchē ma?

B：Yǒu, nǐ kěyǐ zuò sānhào gōngchē. Chējhàn jiòu zài nèibiān.

A：Sièsie nǐ.

B：Búsiè.

II

(at the travel agency)

A：Nín hǎo, cǐng zuò.

B：Wǒ dǎsuàn ciàgeyuè shíhhào dào Měiguó cyù lyǔsíng, cǐng nín bāng wǒ mǎi jīpiào.

A：Nín yào dào něisiē chéngshìh?

B：Wǒ yào siān dào sībùde Luòshānjī, zài dào dōngbùde Niǒuyuē gēn Huáshèngdùn.

A：Hǎo, wǒ kànkàn. Cīyuè shíhhào yǒu fēijī cóng Táiběi jīngguò Rìběn fēi Luòshānjī.

B：Duèibùcǐ, yǒu méiyǒu zhíh fēi Luòshānjī de?

A：Yǒu, kěshìh shìh shíhyīhào shàngwǔde.

B：Nà yě síng.

A：Ránhòu nǐ zài zuò fēijī dào Niǒuyuē qù ma?

B：Shìhde, cǐng nǐmen yě siān bāng wǒ mǎi piào.

A：Hǎode. Nà nín cóng Niǒuyuē dào Huáshèngdùn ne?

B：Wǒ gēn Niǒuyuēde péngyǒu yíkuàir kāichē cyù. Bāyuè wǔhào líkāi Huáshèngdùn huéi Táiběi.

A：Méi wùntí. Bāyuè wǔhào siàwǔ sāndiǎn cóng Huáshèngdùn cǐfēi, hǎo ma?

A：Hǎode, sièsie.

B：Búkècì.

Dì Èr Kè   Dào Nàr Qù Zěnme Zǒu?

I

A：Qǐngwèn lí zhèr zuì jìnde yóujú zài shénme dìfāng?

B：Nǐ wǎng qiánmiàn yìzhí zǒu, dàole dièrge shízìlùkǒu wǎng yòu zhuǎn, jīngguò yìjiā bǎihuògōngsī, zài zǒu yìhuǐr jiù dàole.

A：Zǒulù qù yuǎn bùyuǎn?

B：Bútài yuǎn. Yàoshì zǒude kuài, zhǐyào shífēnzhōng jiù gòule.

A：Cóng zhèr dào nàr qù yǒu gōnggòngqìchē ma?

B：Yǒu, nǐ kěyǐ zuò sānhào gōngchē. Chēzhàn jiù zài nèibiān.

A：Xièxie nǐ.

B：Búxiè.

II

(at the travel agency)

A : Nín hǎo, qǐng zuò.

B : Wǒ dǎsuàn xiàgeyuè shíhào dào Měiguó qù lǚxíng, qǐng nín bāng wǒ mǎi jīpiào.

A : Nín yào dào něixiē chéngshì?

B : Wǒ yào xiān dào xībùde Luòshānjī, zài dào dōngbùde Niǔyuē gēn Huáshèngdùn.

A : Hǎo, wǒ kànkàn. Qīyuè shíhào yǒu fēijī cóng Táiběi jīngguò Rìběn fēi Luòshānjī.

B : Duìbùqǐ, yǒu méiyǒu zhí fēi Luòshānjī de?

A : Yǒu, kěshì shì shíyīhào shàngwǔde.

B : Nà yě xíng.

A : Ránhòu nǐ zài zuò fēijī dào Niǔyuē qù ma?

B : Shìde, qǐng nǐmen yě xiān bāng wǒ mǎi piào.

A : Hǎode. Nà nín cóng Niǔyuē dào Huáshèngdùn ne?

B : Wǒ gēn Niǔyuēde péngyǒu yíkuàir kāichē qù. Bāyuè wǔhào líkāi Huáshèngdùn huí Táiběi.

A : Méi wèntí. Bāyuè wǔhào xiàwǔ sāndiǎn cóng Huáshèngdùn qǐfēi, hǎo ma?

A : Hǎode, xièxie.

B : Búkèqì.

LESSON 2 HOW DO YOU GET THERE?

I

A : Excuse me, where is the nearest post office from here?

B : You go straight ahead to the second intersection, turn right and go past a department store, then, keep going a little farther and you're there.

A : Is it far to walk?

B : Not very far. If you walk fast you can get there in only ten minutes.

A : Is there a bus from here to there?

B : Yes. You can take the number three bus. The bus stop is over there.

A : Thank you.

B : Don't mention it.

II

(at the travel agency)

A : Hello, please sit down.

B : On the tenth of next month I'm planning to go to America to travel. Please help me purchase my airplane tickets.

A : What city do you want to go to?

B : First I want to go to Los Angeles on the West Coast and then to New York and Washington on the East Coast.

A : Fine, I'll have a look. On the tenth of July there is a flight from Taipei via Japan to Los Angeles.

B : I'm sorry. Is there a direct flight to Los Angeles?

A : Yes, but it's on the morning of the eleventh.

B : Well, that's OK.

A : Then you want to take another plane to New York?

B : Yes, please help me book a seat in advance.

A : Fine. How about your flight from New York to Washington?

B : I'm going to drive there with a friend from New York. I'll leave Washington and return to Taipei on August the fifth.

A : No problem. August the fifth at three o'clock in the afternoon there's a flight leaving Washington. Is that all right?

B : Fine, thanks.

A : You're welcome.

2 NARRATION

　　美國是一個很大的國家。北邊是加ㄐㄧㄚ拿ㄋㄚ大ㄉㄚ (Jiānádà)[*]，南邊是墨ㄇㄛ西ㄒㄧ哥ㄍㄜ (Mòsīgē/Mòxīgē)[*]，東邊、西邊都是海。美國有很多高山、大河，最大的一條河在中部，叫密ㄇㄧ西ㄒㄧ西ㄒㄧ比ㄅㄧ (Mìsīsībǐ/Mìxīxībǐ)[*]河。大城市也很多，東部的紐約、華盛頓，西部的洛杉磯都是有名的大城。要是你坐飛機從東部到西部去，不經過中部的城市，直飛五個鐘頭就到了，很方便。要是開車，就要七、八天了。

[*] 加ㄐㄧㄚ拿ㄋㄚ大ㄉㄚ (Jiānádà)：Canada
[*] 墨ㄇㄛ西ㄒㄧ哥ㄍㄜ (Mòsīgē/Mòxīgē)：Mexico
[*] 密ㄇㄧ西ㄒㄧ西ㄒㄧ比ㄅㄧ (Mìsīsībǐ/Mìxīxībǐ)：Mississippi

ㄇㄟˇ ㄍㄨㄛˊ ㄕˋ ㄧˊ ㄍㄜ˙ ㄏㄣˇ ㄉㄚˋ ㄉㄜ˙ ㄍㄨㄛˊ ㄐㄧㄚ。ㄅㄟˇ ㄅㄧㄢ ㄕˋ ㄐㄧㄚ ㄋㄚˊ ㄉㄚˋ，ㄋㄢˊ ㄅㄧㄢ ㄕˋ ㄇㄛˋ ㄒㄧ ㄍㄜ，ㄉㄨㄥ ㄅㄧㄢ、ㄒㄧ ㄅㄧㄢ ㄉㄡ ㄕˋ ㄏㄞˇ。ㄇㄟˇ ㄍㄨㄛˊ ㄧㄡˇ ㄏㄣˇ ㄉㄨㄛ ㄍㄠ ㄕㄢ、ㄉㄚˋ ㄏㄜˊ，ㄗㄨㄟˋ ㄉㄚˋ ㄉㄜ˙ ㄧˋ ㄊㄧㄠˊ ㄏㄜˊ ㄗㄞˋ ㄓㄨㄥ ㄅㄨˋ，ㄐㄧㄠˋ ㄇㄧˋ ㄒㄧ ㄒㄧ ㄅㄧˇ ㄏㄜˊ。ㄉㄚˋ ㄔㄥˊ ㄕˋ ㄧㄝˇ ㄏㄣˇ ㄉㄨㄛ，ㄉㄨㄥ ㄅㄨˋ ㄉㄜ˙ ㄋㄧㄡˇ ㄩㄝ、ㄏㄨㄚˊ ㄕㄥˋ ㄉㄨㄣˋ，ㄒㄧ ㄅㄨˋ ㄉㄜ˙ ㄌㄨㄛˋ ㄕㄢ ㄐㄧ ㄉㄡ ㄕˋ ㄧㄡˇ ㄇㄧㄥˊ ㄉㄜ˙ ㄉㄚˋ ㄔㄥˊ。ㄧㄠˋ ㄕˋ ㄋㄧˇ ㄗㄨㄛˋ ㄈㄟ ㄐㄧ ㄘㄨㄥˊ ㄉㄨㄥ ㄅㄨˋ ㄉㄠˋ ㄒㄧ ㄅㄨˋ ㄑㄩˋ，ㄅㄨˋ ㄐㄧㄥ ㄍㄨㄛˋ ㄓㄨㄥ ㄅㄨˋ ㄉㄜ˙ ㄔㄥˊ ㄕˋ，ㄓˊ ㄈㄟ ㄨˇ ㄍㄜ˙ ㄓㄨㄥ ㄊㄡˊ ㄐㄧㄡˋ ㄉㄠˋ ㄌㄜ˙，ㄏㄣˇ ㄈㄤ ㄅㄧㄢˋ。ㄧㄠˋ ㄕˋ ㄎㄞ ㄔㄜ，ㄐㄧㄡˋ ㄧㄠˋ ㄑㄧ、ㄅㄚ ㄊㄧㄢ ㄌㄜ˙。

Měiguó shìh yíge hěn dàde guójiā. Běibiān shìh Jiānádà, nánbiān shìh Mòsīgē, dōngbiān, sībiān dōu shìh hǎi. Měiguó yǒu hěn duō gāo shān, dà hé, zuèi dàde yìtiáo hé zài jhōngbù, jiào Mìsīsībǐ hé. Dà chéngshìh yě hěn duō, dōngbùde Niǒuyuē, Huáshèngdùn, sībùde Luòshānjī dōu shìh yǒumíngde dà chéng. Yàoshìh nǐ zuò fēijī cóng dōngbù dào sībù cyù, bùjīngguò jhōngbùde chéngshìh, jhíh fēi wǔge jhōngtóu jiòu dào le, hěn fāngbiàn. Yàoshìh kāichē, jiòu yào cī, bātiān le.

Měiguó shì yíge hěn dàde guójiā. Běibiān shì Jiānádà, nánbiān shì Mòxīgē, dōngbiān, xībiān dōu shì hǎi. Měiguó yǒu hěn duō gāo shān, dà hé, zuì dàde yìtiáo hé zài zhōngbù, jiào Mìxīxībǐ hé. Dà chéngshì yě hěn duō, dōngbùde Niǔyuē, Huáshèngdùn, xībùde Luòshānjī dōu shì yǒumíngde dà chéng. Yàoshì nǐ zuò fēijī cóng dōngbù dào xībù qù, bùjīngguò zhōngbùde chéngshì, zhí fēi wǔge zhōngtóu jiù dào le, hěn fāngbiàn. Yàoshì kāichē, jiù yào qī, bātiān le.

America is a very large country. In the north is Canada, in the south is Mexico, and ocean on both the east and west coasts. America has many high mountains, and long rivers. The largest of which is located in the middle part and is called the Mississippi. There are also many large cities. In the east are New York and Washington, and in the west is Los Angeles. All of these cities are quite well-known. If you take a flight from the east to the west without stopping in any of the cities in the middle part of the country, it takes about five hours. It's very convenient. If you go by car, it will take seven or eight days at least.

3　VOCABULARY

1 郵局 (yóujyú / yóujú)　N：post office

我家附近沒有郵局。

Wǒ jiā fùjìn méiyǒu yóujyú.
Wǒ jiā fùjìn méiyǒu yóujú.
There is no post office near my home.

2 往 (wǎng)　CV：to go toward

中國字應該從上往下寫。

Jhōngguó zìh yīnggāi cóng shàng wǎng sià siě.
Zhōngguó zì yīnggāi cóng shàng wǎng xià xiě.
Chinese characters should be written from the top to the bottom of the page.

3 一直 (yìjhíh / yìzhí)　A：straight; constantly, continuously

往前面一直走，就到了。

Wǎng ciánmiàn yìjhíh zǒu, jiòu dàole.
Wǎng qiánmiàn yìzhí zǒu, jiù dàole.
Go straight ahead and you'll get there.

我一直想到歐洲去旅行。

Wǒ yìjhíh siǎng dào Ōujhōu cyù lyǔsíng.
Wǒ yìzhí xiǎng dào Ōuzhōu qù lǚxíng.
I've been constantly thinking about going to Europe to travel.

直 (jhíh / zhí)　SV/A：to be straight / continuously

4 第 (dì)　DEM：a prefix for ordinal numbers

這課是第十四課。

Jhèikè shìh dì shíhsìh kè.

33

Zhèikè shì dì shísì kè.
This is the fourteenth lesson.

5 十字路口 (shíhzìhlùkǒu / shízìlùkǒu)　N(PW)：intersection

路口 (lùkǒu)　N：street entrance

6 右 (yòu)　N：right

7 轉 (jhuǎn / zhuǎn)　V：to turn

前面十字路口往右轉，就到他家了。

Ciánmiàn shíhzìhlùkǒu wǎng yòu jhuǎn, jiòu dào tā jiā le.
Qiánmiàn shízìlùkǒu wǎng yòu zhuǎn, jiù dào tā jiā le.
At the intersection up ahead turn right and you'll be at his house.

8 經過 (jīngguò)　V：to pass by, to pass through

我每天都經過那家書店。

Wǒ měitiān dōu jīngguò nèijiā shūdiàn.
I go past that bookstore everyday.

9 百貨公司 (bǎihuògōngsīh / bǎihuògōngsī)

N：department store（M：家 jiā）

10 再 (zài)　A：then

吃了飯，再休息一一會兒，我就要走了。

Chīhle fàn, zài siōusí yìhuěir, wǒ jiòu yào zǒule.
Chīle fàn, zài xiūxí yìhuǐr, wǒ jiù yào zǒule.
After eating, and then resting for a while, I'll leave.

11 要是 (yàoshìh / yàoshì)　MA：if

要是他去，我就去。

Yàoshìh tā cyù, wǒ jiòu cyù.
Yàoshì tā qù, wǒ jiù qù.

If he goes, then I'll go.

12　幫ㄅㄤ (bāng)　V：to help, to assist

請ㄑㄧㄥ你ㄋㄧ幫ㄅㄤ我ㄨㄛ買ㄇㄞ一ㄧ張ㄓㄤ電ㄉㄧㄢ影ㄧㄥ票ㄆㄧㄠ。

Cǐng nǐ bāng wǒ màijhāng diànyǐng piào.
Qǐng nǐ bāng wǒ màizhāng diànyǐng piào.
Please help me buy a movie ticket.

幫ㄅㄤ忙ㄇㄤ (bāngmáng)　VO：to help someone do something

請ㄑㄧㄥ你ㄋㄧ幫ㄅㄤ我ㄨㄛ一ㄧ個ㄍㄜ忙ㄇㄤ，好ㄏㄠ不ㄅㄨ好ㄏㄠ？

Cǐng nǐ bāng wǒ yíge máng, hǎo bùhǎo?
Qǐng nǐ bāng wǒ yíge máng, hǎo bùhǎo?
Could you please do me a favor?

13　城ㄔㄥ市ㄕ (chéngshìh / chéngshì)　N：city

美ㄇㄟ國ㄍㄨㄛ有ㄧㄡ哪ㄋㄚ些ㄒㄧㄝ大ㄉㄚ城ㄔㄥ市ㄕ？

Měiguó yǒu něisiē dà chéngshìh?
Měiguó yǒu něixiē dà chéngshì?
What large cities are there in America?

城ㄔㄥ (chéng)　N：city, city wall

市ㄕ (shìh / shì)　BF：city municipality, market

14　西ㄒㄧ部ㄅㄨ (sībù / xībù)　N(PW)：western part, western area

他ㄊㄚ打ㄉㄚ算ㄙㄨㄢ去ㄑㄩ西ㄒㄧ部ㄅㄨ旅ㄌㄩ行ㄒㄧㄥ。

Tā dǎsuàn cyù sībù lyǔsíng.
Tā dǎsuàn qù xībù lǚxíng.
He is planning to travel to the western area.

西ㄒㄧ (sī / xī)　N：west

部ㄅㄨ (bù)　BF：part, area; department

15　東ㄉㄨㄥ部ㄅㄨ (dōngbù)　N(PW)：eastern part, eastern area

東 (dōngbù)　N：east

16 臺／台北 (Táiběi)　N：Taipei

臺北是一個大城市。

Táiběi shìh yíge dà chéngshìh.
Táiběi shì yíge dà chéngshì.
Taipei is a large city.

北 (běi)　N：north

17 然後 (ránhòu)　CONJ：afterwards, then

18 先 (siān / xiān)　A：first, in advance, before

我先念書，然後再看電視。

Wǒ siān niànshū, ránhòu zài kàn diànshìh.
Wǒ xiān niànshū, ránhòu zài kàn diànshì.
I'm going to study first, then watch TV.

19 離開 (líkāi)　V：to leave

他什麼時候要離開德國？

Tā shénme shíhhòu yào líkāi Déguó?
Tā shénme shíhòu yào líkāi Déguó?
When is he going to leave Germany?

20 起飛 (cǐfēi / qǐfēi)　V：to take off

他坐的飛機下午三點起飛。

Tā zuòde fēijī siàwǔ sāndiǎn cǐfēi.
Tā zuòde fēijī xiàwǔ sāndiǎn qǐfēi.
His flight leaves at three o'clock in the afternoon.

21 不客氣 (búkècì / búkèqì) (búkèci / búkèqi)

IE：you're welcome

A：謝謝你。

B：不ㄅㄨˋ客ㄎㄜˋ氣ㄑㄧˋ／不ㄅㄨˋ謝ㄒㄧㄝˋ。

> A: Sièsie nǐ.
> A: Xièxie nǐ.
> B: Búkècì/ Búsiè.
> B: Búkèqì/ Búxiè.
> **A: Thank you.**
> **B: You're welcome.**

客ㄎㄜˋ氣ㄑㄧˋ/˙ (kècì / kèqì) (kèci / kèqi)　　SV：to be polite

那ㄋㄚˋ個ㄍㄜˋ人ㄖㄣˊ很ㄏㄣˇ客ㄎㄜˋ氣ㄑㄧˋ。

> Nèige rén hěn kècì.
> Nèige rén hěn kèqì.
> **That person is very polite.**

SUPPLEMENTARY VOCABULARY

22 南ㄋㄢˊ (nán)　　N：south

他ㄊㄚ家ㄐㄧㄚ在ㄗㄞˋ美ㄇㄟˇ國ㄍㄨㄛˊ南ㄋㄢˊ部ㄅㄨˋ。

> Tā jiā zài Měiguó nánbù.
> **His home is in the southern part of the United States.**

23 海ㄏㄞˇ (hǎi)　　N：ocean, sea

海ㄏㄞˇ上ㄕㄤˋ有ㄧㄡˇ很ㄏㄣˇ多ㄉㄨㄛ船ㄔㄨㄢˊ。

> Hǎishàng yǒu hěn duō chuán.
> **There are many ships on the ocean.**

24 高ㄍㄠ (gāo)　　SV：to be tall, to be high

那ㄋㄚˋ座ㄗㄨㄛˋ山ㄕㄢ很ㄏㄣˇ高ㄍㄠ。

> Nèizuò shān hěn gāo.
> **That mountain is very high.**

25 河ㄏㄜˊ (hé)　　N：river

26 條ㄊㄧㄠ (tiáo)

M：measure word for long narrow things such as rivers, roads, fish, etc.

27 左ㄗㄨㄛ (zuǒ)　N：left

28 街ㄐㄧㄝ (jiē)　N：street

過ㄍㄨㄛ了ㄌㄜ那ㄋㄟ條ㄊㄧㄠ街ㄐㄧㄝ，就ㄐㄧㄡ到ㄉㄠ了ㄌㄜ。

Guòle nèitiáo jiē, jiòu dàole.
Guòle nèitiáo jiē, jiù dàole.
Cross that street and you'll be there.

29 吧ㄅㄚ (ba)　P：sentence suffix, indicating a request or suggestion

我ㄨㄛ們ㄇㄣ走ㄗㄡ吧ㄅㄚ！

Wǒmen zǒu ba!
Let's go!

4　SYNTAX PRACTICE

▼ I. Motion toward a Place or a Direction with Coverb 往

（從PW/Direction）　往PW/Direction V
從　飛機上　　往　下（面）看，很有意思。
Looking down from an aiplane is very interesting.

1. 中國字應該從左往右，從上往下寫。

2. 到紐約去，得往東飛。

3. 從我家的客廳往外看，可以看見大海。

4. 這些車都是往南（部）去的。

5. 你往右轉，過兩條街，就到了。

State direction of car according to the picture

▼ II. 部 and 邊 Contrasted

The character 部 means part or section. It can not refer to regions beyond the border. The character 邊 means side or border or region; therefore it is not possible to say 中邊。

部	東部	南部	西部	北部	中部	—	—
邊	東邊	南邊	西邊	北邊	—	右邊	左邊

1. 美國中部的大城市不多。

2. 我是南部人，不是北部人。

3. 我聽說美國東北部鄉下風景很好。

4. 加拿大在美國北邊，墨西哥在南邊。

5. 郵局在我家旁邊。

6. 左邊的那本書是我的，右邊的是你的。

7. 夏天到海邊去玩兒的人不少。

8. 臺灣的東邊、西邊都有海。

Please give geographic positions of cities, countries, and oceans

III. Adverb Used as Correlative Connectors

（I）要是……就……(if……then……)

In Chinese rhetorical sentences, the "if " clause usually occurs before the main clause. In English sentences "if " is essential, but the Chinese equivalent for "if " 要是 can be omitted; however in Chinese 就 is not left out very often. An exception to this trend is when the main statement is a question. In this case 就 is often omitted.

（要是）	S_1	V_1	S_2	就	V_2
要是	你	去	我	就	去。
If you go, then I'll go.					

1. 要是下雨，我就不去了。
2. 要是不在右邊，就一定在左邊。
3. 要是我到美國去，我就去看你。
4. 要是你現在沒有事，請你幫我一個忙，好嗎？
　　好，你有什麼事？請說。
5. 你要是生病了，你怎麼辦？
　　要是我生病了，我就去看醫生。

Answer the following questions

旅行

1. 要是你有很多錢，你要做什麼？

2. 要是你不知道公車站在哪兒，你怎麼問別人？

3. 要是你是老師，學生不喜歡念書，你怎麼辦？

4. 要是你要到郵局去，可是不知道怎麼走，你怎麼問別人？

5. 要是明天有考試，今天你還看電視嗎？

6. 要是你不懂老師說的話，你怎麼辦？

(II) 先……再……(first ......then ......)

a.

S	先	V₁	，	再	V₂
我	先	吃飯	，	再	念書。
First I'm going to eat, then I'll study.					

b.

S₁	先	V,	S₂	再	V
你	先	說，	我	再	說。
You speak first, then I'll speak.					

1. 我們先喝一點兒酒，再吃飯吧。
2. 你應該先買票，再上車。
3. 我想先休息一會兒，再做。
4. 我先給你錢，你再去買吧。
5. 你先教我，我再教他，好不好？

Use「先……再……」to connect the 2 parts of each following sentence

1. 你說「請問」，問問題。
2. 我回家，吃飯。
3. 你想想，說話。
4. 老師說，學生說。
5. 你上車，我上車。
6. 爸爸教哥哥，哥哥教弟弟。

5 APPLICATION ACTIVITIES

I. Look at the map and give directions.

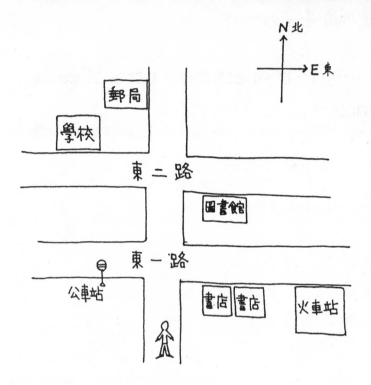

1. 請問，公車站在哪裡？
2. 請問，到火車站去怎麼走？
3. 請問，圖書館在哪裡？
4. 請問，到郵局去怎麼走？
5. 請問，到學校去怎麼走？

▼ **II. Where do you come from? Please describe the place's location and geographic circumstances.**

▼ **III. Please make a tour plan.**

▼ **IV. Situation**

Ask a passer-by for directions.

6 | NOTES

Compass direction: In Chinese, compass directions are expressed differently than in English. In fact 東南 (east-south)，西北 (west-north) are the opposite of English. Look at the chart below:

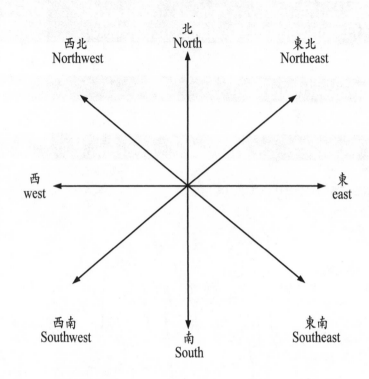

第三課 | 請您給我們介紹幾個菜①②

1 DIALOGUE

I

（在飯館兒裡）

謝③：錢④先生，您喜歡吃什麼？您點菜⑤，好嗎？

錢：我什麼都吃，您點吧。

謝：我聽說這家飯館兒的魚⑥ 做得非常好。

錢：那麼，我們就點一個魚吧。

謝〔對服ㄈㄨˊ務ㄨˋ生ㄕㄥ⑧ (fúwùshēng)*〕：先生，您能再給我們介紹幾 個菜嗎？

服務生：好的，你們喜歡吃牛肉⑨嗎？我們做的牛肉很有名。

謝：我們點一個魚，一個牛肉，一個青菜⑩， 再點一個雞湯⑪⑫，夠不夠？

錢：夠了，夠了。

謝：錢先生，您這個月在臺灣 玩兒得好吧？

錢：太好了，朋友們都對我太客氣了。

謝：回了美國，別忘了給我們寫信⑬， 也請您替我們問錢太太好⑭⑮。

錢：一定，一定。

*服ㄈㄨˊ務ㄨˋ生ㄕㄥ (fúwùshēng)：waiter, waitress

47

II

（在張家）

張先生：請坐，請坐。方先生，您想喝點兒什麼酒？

方先生：什麼酒都行。

張先生：方太太，您呢？[16]

方太太：謝謝，我一點兒酒都不能喝。

方先生：這麼多菜都是張太太您自己做的嗎？[17][18]

張太太：是啊。可是做得不好。

張先生：沒什麼菜，你們多吃一點兒。

方太太：您別客氣，我們自己來。

方先生：張太太，您這些菜做得真好吃。

張太太：哪裡，哪裡。這個牛肉，您吃了沒有？[19]

方先生：我已經吃了很多了。

張太太：那麼，您再喝碗熱湯吧。方太太，您也來一碗，[20]
好不好？

方太太：謝謝，我吃飽了，大家慢用。[21][22][23]

張先生：那麼，您吃點兒水果吧。[24]

ㄉㄧ　ㄙㄢ　ㄎㄜ　　ㄑㄧㄥˇ　ㄋㄧㄣˊ　ㄍㄟˇ　ㄨㄛˇ　ㄇㄣ˙　ㄐㄧㄝˋ　ㄕㄠˋ　ㄐㄧˇ　ㄍㄜ˙　ㄘㄞˋ

I

（ㄗㄞˋ　ㄈㄢˋㄍㄨㄢˇㄑㄧㄢˊㄇㄧㄢˋ　ㄍㄨㄛˊㄒㄧㄢㄕㄥㄙㄨㄛˇㄒㄧㄢˊㄋㄚ˙ㄅㄨˋ　ㄦˊ　ㄉㄧˇ）

ㄒㄧㄝˋㄑㄧㄢㄒㄧㄢˊㄒㄧㄝˇㄑㄧㄢ：：㄃ㄧˋ，ㄋㄧㄣˊ　ㄒㄧˇ　ㄏㄨㄢㄋㄧㄢˊ　ㄔ　ㄗㄜˊㄋㄜ˙　？ㄋㄧㄢˊ　ㄅㄞˇ　ㄘㄞ，　ㄏㄞˊ　ㄚ？
㄃ㄧˋ：ㄐㄧㄚ　ㄈㄢˇ　ㄍㄨㄢ　ㄦˊ　㄃ㄜ˙　ㄩˋ　ㄅㄞˇ　㄃ㄜ˙　ㄇㄟˊ　㄃ㄤ　ㄏㄠˋ。
ㄨˊ　ㄙㄥ：ㄒㄧㄢ　ㄕㄥ，ㄋㄧㄣˊ　ㄕ ，ㄋㄧㄣˊ　ㄗㄞ　ㄍㄨㄛˇㄇㄣ˙　ㄐㄧㄝˋ　ㄕㄠˋ　ㄐㄧ　ㄍㄜ˙　ㄘㄞˋ
ㄋㄚ˙ㄇㄚ˙？

ㄈㄨˊ　ㄨˋ　ㄕㄥ：ㄏㄠˇ　㄃ㄜ˙，ㄋㄧ　㄃ㄧ　ㄒㄧˇ　ㄏㄨㄢ　ㄔ　ㄋㄧㄡˊ　ㄖㄡˋ　ㄚ？ㄗㄜˊㄋㄜ˙　ㄓㄠˋ　㄃ㄜ˙　ㄋㄧㄡˊ　ㄖㄡˋ
ㄒㄧㄣ　ㄧㄡˋ。ㄒㄧˇㄇㄣˊㄉㄧㄢˇ　ㄩˋ，ㄧ　ㄍㄜˇ　ㄋㄧ　ㄖㄡˋ，ㄧ　ㄍㄜˇ　ㄑㄧㄥ　ㄘㄞ，ㄗㄞˋ　㄃ㄧㄢˇ　ㄧ

ㄒㄧㄝˋ：ㄇㄛ˙ㄍㄜˊㄐㄧ　㄃ㄠˇㄒㄧㄢ　ㄏㄠˋ㄃ㄜˊㄋㄧˊ　㄃ㄢˊ　ㄍㄜˋㄊㄨㄢˊㄏㄨㄟˇㄨㄣˊㄩˊㄒㄧㄢ，ㄍㄡˋㄉㄜˊㄒㄧㄢ　ㄏㄞˊㄉㄧㄢ　ㄧ
ㄑㄧㄢ：ㄒㄧㄢ ㄑㄧㄝˇㄑㄧㄢㄒㄧㄢ：ㄍㄡˋㄜˊㄉㄜˊㄒㄧㄢ，ㄍㄡˋ　㄃ㄜˊㄋㄢ˙ㄅㄠˇ，ㄍㄨˋ　㄃ㄜˊㄑㄧㄢ㄃ㄞˋㄇㄧㄥˊ，ㄧ
ㄑㄧㄢ：ㄧ　㄃ㄢˊ ，ㄍㄜ˙ㄊㄞ˙ㄋㄧ ，ㄒㄩ　ㄩˋㄇㄣˊㄍㄡˋㄒㄧㄢˋ，ㄧ　ㄑㄧㄥ ㄘㄞˋ，ㄖㄞˋ㄃ㄧㄢˇ　ㄧ　ㄨˇ　ㄇㄣˊ？

II

（ㄗㄞˋ　ㄓㄤ　ㄐㄧㄚ）

ㄓㄤ　ㄒㄧㄣㄒㄧㄣㄒㄧㄢ：：ㄑㄧㄥˇ　ㄗㄨㄛ˙，ㄑㄧㄥˇ　ㄗㄨㄛ。ㄈㄟ　ㄒㄧㄣ，ㄋㄧ　ㄒㄧㄤˇ　ㄏㄜ　ㄅㄟˇ　ㄦˊ　ㄗ　ㄇㄜ˙　ㄐㄧㄡˋ？
ㄈㄤ　ㄓㄤ：：ㄑㄧㄥˇㄇㄛ˙ㄇㄜˊㄈㄟˋㄒㄧㄣ。ㄅㄞˊ　ㄐㄧㄡˊㄊㄞˊㄒㄧㄤˊㄋㄜˊ？

ㄈㄤˊ ㄊㄞˋ ㄊㄞˋ ：ㄒㄧㄝˊ ㄒㄧㄢˉㄕㄥ，ㄋㄧㄣˊ ㄒㄧˇㄏㄨㄢ ㄔ ㄕㄣˊㄇㄜ˙？ㄋㄧㄣˊ ㄉㄧㄢˇ ㄘㄞˋ，ㄏㄠˇ ㄇㄚ˙？

ㄑㄧㄢˊ ㄒㄧㄢˉㄕㄥ：ㄨㄛˇ ㄕㄣˊㄇㄜ˙ ㄉㄡ ㄔ，ㄋㄧㄣˊ ㄉㄧㄢˇ ㄅㄚ˙。

ㄒㄧㄝˊ ㄒㄧㄢˉㄕㄥ：ㄨㄛˇ ㄊㄧㄥ ㄕㄨㄛ ㄓㄜˋㄐㄧㄚ ㄈㄢˋㄍㄨㄢˇㄦ˙ㄉㄜ˙ ㄩˊ ㄗㄨㄛˋㄉㄜ˙ ㄈㄟㄔㄤˊ ㄏㄠˇ。

ㄑㄧㄢˊ ㄒㄧㄢˉㄕㄥ：ㄋㄚˋㄇㄜ˙，ㄨㄛˇㄇㄣ˙ ㄐㄧㄡˋ ㄉㄧㄢˇ ㄧˊㄍㄜ˙ ㄩˊ ㄅㄚ˙。

ㄒㄧㄝˊ ㄒㄧㄢˉㄕㄥ：ㄒㄧㄢ ㄕㄥ，ㄋㄧㄣˊ ㄋㄥˊ ㄗㄞˋ ㄍㄟˇ ㄨㄛˇㄇㄣ˙ ㄐㄧㄝˋㄕㄠˋ ㄐㄧˇㄍㄜ˙ ㄘㄞˋ ㄇㄚ˙？

ㄈㄨˊㄨˋㄕㄥ：ㄏㄠˇㄉㄜ˙，ㄋㄧˇㄇㄣ˙ ㄒㄧˇㄏㄨㄢ ㄔ ㄋㄧㄡˊㄖㄡˋ ㄇㄚ˙？ㄨㄛˇㄇㄣ˙ ㄗㄨㄛˋㄉㄜ˙ ㄋㄧㄡˊㄖㄡˋ ㄏㄣˇ ㄧㄡˇㄇㄧㄥˊ！

Dì Sān Kè — Cǐng Nín Gěi Wǒmen Jièshào Jǐge Cài

I

(zài fànguǎnrlǐ)

Siè　　：Cián Siānshēng, nín sǐhuān chīh shénme? Nín diǎn cài, hǎo ma?

Cián　　：Wǒ shénme dōu chīh, nín diǎn ba.

Siè　　：Wǒ tīngshuō jhèijiā fànguǎnrde yú zuòde fēicháng hǎo.

Cián　　：Nàme, wǒmen jiòu diǎn yíge yú ba.

Siè (duèi fúwùshēng)：Siānshēng, nín néng zài gěi wǒmen jièshào jǐge cài ma?

Fúwùshēng：Hǎode, nǐmen sǐhuān chīh nióuròu ma? Wǒmen zuòde nióuròu hěn yǒumíng.

Siè　　　　: Wǒmen diǎn yíge yú, yíge nióuròu, yíge cīngcài, zài diǎn yíge
　　　　　　jītāng, gòu búgòu?

Cián　　　: Gòule, gòule.

Siè　　　　: Cián Siānshēng, nín jhèige yuè zài Táiwān wánrde hǎo ba?

Cián　　　: Tài hǎo le, péngyǒumen dōu duèi wǒ tài kècì le.

Siè　　　　: Huéile Měiguó, bié wàngle gěi wǒmen siě sìn, yě cǐng nín tì
　　　　　　wǒmen wùn Cián Tàitai hǎo.

Cián　　　: Yídìng, yídìng.

II

(zài Jhāng jiā)

Jhāng Siānshēng : Cǐng zuò, cǐng zuò. Fāng Siānshēng, nín siǎng hē diǎnr
　　　　　　　　shénme jiǒu?

Fāng Siānshēng : Shénme jiǒu dōu síng.

Jhāng Siānshēng : Fāng Tàitai, nín ne?

Fāng Tàitai　　: Sièsie, wǒ yìdiǎnr jiǒu dōu bùnéng hē.

Fāng Siānshēng : Jhème duō cài dōu shìh Jhāng Tàitai nín zìhjǐ zuòde ma?

Jhāng Tàitai　: Shìh a! kěshìh zuòde bùhǎo.

Jhāng Siānshēng : Méi shénme cài, nǐmen duō chīh yìdiǎnr.

Fāng Tàitai　　: Nín bié kècì, wǒmen zìhjǐ lái.

Fāng Siānshēng : Jhāng Tàitai, nín jhèisiē cài zuòde jhēn hǎo chīh.

Jhāng Tàitai　: Nǎlǐ, nǎlǐ. Jhèige nióuròu, nín chīhle méiyǒu?

Fāng Siānshēng : Wǒ yǐjīng chīhle hěn duō le.

Jhāng Tàitai　: Nàme, nín zài hē wǎn rètāng ba. Fāng Tàitai, nín yě lái
　　　　　　　yìwǎn, hǎo bùhǎo?

Fāng Tàitai　　: Sièsie, wǒ chīhbǎole, dàjiā mànyòng.

Jhāng Siānshēng : Nàme, nín chīh diǎnr shuěiguǒ ba!

Dì Sān Kè   Qǐng Nín Gěi Wǒmen Jièshào Jǐge Cài

I

(zài fànguǎnrlǐ)

Xiè : Qián Xiānshēng, nín xǐhuān chī shénme? Nín diǎn cài, hǎo ma?

Qián : Wǒ shénme dōu chī, nín diǎn ba.

Xiè : Wǒ tīngshuō zhèijiā fànguǎnrde yú zuòde fēicháng hǎo.

Qián : Nàme, wǒmen jiù diǎn yíge yú ba.

Xiè (duì fúwùshēng) : Xiānshēng, nín néng zài gěi wǒmen jièshào jǐge cài ma?

Fúwùshēng : Hǎode, nǐmen xǐhuān chī niúròu ma? Wǒmen zuòde niúròu hěn yǒumíng.

Xiè : Wǒmen diǎn yíge yú, yíge niúròu, yíge qīngcài, zài diǎn yíge jītāng, gòu búgòu?

Qián : Gòule, gòule.

Xiè : Qián Xiānshēng, nín zhèige yuè zài Táiwān wánrde hǎo ba?

Qián : Tài hǎo le, péngyǒumen dōu duì wǒ tài kèqì le.

Xiè : Huíle Měiguó, bié wàngle gěi wǒmen xiě xìn, yě qǐng nín tì wǒmen wèn Qián Tàitai hǎo.

Qián : Yídìng, yídìng.

II

(zài Zhāng jiā)

Zhāng Xiānshēng : Qǐng zuò, qǐng zuò. Fāng Xiānshēng, nín xiǎng hē diǎnr shénme jiǔ?

Fāng Xiānshēng : Shénme jiǔ dōu xíng.

Zhāng Xiānshēng : Fāng Tàitai, nín ne?

Fāng Tàitai　　　　: Xièxie, wǒ yìdiǎnr jiǔ dōu bùnéng hē.

Fāng Xiānshēng　: Zhème duō cài dōu shì Zhāng Tàitai nín zìjǐ zuòde ma?

Zhāng Tàitai　　　: Shì a! kěshì zuòde bùhǎo.

Zhāng Xiānshēng: Méi shénme cài, nǐmen duō chī yìdiǎnr.

Fāng Tàitai　　　　: Nín bié kèqì, wǒmen zìjǐ lái.

Fāng Xiānshēng　: Zhāng Tàitai, nín zhèixiē cài zuòde zhēn hǎo chī.

Zhāng Tàitai　　　: Nǎlǐ, nǎlǐ. Zhèige niúròu, nín chīle méiyǒu?

Fāng Xiānshēng　: Wǒ yǐjīng chīle hěn duō le.

Zhāng Tàitai　　　: Nàme, nín zài hē wǎn rètāng ba. Fāng Tàitai, nín yě lái yìwǎn, hǎo bùhǎo?

Fāng Tàitai　　　　: Xièxie, wǒ chībǎole, dàjiā mànyòng.

Zhāng Xiānshēng: Nàme, nín chī diǎnr shuǐguǒ ba!

LESSON 3 — PLEASE RECOMMEND SOME DISHES TO US

I

(in a restaurant)

Xie　　: Mr. Qian, what would you like to eat? Please order yourself, OK?

Qian　　: I'm not picky. Go ahead and order.

Xie　　: I heard that the fish in this restaurant is prepared very well.

Qian　　: Well then, let's order a fish.

Xie (to the waiter) : Sir, could you recommend a few dishes to us?

Waiter : Very well. Do you like beef? Our beef dishes are very famous here.

Xie　　: If we order a fish, a beef dish, a vegetable dish and a chicken soup, will that be enough?

Qian　　: Yes, that will be enough.

Xie　　: Mr. Qian, did you enjoy yourself in Taiwan this month?

Qian : It was great. All my friends were very nice to me.

Xie : When you return to America, don't forget to write us a letter and give our best regards to Mrs. Qian.

Qian : Of course, of course.

II

(at the Zhang's home)

Mr. Zhang : Please sit down. Mr. Fang, what kind of wine would you like to drink?

Mr. Fang : Anything is fine.

Mr. Zhang : And you, Mrs. Fang?

Mrs. Fang : Thank you. I can't drink any wine at all.

Mr. Fang : Mrs. Zhang, did you cook all of this food yourself?

Mrs. Zhang : Yes, but it isn't very good.

Mr. Zhang : There's not much food. Please eat as much as you want.

Mrs. Fang : Don't be so polite. We can help ourselves.

Mr. Fang : Mrs. Zhang, this food you cooked is really delicious.

Mrs. Zhang : No, no. Did you try some of this beef?

Mr. Fang : I've already had a lot.

Mr. Zhang : Well, have another bowl of hot soup. Mrs. Fang, would you also like a bowl?

Mrs. Fang : Thank you. I've had enough. Everyone please take your time.

Mr. Zhang : Well then, have some fruit.

2 NARRATION

　　我有一個法國朋友，他非常喜歡吃臺灣菜，可是他一點兒中文都不懂，也不會點菜。要是他一個人到臺灣飯館兒去，他就請飯館兒裡的服務生給他介紹好吃的菜。因為他不會用筷子㉕，所以用刀叉㉖跟湯匙㉗吃飯。有一天，我跟他一塊兒去吃飯，我替他點了牛肉跟青菜，他都很愛吃，他跟我說臺灣人都對他很客氣，也常常幫他很多忙。

ㄨㄛˇ ㄧㄡˇ ㄧˊ ㄍㄜ ㄈㄚˇㄍㄨㄛˊ ㄆㄥˊ ㄧㄡˇ ，ㄊㄚ ㄈㄟㄔㄤˊ ㄒㄧˇㄏㄨㄢ ㄔ ㄊㄞˊ ㄨㄢ ㄘㄞˋ ，
ㄎㄜˇ ㄕˋ ㄊㄚ ㄧˊ ㄉㄧㄢˇ ㄦ ㄓㄨㄥ ㄨㄣˊ ㄉㄡ ㄅㄨˋ ㄉㄨㄥˇ ，ㄧㄝˇ ㄅㄨˊ ㄏㄨㄟˋ ㄉㄧㄢˇ ㄘㄞˋ 。ㄧㄠˋ ㄕˋ ㄊㄚ
ㄧˊ ㄍㄜ ㄖㄣˊ ㄉㄠˋ ㄊㄞˊ ㄨㄢ ㄈㄢˋ ㄍㄨㄢˇ ㄦ ㄑㄩˋ ，ㄊㄚ ㄐㄧㄡˋ ㄘㄥˇ ㄈㄢˋ ㄍㄨㄢˇ ㄦ ㄌㄧˇ ㄉㄜ ㄈㄨˊ ㄨˋ ㄕㄥ
ㄍㄟˇ ㄊㄚ ㄐㄧㄝˋ ㄕㄠˋ ㄏㄠˇ ㄔ ㄉㄜ ㄘㄞˋ 。ㄧㄣ ㄨㄟˋ ㄊㄚ ㄅㄨˊ ㄏㄨㄟˋ ㄩㄥˋ ㄎㄨㄞˋ ㄗ ，ㄙㄨㄛˇ ㄧˇ ㄩㄥˋ
ㄉㄠ ㄔㄚ ㄍㄣ ㄊㄤ ㄔˊ ㄔ ㄈㄢˋ 。ㄧㄡˇ ㄧˋ ㄊㄧㄢ ，ㄨㄛˇ ㄍㄣ ㄊㄚ ㄧˊ ㄎㄨㄞˋ ㄦ ㄑㄩˋ ㄔ ㄈㄢˋ ，
ㄨㄛˇ ㄊㄧˋ ㄊㄚ ㄉㄧㄢˇ ㄌㄜ ㄋㄧㄡˊ ㄖㄡˋ ㄍㄣ ㄑㄧㄥ ㄘㄞˋ ，ㄊㄚ ㄉㄡ ㄏㄣˇ ㄞˋ ㄔ ，ㄊㄚ ㄍㄣ ㄨㄛˇ ㄕㄨㄛ
ㄊㄞˊ ㄨㄢ ㄖㄣˊ ㄉㄡ ㄉㄨㄟˋ ㄊㄚ ㄏㄣˇ ㄎㄜˋ ㄑㄧˋ ，ㄧㄝˇ ㄔㄤˊ ㄔㄤˊ ㄅㄤ ㄊㄚ ㄏㄣˇ ㄉㄨㄛ ㄇㄤˊ 。

Wǒ yǒu yíge Fǎguó péngyǒu, tā fēicháng sǐhuān chīh Táiwān cài, kěshìh tā yìdiǎnr Jhōngwún dōu bùdǒng, yě búhuèi diǎn cài. Yàoshìh tā yíge rén dào Táiwān fànguǎnr cyù, tā jiòu cǐng fànguǎnrlǐde fúwùshēng gěi tā jièshào hǎochīhde cài. Yīnwèi tā búhuèi yòng kuàizih, suǒyǐ yòng dāochā gēn tāngchíh chīhfàn. Yǒu yìtiān, wǒ gēn tā yíkuàir cyù chīhfàn, wǒ tì tā diǎnle nióuròu gēn cīngcài, tā dōu hěn ài chīh, tā gēn wǒ shuō Táiwān rén dōu duèi tā hěn kècì, yě chángcháng bāng tā hěn duō máng.

Wǒ yǒu yíge Fǎguó péngyǒu, tā fēicháng xǐhuān chī Táiwān cài, kěshì tā yìdiǎnr Zhōngwén dōu bùdǒng, yě búhuì diǎn cài. Yàoshì tā yíge rén dào Táiwān fànguǎnr qù, tā jiù qǐng fànguǎnrlǐde fúwùshēng gěi tā jièshào hǎochīde cài. Yīnwèi tā búhuì yòng kuàizi, suǒyǐ yòng dāochā gēn tāngchí chīfàn. Yǒu yìtiān, wǒ gēn tā yíkuàir qù chīfàn, wǒ tì tā diǎnle niúròu gēn qīngcài, tā dōu hěn ài chī, tā gēn wǒ shuō Táiwān rén dōu duì tā hěn kèqì, yě chángcháng bāng tā hěn duō máng.

I have a French friend who loves to eat Taiwanese food, but he doesn't speak any Chinese at all, and can't order Taiwanese food. If he goes to a Taiwanese restaurant to eat, he asks the waiter in the restaurant to suggest some good dishes to him. Because he doesn't know how to use chopsticks, he uses knife, fork and spoon to eat. One day, I went out to eat with him and ordered a beef dish and some vegetables for him which he really enjoyed. He said to me that Taiwanese were always very friendly to him and often helped him very much.

3 VOCABULARY

1 給⟨ㄍㄟˇ⟩ (gěi)　CV：for (the benefit), to

媽ㄇㄚ媽ㄇㄚ給ㄍㄟˇ孩ㄏㄞˊ子ㄗˇ買ㄇㄞˇ了ㄌㄜ很ㄏㄣˇ多ㄉㄨㄛ書ㄕㄨ。

Māma gěi háizih mǎile hěn duō shū.
Māma gěi háizi mǎile hěn duō shū.
Mama bought many books for her children.

2 介ㄐㄧㄝˋ紹ㄕㄠˋ (jièshào)　V：to introduce, to suggest

我ㄨㄛˇ給ㄍㄟˇ你ㄋㄧˇ們ㄇㄣ介ㄐㄧㄝˋ紹ㄕㄠˋ介ㄐㄧㄝˋ紹ㄕㄠˋ吧ㄅㄚ！

Wǒ gěi nǐmen jièshào jièshào ba!
Let me introduce you to each other!

3 謝ㄒㄧㄝˋ (Xiè)　N：a Chinese surname

4 錢ㄑㄧㄢˊ (Cián / Qián)　N：a Chinese surname

5 點ㄉㄧㄢˇ菜ㄘㄞˋ (diǎncài)　VO：to order food

他ㄊㄚ點ㄉㄧㄢˇ的ㄉㄜ那ㄋㄟˋ個ㄍㄜ菜ㄘㄞˋ叫ㄐㄧㄠˋ什ㄕㄣˊ麼ㄇㄜ？

Tā diǎnde nèige cài jiào shénme?
What is that food he ordered called?

6 魚ㄩˊ (yú)　N：fish（M：條ㄊㄧㄠˊ tiáo）

7 非ㄈㄟ常ㄔㄤˊ (fēicháng)　A：very, extremely

臺ㄊㄞˊ北ㄅㄟˇ的ㄉㄜ夏ㄒㄧㄚˋ天ㄊㄧㄢ非ㄈㄟ常ㄔㄤˊ熱ㄖㄜˋ。

Táiběide siàtiān fēicháng rè.
Táiběide xiàtiān fēicháng rè.
Summer in Taipei is very hot.

8 對ㄉㄨㄟ (duèi / duì)　CV：to, toward, for

他ㄊㄚ對ㄉㄨㄟ人ㄖㄣ很ㄏㄣ客ㄎㄜ氣ㄑㄧ。

Tā duèi rén hěn kècì.
Tā duì rén hěn kèqì.
He is very polite to people.

9 牛ㄋㄧㄡ肉ㄖㄡ (nióuròu / niúròu)　N：beef

你ㄋㄧ愛ㄞ吃ㄔ牛ㄋㄧㄡ肉ㄖㄡ嗎ㄇㄚ？

Nǐ ài chīh nióuròu ma?
Nǐ ài chī niúròu ma?
Do you love to eat beef?

牛ㄋㄧㄡ (nióu / niú)　N：cow, cattle（M：頭ㄊㄡ tóu）

肉ㄖㄡ (ròu)　N：meat

10 青ㄑㄧㄥ菜ㄘㄞ (cīngcài / qīngcài)　N：vegetables, green vegetables

11 雞ㄐㄧ (jī)　N：chicken（M：隻ㄓ jhīh / zhī）

12 湯ㄊㄤ (tāng)　N：soup

你ㄋㄧ喝ㄏㄜ湯ㄊㄤ了ㄌㄜ沒ㄇㄟ有ㄧㄡ？

Nǐ hē tāng le méiyǒu?
Have you had your soup?

13 信ㄒㄧㄣ (sìn / xìn)　N：letter（M：封ㄈㄥ fōng / fēng）

你ㄋㄧ常ㄔㄤ常ㄔㄤ給ㄍㄟ朋ㄆㄥ友ㄧㄡ寫ㄒㄧㄝ信ㄒㄧㄣ嗎ㄇㄚ？

Nǐ chángcháng gěi péngyǒu siě sìn ma?
Nǐ chángcháng gěi péngyǒu xiě xìn ma?
Do you often write letters to your friends?

14 替 (tì)　CV：for, in place of, a substitute for

請你替我點菜，好嗎？

Cǐng nǐ tì wǒ diǎncài, hǎo ma?
Qǐng nǐ tì wǒ diǎncài, hǎo ma?
Please order food for me, OK?

15 問……好 (wùn …… hǎo / wèn …… hǎo)

IE：to wish someone well, to send best regards to someone

張先生問您好。

Jhāng Siānshēng wùn nín hǎo.
Zhāng Xiānshēng wèn nín hǎo.
Mr. Zhang sends his best wishes to you.

16 方 (Fāng)　N：a Chinese surname

17 這麼 (jhème / zhème)　A：so, like this

這個東西這麼貴，我不要買。

Jhèige dōngsī jhème guèi, wǒ búyào mǎi.
Zhèige dōngxī zhème guì, wǒ búyào mǎi.
This stuff is so expensive. I don't want to buy it.

那麼 (nàme)　A：like that, in that way

18 自己 (zìhjǐ / zìjǐ)　N：oneself, by oneself

這件衣服是你自己做的嗎？

Jhèijiàn yīfú shìh nǐ zìhjǐ zuòde ma?
Zhèijiàn yīfú shì nǐ zìjǐ zuòde ma?
Did you make this outfit yourself?

19 哪裡 (nǎlǐ)　IE：an expression of modest denial "No, no"

A：你畫的畫兒真好看。
B：哪裡，哪裡。

A : Nǐ huàde huàr jhēn hǎokàn.
A : Nǐ huàde huàr zhēn hǎokàn.
B : Nǎlǐ, nǎlǐ.
A : The picture you painted is beautiful.
B : No, no.

20 碗 (wǎn)　M/N：measure word for servings of food; bowl

我昨天買了十個新碗。

Wǒ zuótiān mǎile shíhge sīn wǎn.
Wǒ zuótiān mǎile shíge xīn wǎn.
I bought ten new bowls yesterday.

我已經吃了兩碗飯了。

Wǒ yǐjīng chīhle liǎngwǎn fàn le.
Wǒ yǐjīng chīle liǎngwǎn fàn le.
I've already eaten two bowls of rice.

21 飽 (bǎo)　SV：to be full (after eating)

我吃飽了。

Wǒ chīhbǎole.
Wǒ chībǎole.
I've had enough to eat.

22 大家 (dàjiā)　N：everyone

我們大家都去，好不好？

Wǒmen dàjiā dōu cyù, hǎo bùhǎo?
Wǒmen dàjiā dōu qù, hǎo bùhǎo?
Let's all go, OK?

23 慢用 (mànyòng)　IE：eat slowly (enjoy your meal)

用 (yòng)　V/CV：to use; using, with

我不會用筷子。

Wǒ búhuèi yòng kuàizih.

Wǒ búhuì yòng kuàizi.
I don't know how to use chopsticks.

我ㄨㄛ用ㄩㄥ原ㄩㄢ子ㄗ筆ㄅ (yuánzihbǐ / yuánzibǐ)* 寫ㄒㄧㄝ字ㄗ。

Wǒ yòng yuánzihbǐ siě zìh.
Wǒ yòng yuánzibǐ xiě zì.
I use a ball-point pen to write characters.

有ㄧㄡ用ㄩㄥ (yǒuyòng)   SV：to be useful

這ㄓㄜ個ㄍㄜ字ㄗ很ㄏㄣ有ㄧㄡ用ㄩㄥ。

Jhèige zìh hěn yǒuyòng.
Zhèige zì hěn yǒuyòng.
This word is very useful.

24 水ㄕㄨㄟ果ㄍㄨㄛ (shuěiguǒ / shuǐguǒ)   N：fruit

誰ㄕㄟ都ㄉㄡ喜ㄒㄧ歡ㄏㄨㄢ吃ㄔ水ㄕㄨㄟ果ㄍㄨㄛ。

Shéi dōu sǐhuān chīh shuěiguǒ.
Shéi dōu xǐhuān chī shuǐguǒ.
Everyone likes to eat fruit.

SUPPLEMENTARY VOCABULARY

25 筷ㄎㄨㄞ子ㄗ (kuàizi)   N：chopsticks（M：雙ㄕㄨㄤ shuāng）

臺ㄊㄞ灣ㄨㄢ人ㄖㄣ用ㄩㄥ筷ㄎㄨㄞ子ㄗ吃ㄔ飯ㄈㄢ。

Táiwān rén yòng kuàizih chīhfàn.
Táiwān rén yòng kuàizi chīfàn.
Taiwanese use chopsticks to eat.

26 刀ㄉㄠ叉ㄔㄚ (dāochā)   N：knife and fork

刀ㄉㄠ (dāo)   N：knife（M：把ㄅㄚ bǎ）

刀ㄉㄠ子ㄗ (dāozih / dāozi)   N：knife

*原ㄩㄢ子ㄗ筆ㄅ (yuánzihbǐ / yuánzibǐ)：ball-point pen

叉ㄔㄚ (chā)　BF：fork

叉ㄔㄚ子ㄗ (chāzih / chāzi)　N：fork（M：把ㄅㄚ bǎ）

27　湯ㄊㄤ匙ㄔ (tāngchíh / tāngchí)　N：soup spoon

28　句ㄐㄩ (jyù / jù)　M：measure word for sentences, phrase

這ㄓㄜ句ㄐㄩ話ㄏㄨㄚ，你ㄋㄧ說ㄕㄨㄛ得ㄉㄜ不ㄅㄨ對ㄉㄨㄟ。

Jhèijyù huà, nǐ shuōde búduèi.
Zhèijù huà, nǐ shuōde búduì.
You said this phrase incorrectly.

句ㄐㄩ子ㄗ (jyùzi / jùzi)　N：sentence

請ㄑㄧㄥ你ㄋㄧ用ㄩㄥ這ㄓㄜ個ㄍㄜ字ㄗ做ㄗㄨㄛ一ㄧ個ㄍㄜ句ㄐㄩ子ㄗ。

Cǐng nǐ yòng jhèige zìh zuò yíge jyùzih.
Qǐng nǐ yòng zhèige zì zuò yíge jùzi.
Please make a sentence using this word.

29　封ㄈㄥ (fōng / fēng)　M：measure word for letters

30　毛ㄇㄠ筆ㄅㄧ (máobǐ)　N：brush pen（M：枝ㄓ jhīh / zhī）

4 | SYNTAX PRACTICE

▼ I. Inclusiveness and Exclusiveness (with question words as indefinites)

If one wants to express an inclusive such as "everywhere"，"everyone", and "everything", or an exclusive like "nowhere", "no one", and "nothing", then he must use a question word in conjunction with the adverb 都. In negative expressions the adverb 也 can be used in place of 都.

a.

(S)	QW	(S)	都	V
他	什麼		都	知道。
He knows everything.				

b.

(S)	QW	(S)	都／也	Neg-V
他	什麼		都／也	不知道。
He doesn't know anything.				

1. 誰都喜歡好東西。

2. 哪兒都有好人。

3. 他什麼時候都在家。

4. 你哪天去都行。

5. 這個菜，怎麼做都好吃。

6. 誰都不喜歡考試。

7. 昨天我哪兒也沒去。

8. 那些房子，哪所都不便宜。

Transform the following sentences into inclusive or exclusive forms

1. 我們都喜歡錢。

2. 這兒有中國飯館兒，那兒也有中國飯館兒。

3. 這本書不便宜，那本書也不便宜。

4. 他有汽車、房子、電視……。

5. 她早上、中午、下午、晚上都在學校。

6. 那個城裡沒有書店。

II. Exclusiveness Intensified (not even, not at all)

If one wants to express a high degree of exclusiveness equivalent to the phrases "not even a little", "not at all", then "一-M-N" or 一點兒 must be placed in front of 都 or 也 in order to signify a very small amount. This sentence pattern is used for negative expressions.

（I）

(S)	一-	M-	N	都／也	Neg-	(AV)	V
我	一	個	歌兒	都／也	不	會	唱。
I can't sing any song at all.							

1. 我一句德國話都不會說。

2. 現在家裡一個人都沒有。

3. 昨天我一個字也沒寫。

4. 今天我一點兒事也沒有。

5. 我一件新衣服也沒買。

（II）

(S)	一點兒	都／也	Neg-	SV
中文	一點兒	都／也	不	難。
Chinese isn't hard at all.				

1. 我一點兒也不累。

2. 今天一點兒都不熱。

3. 我覺得這所房子一點兒都不貴。

4. 我覺得這個電影一點兒也不好。

5. 我是八點鐘來的，一點兒也不晚。

> Transform the following sentences
> into exclusiveness intensified

1. 我沒有錢。

2. 他不會寫中文字。

3. 我們沒喝酒。

4. 我有很多時間，我不忙。

5. 那個東西不好吃。

III. 多 and 少 Used as Adverbs

Certain SV can be used as adverbs. When 多 becomes this kind of adverb, it means "more"; when 少 becomes an adverb it means "less".

多 / 少 V (NU-M) (O)
多　　吃　一點兒 菜。
Eat a little more.
少　　喝　一點兒 酒。
Drink a little less wine.

1. 你應該多看書，少看電視。

2. 老師叫我們多說中文，少說英文。

3. 今天我要多做一點兒菜。

4. 我少買了一張票，我再去買一張。

5. 做這個菜，得多放一點兒糖 (táng)*。

----
* 糖 (táng)：sugar, candy

Give advice to these people with 多 or 少

1. _____ 吃 _____ 飯。

2. _____ 喝 _____ 水。

3. _____ 看 _____ 書。

4. _____ 吃 _____ 糖。

▼ IV. 跟，給，替，用 and 對 as Coverbs

（I）跟 (with, from, to) (lit. follow)

　　1. 他很喜歡跟孩子們玩兒。

　　2. 我不要跟她一塊兒去。

　　3. 他的英文是跟英國老師學的。

　　4. 孩子常跟父母要錢買東西吃。

　　5. 他跟我說他明天不能來。

（II）給〔for (the benefit of), to〕(lit. to give)

　　1. 父母給孩子買了很多書。

　　2. 我給你做了一件衣服。

　　3. 請你給我們介紹介紹。

67

4. 她每天給她先生做早飯。

5. 他給我寫了一封信。

(III) 替(for) (lit. in place of, substitute)

1. 你不能去，我替你去吧。

2. 我不能替你寫，你得自己寫。

3. 請你替我問她好。

4. 我不會點菜，請你替我點。

5. 明天我不能來，你能替我教書嗎？
   沒問題。

(IV) 用 (with) (lit. to use)

1. 臺灣人用筷子吃飯，美國人用刀叉吃飯。

2. 我不會用毛筆寫字。

3. 小孩子喜歡用湯匙吃飯。

4. 我還不會用中文寫信。

5. 你用那些錢買什麼了？

6. 我買了很多書。

(V) 對 (to, toward, for) (lit. facing)

1. 她對我說謝謝。

2. 他沒對我說什麼。

3. 他們對我們很好。

4. 那個人對我不太客氣。

5. 這本書對小孩子太難。

6. 這個東西對我很有用。

Complete each following sentence with a coverb

1. 我 ＿＿＿＿＿＿＿ 張老師學中文。

2. 他 ＿＿＿＿＿＿＿ 你怎麼樣？

3. 誰 ＿＿＿＿＿＿＿ 你寫信？

4. 她 ＿＿＿＿＿＿＿ 筷子吃日本飯。

5. 這本書 ＿＿＿＿＿＿＿ 我們很容易。

6. 媽媽 ＿＿＿＿＿＿＿ 我們做了很多菜。

7. 我不能做那件事，請你 ＿＿＿＿＿＿＿ 我做。

8. 那輛汽車你是 ＿＿＿＿＿＿＿ 多少錢買的？

9. 這枝毛筆，是誰 ＿＿＿＿＿＿＿ 你買的？

10. 我 ＿＿＿＿＿＿＿ 她一塊兒去看電影。

5 | APPLICATION ACTIVITIES

▼ **I. Use "(S) QW / 一-M-N / 一點兒都 (Neg-) V" structure to answer the teacher's question. The faster the better.**

1. 你有什麼？

2. 你喜歡吃什麼？

3. 什麼車便宜？

4. 你要到哪兒去？

5. 誰喜歡你？

6. 你要給誰？

7. 你在說什麼？

8. 他給你什麼了？

9. 我們什麼時候去？

10. 你喝酒嗎？

11. 你懂幾句日本話？

12. 誰知道他叫什麼名字？

13. 你會唱什麼歌兒？

14. 哪兒有好人？

15. 我應該怎麼辦？

16. 你要哪個？

17. 他有幾個弟弟？

18. 你們買什麼了？

19. 他什麼時候在家？

20. 你累不累？

21. 星期天誰來了？

22. 你什麼時候不忙？

23. 那兩個人，哪個是你的老師？

24. 誰看了今天的報了？

25. 你會不會跳舞？

▼ II. Translate the following sentences into Chinese.

1. I wrote her a letter.

2. The letter was written in Chinese.

3. Can you write a letter for me?

4. Why don't you speak to him?

5. Whom is he talking with?

6. I asked Miss Wang if she can teach for me tomorrow.

7. She said to me that she was very tired.

8. I live with two French students.

9. I don't know if it's convenient for you.

10. What do you eat Chinese food with?

11. Whom did you go to Japan with?

12. The book seller was very polite to me.

III. Situations

1. Two customers discuss the menu with a waiter.

MENU	
宮保雞丁 (gōngbǎo jīdīng)	Kung Baw Chicken
麻婆豆腐 (mápó dòufǔ)	Spicy Tofu
木須肉 (mùsyū ròu/mùxū ròu)	Mooshoo Pork
糖醋里肌 (tángcù lǐjī)	Sweet & Sour Pork
炒飯 (chǎofàn)	Fried Rice
炒麵 (chǎomiàn)	Fried Noodles
水餃 (shuěijiǎo/shuǐjiǎo)	Dumpling
牛肉麵 (nióuròumiàn/niúròumiàn)	Beef Noodles
餛飩湯 (húntúntāng)	Wang Tang Soup / Wonton Soup
酸辣湯 (suānlàtāng)	Hot and Sour Soup

2. Conversation between host and guest.

6 NOTES

1. 來 can be used as a substitute for a verb of concrete meaning.

> eg. 我自己來。 **I'll help myself to it.**
> 再來一碗。 **One more bowl.**

2. "哪裡，哪裡" is used in reply to a compliment, meaning "not at all" or in response to an apology, meaning "it's nothing" conveying a polite response. "哪兒的話" can also be used to mean "don't mention it".

第四課 請她回來以後，給我打電話①②

1 DIALOGUE

I

李：喂，③請問這裡是2321-1001嗎？

妹：是的，請問您找哪一位？

李：王美英小姐在家嗎？

妹：對不起，她不在。您是哪位？

李：我是她的朋友李文德。你是美英的妹妹吧？

妹：是的，您好。

李：你姐姐到哪兒去了？

妹：她到圖書館借書去了。④

李：她是什麼時候去的？

妹：她是十分鐘以前去的。⑤

李：你知道她什麼時候回來嗎？

妹：大概五點半以後。⑥

李：她到家的時候，麻煩你請她給我打一個電話，好嗎？⑦

妹：好的。請問您的電話是……？

李：我的電話是2701-5426。
　　麻煩你了，謝謝，再見。

妹：再見。

II

王：喂，請問李文德在不在？

李：我就是。美英，你回家了啊？

王：是啊，我剛剛到家。我妹妹告訴⑧我你來過電話⑨，有什麼事嗎？

李：我想學一點兒法文。我記得⑩你學過法文，對不對？

王：對啊，我念中學⑪的時候學過，兩年以前我又⑫到法國去學了兩個月。

李：不知道你能不能給我介紹一位法文老師。

王：沒問題，我認識好幾位⑬法文老師。你打算每星期上幾次課⑭呢？

李：本來⑮我打算每星期上一次課，後來⑯我想一次恐怕⑰不夠，現在我決定⑱每星期上兩次課，你覺得怎麼樣？

王：我覺得很好。我替你問問，再給你打電話，好嗎？

李：好的，謝謝，再見。

王：再見。

ㄉㄧˋ　ㄙˋ　ㄎㄜˋ　　ㄑㄧㄥˇ ㄊㄚ ㄏㄨㄟˊ ㄌㄞˊ ㄧˇ ㄏㄡˋ，ㄍㄟˇ ㄨㄛˇ ㄉㄚˇ ㄉㄧㄢˋ ㄏㄨㄚˋ

I

ㄅㄧ：ㄨㄟˊ，ㄑㄧㄥˇ ㄨㄣˋ ㄓㄜˋ ㄌㄧˇ ㄕˋ 2321-1001 ㄇㄚ˙？

ㄇㄟ：ㄕˋ ㄉㄜ˙，ㄑㄧㄥˇ ㄨㄣˋ ㄋㄧㄣˊ ㄓㄠˇ ㄋㄚˇ ㄧˊ ㄨㄟˋ？

ㄅㄧ：ㄨㄤ ㄇㄟˋ ㄧㄥ ㄒㄧㄠˇ ㄐㄧㄝˇ ㄗㄞˋ ㄐㄧㄚ ㄇㄚ˙？

ㄇㄟ：ㄉㄨㄟˋ ㄅㄨˋ ㄑㄧˇ，ㄊㄚ ㄅㄨˊ ㄗㄞˋ。ㄋㄧㄣˊ ㄕˋ ㄋㄟˇ ㄨㄟˋ？

ㄅㄧ：ㄨㄛˇ ㄕˋ ㄊㄚ ㄉㄜ˙ ㄆㄥˊ ㄧㄡˇ ㄌㄧˇ ㄇㄟˊ ㄅㄞˊ。ㄋㄧˇ ㄕˋ ㄇㄟˊ ㄧㄥ ㄉㄜ˙ ㄇㄟˋ ㄇㄟ˙ ㄅㄚ？

ㄇㄟ：ㄕˋ ㄉㄜ˙，ㄋㄧ ㄏㄠˇ。

ㄅㄧ：ㄋㄧˇ ㄐㄧㄝˇ ㄐㄧㄝˇ ㄋㄠˇ ㄐㄧㄚ ㄦˋ ㄑㄩˋ ㄉㄜ˙？

ㄇㄟ：ㄊㄚ ㄉㄠˋ ㄊㄨˊ ㄕㄨ ㄍㄨㄢˇ ㄐㄧㄝˋ ㄕㄨ ㄑㄩˋ ㄉㄜ˙。

ㄅㄧ：ㄊㄚ ㄕˊ ㄕㄣˊ ㄇㄛ˙ ㄕˊ ㄏㄡˋ ㄑㄩˋ ㄉㄜ˙？

ㄇㄟ：ㄊㄚ ㄕˋ ㄕˊ ㄈㄣ ㄓㄨㄥ ㄧˇ ㄑㄧㄢˊ ㄑㄩˋ ㄉㄜ˙。

ㄅㄧ：ㄋㄧˇ ㄓ ㄉㄠˋ ㄊㄚ ㄕˊ ㄇㄛ˙ ㄕˊ ㄏㄡˋ ㄏㄨㄟˊ ㄌㄞˊ ㄇㄚ˙？

ㄇㄟ：ㄉㄚˋ ㄍㄞˋ ㄨˇ ㄊㄧㄢ ㄅㄢˋ ㄧˊ ㄏㄡˋ。

ㄅㄧ：ㄊㄚ ㄉㄠˋ ㄐㄧㄚ ㄧˇ ㄏㄡˋ，ㄇㄚ ㄈㄢˊ ㄋㄧˇ ㄑㄧㄥˇ ㄊㄚ ㄍㄟˇ ㄨㄛˇ ㄐㄧㄚ ㄧˊ ㄍㄜˋ ㄉㄧㄢˋ ㄏㄨㄚˋ，ㄏㄠˇ？

ㄇㄟ：ㄏㄠˇ。ㄑㄧㄥˇ ㄨㄣˋ ㄋㄧㄣˊ ㄉㄜ˙ ㄉㄧㄢˋ ㄏㄨㄚˋ ㄕˋ……？

ㄅㄧ：ㄨㄛˇ ㄉㄜ˙ ㄉㄧㄢˋ ㄏㄨㄚˋ ㄕˋ 2701-5426。ㄇㄚ ㄈㄢˊ ㄋㄧˇ ㄉㄜ˙，ㄒㄧㄝˋ ㄒㄧㄝˊ，ㄗㄞˋ ㄐㄧㄢˋ。

ㄇㄟ：ㄗㄞˋ ㄐㄧㄢˋ。

II

ㄨㄤ：ㄨㄟˊ，ㄑㄧㄥˇ ㄨㄣˋ ㄌㄧˇ ㄨㄣˊ ㄅㄛˊ ㄗㄞˋ ㄅㄨˋ ㄗㄞˋ？

ㄅㄧ：ㄨㄛˇ ㄐㄧㄡˋ ㄕˋ。ㄋㄧˊ ㄕㄥˇ，ㄋㄧˊ ㄏㄨˋ ㄐㄧ ㄉㄜ˙ ㄚ˙？

ㄨㄤ：ㄕˋ ㄚ˙，ㄨㄛˇ ㄍㄨㄤ ㄍㄨㄤ ㄉㄠˋ ㄐㄧㄚ。ㄨㄛˇ ㄇㄟˋ ㄇㄟ˙ ㄍㄠˋ ㄙㄨˋ ㄨㄛˇ ㄧˇ ㄌㄞˊ ㄍㄨㄛˋ ㄉㄧㄢˋ ㄏㄨㄚˋ，ㄧㄡˇ ㄕˊ ㄇㄛ˙ ㄕˋ ㄚ˙？

ㄌㄧˇ：ㄨㄟˊ，ㄑㄧㄥˇㄨㄣˋㄓㄜˋㄌㄧˇㄕˋ2321-1001ㄇㄚ˙？

ㄇㄟˋ：ㄕˋㄉㄜ˙，ㄑㄧㄥˇㄨㄣˋㄋㄧㄣˊㄓㄠˇㄋㄚˇㄧˊㄨㄟˋ？

ㄌㄧˇ：ㄨㄤˊㄇㄟˇㄧㄥㄒㄧㄠˇㄐㄧㄝˇㄗㄞˋㄐㄧㄚㄇㄚ˙？

ㄇㄟˋ：ㄉㄨㄟˋㄅㄨˊㄑㄧˇ，ㄊㄚㄅㄨˊㄗㄞˋ。ㄋㄧㄣˊㄕˋㄋㄟˇㄨㄟˋ？

ㄌㄧˇ：ㄨㄛˇㄕˋㄊㄚㄉㄜ˙ㄆㄥˊㄧㄡˇㄌㄧˇㄨㄣˊㄉㄜˊ。ㄋㄧˇㄕˋㄇㄟˇㄧㄥㄉㄜ˙ㄇㄟˋㄇㄟ˙ㄅㄚ˙？

ㄇㄟˋ：ㄕˋㄉㄜ˙，ㄋㄧㄣˊㄏㄠˇ。

ㄌㄧˇ：ㄋㄧˇㄐㄧㄝˇㄐㄧㄝ˙ㄉㄠˋㄋㄚˇㄑㄩˋㄌㄜ˙？

ㄇㄟˋ：ㄊㄚㄉㄠˋㄊㄨˊㄕㄨㄍㄨㄢˇㄐㄧㄝˋㄕㄨㄑㄩˋㄌㄜ˙。

ㄌㄧˇ：ㄊㄚㄕˋㄕㄣˊㄇㄜ˙ㄕˊㄏㄡˋㄑㄩˋㄉㄜ˙。

Dì Sìh Kè — Cǐng Tā Huéilái Yǐhòu, Gěi Wǒ Dǎ Diànhuà

I

Lǐ ：Wéi, cǐngwùn jhèlǐ shìh 2321-1001 ma?

Mèi：Shìhde, cǐngwùn nín jhǎo nǎyíwèi?

Lǐ ：Wáng Měiyīng Siǎojiě zài jiā ma?

Mèi：Duèibùcǐ, tā búzài. Nín shìh něiwèi?

Lǐ ：Wǒ shìh tāde péngyǒu Lǐ Wúndé. Nǐ shìh Měiyīngde mèimei ba?

Mèi：Shìhde, nín hǎo.

Lǐ ：Nǐ jiějie dào nǎr cyùle?

Mèi：Tā dào túshūguǎn jiè shū cyùle.

Lǐ ：Tā shìh shénme shíhhòu cyù de?

Mèi : Tā shìh shíhfēnjhōng yǐcián cyù de.

Lǐ　: Nǐ jhīhdào tā shénme shíhhòu huéilái ma?

Mèi : Dàgài wǔdiǎnbàn yǐhòu.

Lǐ　: Tā dào jiā de shíhhòu, máfán nǐ cǐng tā gěi wǒ dǎ yíge diànhuà, hǎo ma?

Mèi : Hǎode. Cǐngwùn nín de diànhuà shìh......?

Lǐ　: Wǒde diànhuà shìh 2701-5426. Máfán nǐ le, sièsie, zàijiàn.

Mèi : Zàijiàn.

II

Wáng : Wéi, cǐngwùn Lǐ Wúndé zài búzài?

Lǐ　　: Wǔ jiòu shìh. Měiyīng, nǐ huéijiā le a?

Wáng : Shìh a, wǒ gānggāng dào jiā. Wǒ mèimei gàosù wǒ nǐ láiguò diànhuà, yǒu shénme shìh ma?

Lǐ　　: Wǒ siǎng syué yìdiǎnr Fǎwún. Wǒ jìdé nǐ syuéguò Fǎwún, duèi búduèi?

Wáng : Duèi a, wǒ niàn jhōngsyué de shíhhòu syuéguò, liǎngnián yǐcián wǒ yòu dào Fǎguó cyù syuéle liǎngge yuè.

Lǐ　　: Bùjhīhdào nǐ néng bùnéng gěi wǒ jièshào yíwèi Fǎwún lǎoshīh.

Wáng : Méiwùntí, wǒ rènshìh hǎo jǐwèi Fǎwún lǎoshīh. Nǐ dǎsuàn měi sīngcí shàng jǐcìh kè ne?

Lǐ　　: Běnlái wǒ dǎsuàn měi sīngcí shàng yícìh kè, hòulái wǒ siǎng yícìh kǒngpà búgòu, siànzài wǒ jyuédìng měi sīngcí shàng liǎngcìh kè, nǐ jyuéde zěnmeyàng?

Wáng : Wǒ jyuéde hěn hǎo. Wǒ tì nǐ wùnwùn, zài gěi nǐ dǎ diànhuà, hǎo ma?

Lǐ　　: Hǎode, sièsie, zàijiàn.

Wáng : Zàijiàn.

Dì Sì Kè   Qǐng Tā Huílái Yǐhòu, Gěi Wǒ Dǎ Diànhuà

I

Lǐ   : Wéi, qǐngwèn zhèlǐ shì 2321-1001 ma?

Mèi : Shìde, qǐngwèn nín zhǎo nǎyíwèi?

Lǐ   : Wáng Měiyīng Xiǎojiě zài jiā ma?

Mèi : Duìbùqǐ, tā búzài. Nín shì něiwèi?

Lǐ   : Wǒ shì tāde péngyǒu Lǐ Wéndé. Nǐ shì Měiyīngde mèimei ba?

Mèi : Shìde, nín hǎo.

Lǐ   : Nǐ jiějie dào nǎr qùle?

Mèi : Tā dào túshūguǎn jiè shū qùle.

Lǐ   : Tā shì shénme shíhòu qù de?

Mèi : Tā shì shífēnzhōng yǐqián qù de.

Lǐ   : Nǐ zhīdào tā shénme shíhòu huílái ma?

Mèi : Dàgài wǔdiǎnbàn yǐhòu.

Lǐ   : Tā dào jiā de shíhòu, máfán nǐ qǐng tā gěi wǒ dǎ yíge diànhuà, hǎo ma?

Mèi : Hǎode. Qǐngwèn nín de diànhuà shì……?

Lǐ   : Wǒde diànhuà shì 2701-5426. Máfán nǐ le, xièxie, zàijiàn.

Mèi : Zàijiàn.

II

Wáng : Wéi, qǐngwèn Lǐ Wéndé zài búzài?

Lǐ   : Wǒ jiù shì. Měiyīng, nǐ huíjiā le a?

Wáng : Shì a, wǒ gānggāng dào jiā. Wǒ mèimei gàosù wǒ nǐ láiguò diànhuà, yǒu shénme shì ma?

Lǐ   : Wǒ xiǎng xué yìdiǎnr Fǎwén. Wǒ jìdé nǐ xuéguò Fǎwén, duì búduì?

Wáng : Duì a, wǒ niàn zhōngxué de shíhòu xuéguò, liǎngnián yǐqián wǒ yòu dào Fǎguó qù xuéle liǎngge yuè.

Lǐ　　　: Bùzhīdào nǐ néng bùnéng gěi wǒ jièshào yíwèi Fǎwén lǎoshī.

Wáng : Méiwèntí, wǒ rènshì hǎo jǐwèi Fǎwén lǎoshī. Nǐ dǎsuàn měi xīngqí shàng jǐcì kè ne?

Lǐ　　　: Běnlái wǒ dǎsuàn měi xīngqí shàng yícì kè, hòulái wǒ xiǎng yícì kǒngpà búgòu, xiànzài wǒ juédìng měi xīngqí shàng liǎngcì kè, nǐ juéde zěnmeyàng?

Wáng : Wǒ juéde hěn hǎo. Wǒ tì nǐ wènwèn, zài gěi nǐ dǎ diànhuà, hǎo ma?

Lǐ　　　: Hǎode, xièxie, zàijiàn.

Wáng : Zàijiàn.

LESSON 4 — PLEASE TELL HER TO GIVE ME A CALL WHEN SHE GETS BACK

I

Li　　　: Hello, excuse me, is this 2321-1001?

Sister : Yes, may I ask who you are looking for?

Li　　　: Miss Meiying Wang. Is she at home?

Sister : I'm sorry, she's not here. Who is calling, please?

Li　　　: I'm her friend, Wende Li. Are you Meiying's little sister?

Sister : Yes. Hi.

Li　　　: Where did your big sister go?

Sister : She went to the library to borrow some books.

Li　　　: When did she leave?

Sister : She left ten minutes ago.

Li　　　: Do you know when she'll be back?

Sister : Probably after five thirty?

Li　　　: When she comes home, would you please ask her to call me back?

Sister : OK. May I have your telephone number, please?

Li : My telephone number is 2701-5426. I am troubling you. Thank you, good-bye.

Sister : Good-bye.

II

Wang : Hello. Is Wende Li there?

Li : Speaking. Meiying, you're back home?

Wang : Yes, I just got back. My little sister told me you called.

Li : I'm thinking of studying a little French. I remember you've studied French, right?

Wang : That's right. I studied it when I was in middle school, and two years ago I also went to France to study for two months.

Li : I don't know if you are able to introduce me to a French teacher or not.

Wang : No problem. I know quite a few French teachers. How many classes a week do you want to take?

Li : Originally I thought I'd take one class a week, but then I was afraid that would not be enough, so now I want to take two classes a week. What do you think?

Wang : I think that's very good. I'll ask around for you and give you a call back, OK?

Li : Fine, thanks. Good-bye.

Wang : Good-bye.

2 NARRATION

　　今天下午王美英到圖書館借書去了。她不在家的時候，李文德給她打電話。是美英的妹妹接[19]的。她告訴文德，美英五點半以後回來。文德麻煩她請美英回來的時候給他打一個電話，可是美英的妹妹六點鐘要去跟一個朋友見面[20]，她怕不能告訴美英這件事[21]，所以給美英留了一張字條[22]：

> 姐姐：
>
> 　　差不多四點鐘的時候，李文德來過電話，他請你回家以後，馬上給他打一個電話，我想他有事找你，請別忘了！他的電話號碼[23]是2701-5426。
>
> 　　　　　　　　　　　　　　　妹留
>
> 　　　　　　　　　　　　　　　5:20

ㄐㄧㄣ ㄊㄧㄢ ㄒㄧㄚˋ ㄨˇ ㄨㄤˊ ㄇㄟˇ ㄧㄥ ㄉㄠˋ ㄊㄨˊ ㄕㄨ ㄍㄨㄢˇ ㄐㄧㄝˋ ㄕㄨ ㄑㄩˋ ˙ㄌㄜ 。ㄊㄚ ㄅㄨˊ ㄗㄞˋ
ㄐㄧㄚ ˙ㄉㄜ ㄕˊ ㄏㄡˋ ，ㄌㄧˇ ㄨˊ ㄉㄜˊ ㄍㄟˇ ㄊㄚ ㄉㄚˇ ㄉㄧㄢˋ ㄏㄨㄚˋ 。ㄕˋ ㄇㄟˇ ㄧㄥ ˙ㄉㄜ ㄇㄟˋ ㄇㄟ ㄐㄧㄝ
˙ㄉㄜ 。ㄊㄚ ㄍㄠˋ ㄙㄨˋ ㄨˊ ㄉㄜˊ ，ㄇㄟˇ ㄧㄥ ㄨˇ ㄉㄧㄢˇ ㄅㄢˋ ㄧˇ ㄏㄡˋ ㄏㄨㄟˊ ㄌㄞˊ 。ㄨˊ ㄉㄜˊ ㄇㄚˊ ㄈㄢˊ ㄊㄚ
ㄑㄧㄥˇ ㄇㄟˇ ㄧㄥ ㄏㄨㄟˊ ㄌㄞˊ ˙ㄉㄜ ㄕˊ ㄏㄡˋ ㄍㄟˇ ㄊㄚ ㄉㄚˇ ㄧˊ ˙ㄍㄜ ㄉㄧㄢˋ ㄏㄨㄚˋ ，ㄎㄜˇ ㄕˋ ㄇㄟˇ ㄧㄥ ˙ㄉㄜ
ㄇㄟˋ ㄇㄟ ㄌㄧㄡˋ ㄉㄧㄢˇ ㄓㄨㄥ ㄧㄠˋ ㄑㄩˋ ㄍㄣ ㄧˊ ˙ㄍㄜ ㄆㄥˊ ㄧㄡˇ ㄐㄧㄢˋ ㄇㄧㄢˋ ，ㄊㄚ ㄆㄚˋ ㄅㄨˋ ㄋㄥˊ
ㄍㄠˋ ㄙㄨˋ ㄇㄟˇ ㄧㄥ ㄓㄜˋ ㄐㄧㄢˋ ㄕˋ ，ㄙㄨㄛˇ ㄧˇ ㄍㄟˇ ㄇㄟˇ ㄧㄥ ㄌㄧㄡˊ ˙ㄌㄜ ㄧˋ ㄓㄤ ㄗˋ ㄊㄧㄠˊ ：

ㄐㄧㄝˇ ㄐㄧㄝ ：

ㄔㄚˋ ㄅㄨˋ ㄉㄨㄛ ㄙˋ ㄉㄧㄢˇ ㄓㄨㄥ ˙ㄉㄜ ㄕˊ ㄏㄡˋ ，ㄌㄧˇ ㄨˊ ㄉㄜˊ ㄌㄞˊ ㄍㄨㄛˋ
ㄉㄧㄢˋ ㄏㄨㄚˋ ，ㄊㄚ ㄑㄧㄥˇ ㄋㄧˇ ㄏㄨㄟˊ ㄐㄧㄚ ㄧˇ ㄏㄡˋ ，ㄇㄚˇ ㄕㄤˋ ㄍㄟˇ ㄊㄚ ㄉㄚˇ ㄧˊ ˙ㄍㄜ
ㄉㄧㄢˋ ㄏㄨㄚˋ ，ㄨㄛˇ ㄒㄧㄤˇ ㄊㄚ ㄧㄡˇ ㄕˋ ㄓㄠˇ ㄋㄧˇ ，ㄑㄧㄥˇ ㄅㄧㄝˊ ㄨㄤˋ ˙ㄌㄜ ！ㄊㄚ ˙ㄉㄜ
ㄉㄧㄢˋ ㄏㄨㄚˋ ㄏㄠˋ ㄇㄚˇ ㄕˋ 2701-5426 。

ㄇㄟˋ ㄌㄧㄡˊ
5：20

Jīntiān siàwǔ Wáng Měiyīng dào túshūguǎn jiè shū cyùle. Tā búzài
jiā de shíhhòu, Lǐ Wúdé gěi tā dǎ diànhuà, shìh Měiyīngde mèimei jiē
de. Tā gàosù Wúdé, Měiyīng wǔdiǎnbàn yǐhò huéi lái. Wúdé máfán tā
cǐng Měiyīng huéilái de shíhhòu gěi tā dǎ yíge diànhuà, kěshìh Měiyīngde
mèimei lioudiǎnjhōng yào cyù gēn yíge péngyǒu jiànmiàn, tā pà bùnéng
gàosù Měiyīng jhèijiàn shìh, suǒyǐ gěi Měiyīng lióule yìjhāng zìhtiáo:

Jiějie:
    Chàbùduō sìh diǎnjhōngde shíhhòu, Lǐ Wúdé láiguò
diànhuà, tā cǐng nǐ huéijiā yǐhòu, mǎshàng gěi tā dǎ yíge
diànhuà, wǒ siǎng tā yǒu shìh jhǎo nǐ, cǐng bié wàngle! Tāde
diànhuà hàomǎ shìh 2701-5426.

                                                        Mèi lióu
                                                        5:20

Jīntiān xiàwǔ Wáng Měiyīng dào túshūguǎn jiè shū qùle. Tā búzài jiā de shíhòu, Lǐ Wéndé gěi tā dǎ diànhuà, shì Měiyīngde mèimei jiēde. Tā gàosù Wéndé, Měiyīng wǔdiǎnbàn yǐhò huílái. Wéndé máfán tā qǐng Měiyīng huílái de shíhòu gěi tā dǎ yíge diànhuà, kěshì Měiyīngde mèimei liùdiǎnzhōng yào qù gēn yíge péngyǒu jiànmiàn, tā pà bùnéng gàosù Měiyīng zhèijiàn shì, suǒyǐ gěi Měiyīng liúle yìzhāng zìtiáo:

Jiějie:

　　Chàbùduō sìdiǎnzhōngde shíhòu, Lǐ Wéndé láiguò diànhuà, tā qǐng nǐ huíjiā yǐhòu, mǎshàng gěi tā dǎ yíge diànhuà, wǒ xiǎng tā yǒu shì zhǎo nǐ, qǐng bié wàngle! Tāde diànhuà hàomǎ shì 2701-5426.

Mèi liú
5:20

This afternoon Meiying Wang went to the library to borrow some books. While she was away, Wende Li called her, and Meiying's little sister took the call. She told Wende that Meiying would be back after 5:30. Wende asked her to ask Meiying to give him a call when she got back. However, Meiying's little sister wanted to go meet a friend at 6:00 and was afraid she wouldn't be able to tell Meiying this message, so she wrote this message to her:

Big sister:

　　Around four o'clock Wende Li called. He asked that you give him a call as soon as you get home. I think he wants to reach you for something. Please don't forget. His phone number is 2701-5426.

Sister
5:20

---

3 VOCABULARY

1 以後 (yǐhòu) MA (TW)：afterwards, after

三個鐘頭以後，請在這兒等我。

Sānge jhōngtóu yǐhòu, cǐng zài jhèr děng wǒ.
Sānge zhōngtóu yǐhòu, qǐng zài zhèr děng wǒ.
Wait for me here in three hours.

2 打電話 (dǎdiànhuà) VO：to make a phone call

昨天我給他打了一個電話。

Zuótiān wǒ gěi tā dǎle yíge diànhuà.
Yesterday I gave him a call.

電話 (diànhuà) N：telephone, call

3 喂 (wéi) P：a common telephone or intercom greeting "hello"

4 借 (jiè) V：to borrow, to lend

我跟他借了一千塊錢。

Wǒ gēn tā jièle yìciān kuàicián.
Wǒ gēn tā jièle yìqiān kuàiqián.
I borrowed a thousand dollars from him.

這枝筆是他借我的。

Jhèijhīh bǐ shìh tā jiè wǒ de.
Zhèizhī bǐ shì tā jiè wǒ de.
He lent me this pen.

5 以前 (yǐcián / yǐqián) MA (TW)：before, ago, formerly

以前他不會做菜。

Yǐcián tā búhuèi zuòcài.
Yǐqián tā búhuì zuòcài.
He did not know anything about cooking before.

6 大概 (dàgài) MA：probably

他大概已經來了。

Tā dàgài yǐjīng láile.
He probably came already.

7 麻煩 (máfán) (máfan)

SV/V/N：to be annoyed; to bother; an annoyance, troublesome

寫中文字真麻煩。

Siě Jhōngwún zìh jhēn máfán.
Xiě Zhōngwén zì zhēn máfán.
It's really troublesome to write Chinese characters.

我不喜歡麻煩別人。

Wǒ bùsǐhuān máfán biérén.
Wǒ bùxǐhuān máfán biérén.
I don't like to bother other people.

煩 (fán) SV/V：to be vexed, annoyed; to annoy

今天我覺得很煩。

Jīntiān wǒ jyuéde hěn fán.
Jīntiān wǒ juéde hěn fán.
I feel annoyed today.

別煩我。

Bié fán wǒ.
Don't bother me. / Leave me alone.

8 告訴 (gàosù)   V：to tell, to inform

我已經告訴老師，我明天不能來了。

Wǒ yǐjīng gàosù lǎoshīh, wǒ míngtiān bùnéng lái le.
Wǒ yǐjīng gàosù lǎoshī, wǒ míngtiān bùnéng lái le.
I already told the teacher I can't come tomorrow.

9 過 (guò)

P：a suffix indicating completion of an action, or completion of an action as an experience

我沒去過德國。

Wǒ méi cyùguò Déguó.
Wǒ méi qùguò Déguó.
I've never been to Germany.

10 記得 (jìdé)   V：to remember

他不記得我了。

Tā bújìdé wǒ le.
He doesn't remember me.

記 (jì)   V：to record, to write, to jot down

11 中學 (jhōngsyué / zhōngxué)   N：middle school

12 又 (yòu)   A：again (in the past)

他又生病了。

Tā yòu shēngbìngle.
He's sick again.

13 認識 (rènshìh / rènshì)   V：to recognize, to realize

我不認識那個人。

Wǒ búrènshìh nèige rén.
Wǒ búrènshì nèige rén.
I don't recognize that person.

認得 (rèndé)　V：to know (as in to recognize)

14 次 (cìh / cì)　M：measure word for action or affair's time

這是我第二次來法國。

Jhèshìh wǒ dièrcìh lái Fǎguó.
Zhèshì wǒ dièrcì lái Fǎguó.
This is the second time I've come to France.

15 本來 (běnlái)　MA：originally

他本來不會開車，現在會開了。

Tā běnlái búhuèi kāichē, siànzài huèi kāile.
Tā běnlái búhuì kāichē, xiànzài huì kāile.
Originally he didn't know how to drive, but now he does.

16 後來 (hòulái)　MA (TW)：afterwards, later on

他說他本來記得，可是後來忘了。

Tā shuō tā běnlái jìdé, kěshìh hòulái wàngle.
Tā shuō tā běnlái jìdé, kěshì hòulái wàngle.
He said that originally he remembered it, but later on he forgot it.

17 恐怕 (kǒngpà)　MA：(I'm) afraid that, perhaps, probably

恐怕下午會下雨。

Kǒngpà siàwǔ huèi siàyǔ.
Kǒngpà xiàwǔ huì xiàyǔ.
I'm afraid it'll rain this afternoon.

怕 (pà)　V：to fear

學生都怕老師嗎？

Syuéshēng dōu pà lǎoshīh ma?
Xuéshēng dōu pà lǎoshī ma?
Are all students afraid of teachers?

18 決定ㄐㄩㄝˊㄉㄧㄥˋ (jyédìng / juédìng)　　V：to decide

我ㄨㄛˇ決ㄐㄩㄝˊ定ㄉㄧㄥˋ明ㄇㄧㄥˊ年ㄋㄧㄢˊ去ㄑㄩˋ美ㄇㄟˇ國ㄍㄨㄛˊ念ㄋㄧㄢˋ書ㄕㄨ。

Wǒ jyédìng míngnián cyù Měiguó niànshū.
Wǒ juédìng míngnián qù Měiguó niànshū.
I decided that next year I will go to America to study.

SUPPLEMENTARY VOCABULARY

19 接ㄐㄧㄝ (jiē)　　V：to receive, to meet, to come into contact with

沒ㄇㄟˊ有ㄧㄡˇ人ㄖㄣˊ接ㄐㄧㄝ電ㄉㄧㄢˋ話ㄏㄨㄚˋ，大ㄉㄚˋ概ㄍㄞˋ他ㄊㄚ們ㄇㄣ都ㄉㄡ不ㄅㄨˊ在ㄗㄞˋ家ㄐㄧㄚ。

Méiyǒu rén jiē diànhuà, dàgài tāmen dōu búzài jiā.
No one is answering the phone, that probably means nobody is home.

20 見面ㄐㄧㄢˋㄇㄧㄢˋ (jiànmiàn)　　VO：to meet someone, to see someone

我ㄨㄛˇ跟ㄍㄣ他ㄊㄚ常ㄔㄤˊ見ㄐㄧㄢˋ面ㄇㄧㄢˋ。

Wǒ gēn tā cháng jiànmiàn.
I often meet with him.

21 留ㄌㄧㄡˊ (lióu / liú)　　V：to leave (message, thing, etc.), to stay, to remain

22 字條ㄗˋㄊㄧㄠˊ (zìhtiáo / zìtiáo)　　N：a note

23 號碼ㄏㄠˋㄇㄚˇ (hàomǎ)　　N：number

請ㄑㄧㄥˇ告ㄍㄠˋ訴ㄙㄨˋ我ㄨㄛˇ你ㄋㄧˇ的ㄉㄜ電ㄉㄧㄢˋ話ㄏㄨㄚˋ號ㄏㄠˋ碼ㄇㄚˇ。

Cǐng gàosù wǒde diànhuà hàomǎ.
Qǐng gàosù wǒde diànhuà hàomǎ.
Please tell me your telephone number.

24 從前 (cóngcián / cóngqián)

MA (TW)：formerly, in the past, used to

從前這裡的大樓不多。

Cóngcián jhèlǐde dàlóu bùduō.
Cóngqián zhèlǐde dàlóu bùduō.
In the past, there were not many buildings here.

25 洗 (sǐ / xǐ) V：to wash

我覺得洗衣服真麻煩。

Wǒ jyuéde sǐ yīfú jhēn máfán.
Wǒ juéde xǐ yīfú zhēn máfán.
I feel that washing clothes is really a hassle.

26 手 (shǒu) N：hand（M：隻 jhīh / zhī，雙 shuāng）

27 高興 (gāosìng / gāoxìng) SV：to be happy

今天你為什麼特別高興？

Jīntiān nǐ wèishénme tèbié gāosìng?
Jīntiān nǐ wèishénme tèbié gāoxìng?
Why are you so happy today?

28 頭 (tóu) DEM/N：first, the top / head

這是我頭一次學外文。

Jhèshìh wǒ tóuyícìh syué wàiwún.
Zhèshì wǒ tóuyícì xué wàiwén.
This is the first time I've studied a foreign language.

29 義大利 (Yìdàlì) N：Italy

30 郵差 (yóuchāi) N：mail carrier, postman

89

4 SYNTAX PRACTICE

▼ I. General Relative Time (as a Movable Adverb)

從前、以前、本來、後來、現在、以後 are movable adverbs. They are used like other time words.

從前 (formerly)

以前 [(t) heretofore, previously]

本來 (originally)

後來 (afterwards, later on)

現在 (now, at present)

以後 [(t) hereafter, afterwards]

1. 那個地方從前人不多，現在是大城市了。

2. 他以前很喜歡跳舞，現在不喜歡了。

3. 我以前常到那兒去，後來太忙了，就不常去了。

4. 他本來沒有錢，後來有錢了，汽車、房子都買了。

5. 她現在學日文，以後要到日本去做事。

Complete the following sentences

1. 我本來記得那件事，＿＿＿＿＿＿＿。

2. 她從前住在英國，＿＿＿＿＿＿＿。

3. ＿＿＿＿＿＿＿，後來他不寫信了。

4. 以前我不喜歡吃雞，＿＿＿＿＿＿＿。

5. ＿＿＿＿＿＿＿，以後就會點菜了。

▼ II. Specific Relative Time

"Specific relative time" precedes the main verb in the sentence.

（Ⅰ）

a. 以前 (ago)

A Period of Time　以前
三個月　　　以前，他到日本去了。 He went to Japan three months ago.

b. 以前 (before)

Time Word / Clause　以前
十月　　　　　　以前，天氣都很熱。 Before October the weather is very hot. 他來　　　　　　以前，給我打了一個電話。 He called me before he came.

1. 半年以前，我一句中文也不懂。

2. 這件衣服是兩年以前買的。

3. 我每天七點鐘以前起來。

4. 我明天中午以前打電話告訴你。

5. 吃飯以前應該洗手。

6. 睡覺以前我常看一會兒書。

（Ⅱ）……的時候 (in / at, when, while)

Time Word / Clause 的時候
夏天（的時候）到海邊去玩兒的人最多。 Summertime is the time when the most people go to the beach. 　　　我小的時候，很喜歡在外面玩兒。 When I was small, I loved to play outside.

91

1. 每天下午五、六點鐘的時候，街上的車最多。

2. 他高興的時候常常唱歌兒。

3. 吃飯的時候，不可以看電視。

4. 臺灣人接電話的時候，先說「喂」。

5. 放假的時候，我要去旅行。

6. 我們是念大學的時候認識的。

(III)

a. 以後 (after, later)

A Period of Time 以後
半年　　　以後　我要到法國去。 In half a year I will go to France.

b. 以後 (after)

Time Word / Clause 以後
六點鐘　　　以後，我一定在家。 I'll be home after six o'clock for sure. 下（了）課　　以後，我要去圖書館。 After class I will go to the library.

1. 請你十分鐘以後再來。

2. 一年以後，你的中國話一定說得很好了。

3. 九月以後，晚上就不熱了。

4. 我常常十二點鐘以後睡覺。

5. 吃了晚飯以後，她常常看電視。

6. 我下班以後就到他那兒去。

Use 以前 / 以後 / 的時候 to complete the following sentences

1. 開車 ＿＿＿＿＿＿＿ 不要開得太快。

2. 他睡覺 ＿＿＿＿＿＿＿ 喝一點兒酒。

3. 下課 ＿＿＿＿＿＿＿ 我要去吃午飯。

4. 兩年 ＿＿＿＿＿＿＿她學了一點法文。

5. 別人唱歌 ＿＿＿＿＿＿＿ 不要說話。

6. 旅行 ＿＿＿＿＿＿＿ 他們覺得累。

7. 買衣服 ＿＿＿＿＿＿＿ 得試試看。

8. 考試 ＿＿＿＿＿＿＿ 他念了很多書。

9. 我小 ＿＿＿＿＿＿＿ 喜歡看電視。

10. 他借了我的東西 ＿＿＿＿ 很快就忘了。

III. 次（or 回）as a Verbal Measure

(Ⅰ) "DEM-NU-次 / 回" follows the time-when pattern and comes before the verb to indicate "which time".

S DEM-NU-次 V
我 那（一）次 去，沒看見他。 That time I went, I didn't see him.

1. 我頭一次吃中國飯是在朋友家吃的。

2. 我每一次看見他，他都在念書。

3. 這是我第一次學外國話。

4. 下次你來以前，別忘了給我打個電話。

5. 我這次到這兒來玩兒得很高興。

(II) "NU- 次／回 " can also follow the time-spent pattern and come after the verb to indicate "how many times", but if the object is "a person" then how many times always comes after the object.

S	V	NU- 次 (O)
請你	再說	一 次。

Please say it again.

1. 我跟他說了三次，他還是不記得。
2. 第一次做得不好，我又做了一次。
3. 她差不多每星期吃一次雞。
4. 他每年到美國來好幾次。
5. 我只教了他一次，他就會做了。

Answer the following sentences

1. 你第一次吃法國飯，是在哪裡吃的？
2. 上次你感冒是什麼時候？
3. 下次你要到哪裡去旅行？
4. 這次你去看他，跟他說了什麼？
5. 你頭一次看見他，你喜歡他嗎？
6. 你每次去買衣服的時候，你跟誰去？
7. 你每個星期上幾次中文課？
8. 去年你病了幾次？
9. 去年冬天你滑了幾次雪？
10. 上個禮拜你去圖書館借了幾次書？

IV. Verbal Suffix 過 as a Marker of Experience

(I) It can indicate an experience in the past, translated into English
as "have (ever) before". When used, 了 is not needed.

S （沒） V- 過   O
我（沒）吃 過 義大利菜。
I have (never) eaten Italian food.

1. 你以前見過他嗎？

   沒見過，這是我們第一次見面。

2. 你以前學過中文嗎？

   我小的時候學過一點兒。

3. 他來過美國嗎？

   他三年以前來過一次。

4. 你在鄉下住過沒有？

   住過。

5. 你看過日本電影嗎？

   我沒看過。

(II) It has a slightly stronger meaning of completed action than an
ordinary sentence with 了 on the end of it. It can also be used
together with 了 in positive statements and in some questions.

S （已經） V- 過   O   了。
我（已經）吃 過 早飯 了。
I have (already) eaten breakfast.

1. 你跟他見過面了嗎？

   見過了，他說他可以幫我忙。

95

2. 第十四課你們學過了嗎？

　　已經學過了，現在我們念第十五課了。

3. 今天郵差來過了沒有？

　　還沒來呢！

4. 你要不要看今天的報？

　　謝謝，我已經看過了。

5. 聽說那個電影不錯，你看了嗎？

　　我已經看過兩次了。

Look at the pictures and talk about your experience

Answer the following questions according to this student's schedule

SCHEDULE			
7:00	吃早飯	2:00	到圖書館去
7:30	看報	5:00	跟美英見面
8:00	上中文課	6:00	吃晚飯
9:00	到郵局去	7:00	看電視
10:00	寫中文字	8:00	給父母打電話
12:00	吃中飯		

（現在是下午一點鐘）

1. 他吃過中飯了嗎？

2. 他今天到郵局去過了嗎？

3. 他已經跟美英見過面了嗎？

4. 今天他已經上過中文課了嗎？

5. 晚飯，他吃過了沒有？

6. 他今天到圖書館去過了嗎？

7. 今天的報，他看過了嗎？

8. 今天他看過電視了沒有？

9. 他給父母打過電話了嗎？

10. 今天他寫過中文字了沒有？

5 APPLICATION ACTIVITIES

I. Each student uses different time-expressions to answer the following questions.

eg. 你什麼時候給他這本書？

‧我明天給他。

‧我下次跟他見面的時候給他。

‧我一個星期以後給他。

‧我明天上課以前給他。

1. 你每天什麼時候看報？

2. 你什麼時候要到法國去？

3. 你什麼時候給父母打電話？

4. 你什麼時候回家？

5. 你是什麼時候看見張老師的？

II. Each student shares 5 special experiences, (for example, travel, food, language, etc.), and 3 situations with no experience also.

▼ III. Situation

Call a friend on the phone, and pretend you encounter a possible situation. (For example, wrong number, the called person answers the phone, or some one else answers the phone, etc.)

第五課 | 華語跟法語①一樣好聽②

I

A：你學過法語嗎？

B：學過。

A：有人說法語是世界③上最好聽的語言④，你說呢？

B：我覺得華語跟法語一樣好聽。

A：華語的語法⑤很容易學，法語呢？

B：法語的語法⑥比華語難多了，可是法國字沒有中國字那麼難寫。

A：法文跟英文有很多字很像⑦，是嗎？

B：是啊，所以有的美國人覺得法文很容易學，就像日本人覺得中國字好寫一樣。

II

張：王先生，好久不見，您是什麼時候回來的？

王：我是上星期回來的。

張：這幾年您在國外一切⑧都好吧？

王：都好，您呢？

張：我也很好。

王：您好像⑨比以前瘦⑩了一點兒。

張：是嗎？也許因為最近比較⑪忙吧。

王：張太太好嗎？

張：她很好，謝謝。

王：您的兩個孩子有多大了？

張：女兒十歲⑫，兒子八歲了。

王：日子⑬過得真快啊！他們的功課⑭都很好吧？

張：姐姐念書比弟弟念得好。弟弟聰明得很⑮，可是沒有姐姐那麼用功⑯。

王：他還小，過幾年就好了。

ㄅㄧ ㄨˊ ㄎㄜ　　ㄏㄨㄚˊ ㄩˇ ㄍㄣ ㄈㄚˇ ㄩˇ ㄧ ㄧㄤˋ ㄏㄠˇ ㄊㄧㄥ

I

A： ㄋㄧˇ ㄒㄩㄝˊ ㄍㄨㄛˋ ㄈㄚˇ ㄩˇ ˙ㄇㄚ ？

B： ㄒㄩㄝˊ ㄍㄨㄛˋ 。

A： ㄧㄡˇ ㄖㄣˊ ㄐㄩㄝˊ ㄈㄚˇ ㄩˇ ㄕˋ ㄕˋ ㄐㄧㄝˋ ㄕㄤˋ ㄏㄨㄟˋ ㄊㄧㄥㄊㄧㄥ ㄉㄜˋ ㄩˇ ㄧㄢˊ ， ㄋㄧˇ ㄕㄨㄛ ˙ㄋㄜ ？

B： ㄨㄛˇ ㄖㄣˋ˙ㄉㄜ˙ㄉㄜ ㄍㄡˋ ㄈㄚˇ ㄍㄨㄛˊ ㄈㄣˊ ㄧㄡˊ ㄧㄤˋ ㄧㄠˇ ㄧㄤˊ 。

A： ㄏㄨㄚˊ ㄩˇ ˙ㄉㄜ˙ㄉㄜ ㄩˇ ㄈㄚˊ ㄏㄣˇ ㄏㄨㄥˊㄏㄨㄥˊ ㄧˊ ㄒㄩㄝˊ ㄋㄢˊ ， ㄈㄚˇ ㄩˇ ˙ㄋㄜ ？

B： ㄈㄚˇ ㄩˇ ˙ㄉㄜ˙ㄉㄜ ㄩˇ ㄈㄚˊ ㄅㄧˇ ㄏㄨㄚˊ ㄩˇ ㄋㄢˊ ㄉㄨㄛˊ ˙ㄉㄜ ， ㄎㄜˇ ㄕˋ ㄈㄚˇ ㄍㄨㄛˊ ㄗˋ ㄇㄟˇ ㄧㄡˇ ㄓㄨㄥˋ ㄍㄨㄛˊ ㄗˋ ˙ㄋㄜ ㄋㄢˊ ㄒㄧㄝˇ 。

A： ㄈㄚˇ ㄨㄣˊ ㄍㄣ ㄧㄥ ㄨㄣˊ ㄏㄨㄛˊ ㄗˋ ㄏㄣˊ ㄒㄧㄤ ， ㄕˋ ˙ㄇㄚ ？

B： ㄕˋ ˙ㄚ ， ㄙㄨㄛˊ ㄧˇ ㄧˇ ˙ㄉㄜ ㄇㄟˇ ㄍㄨㄛˊ ㄖㄣˊ ㄐㄩㄝˊ ˙ㄉㄜ ㄈㄚˇ ㄨㄣˊ ㄅㄨˋ ㄧˊ ㄒㄩㄝˊ ， ㄐㄧㄡˋ ㄒㄧㄤˋ ㄖˋ ㄅㄣˇ ㄖㄣˊ ㄐㄩㄝˊ ˙ㄉㄜ ㄓㄨㄥˋ ㄗˋ ㄏㄠˇ ㄒㄧㄝˇ ㄧ ㄧㄤˋ 。

II

ㄓㄤ： ㄨㄤˊ ㄒㄧㄢ ㄕㄥ ， ㄏㄠˇ ㄐㄧㄡˇ ㄐㄧㄢˋ ， ㄋㄧˇ ㄕˋ ˙ㄇㄜ ㄕˊ ㄏㄡˋ ㄍㄨㄟˊ ㄌㄞˊ ˙ㄉㄜ ？

ㄨㄤˊ： ㄨㄛˇ ㄕㄨㄛˊ ㄒㄧㄥ ㄑㄧ ㄍㄨㄟˊ ㄌㄞˊ ˙ㄉㄜ 。

ㄓㄤ： ㄓㄜˋ ㄐㄩㄝˊ ㄧˊ ㄋㄧㄢˊ ㄗˋ ㄍㄨㄛˊ ㄨㄞˋ ， ㄧˇ ㄑㄧㄝˋ ㄉㄡ ㄏㄠˇ ˙ㄚ ？

ㄨㄤˊ： ㄉㄡ ㄏㄡˇ ， ㄋㄧˇ ˙ㄋㄜ ？

ㄓㄤ： ㄨㄛˇ ㄧㄝˇ ㄏㄣˇ ㄏㄠˇ 。

ㄨㄤˊ： ㄨㄛˊ ㄋㄧˇ ㄏㄨㄛˊ ㄒㄧㄤˋ ㄧ ㄧㄢˊ ㄅㄡˇ ˙ㄉㄜ ㄧ ㄅㄧㄢˋ ㄦˊ 。

ㄓㄤ： ㄕˋ ˙ㄇㄚ ？ ㄧㄝˇ ㄒㄩˋ ㄧㄣˊ ㄨㄟˋ ㄨˇ ㄐㄩㄣ ㄐㄧ ㄧ ㄒㄧㄤˊ ㄅㄚˊ 。

ㄨㄤˊ： ㄓㄤ ㄊㄞˋ ㄊㄞˋ ㄏㄠˇ ˙ㄇㄚ ？

ㄓㄤ： ㄊㄚˇ ㄏㄣˊ ㄏㄠˇ ， ㄒㄧㄝˋ 。

ㄨㄤˊ： ㄋㄚˊ ㄋㄧˊ˙ㄉㄜ˙ㄉㄜ ㄍㄞˊ ㄏㄞˊ ㄗˊ ㄧˇ ㄅㄨㄛˊ ㄅㄚˊ ˙ㄉㄜ ？

ㄓㄤ： ㄋㄩˇ ㄦˊ ㄕˋ ㄙㄨㄟˋ ， ㄦˊ ㄗˊ ㄅㄚˊ ㄙㄨㄟˋ ˙ㄉㄜ 。

ㄨㄤ：ㄖㄣˊ ㄕㄨㄛ ㄍㄨㄛˊ ㄓㄣ ㄎㄨㄞˋ ㄚˊ！ㄊㄚ ㄇㄣ ㄉㄜ ㄎㄡˋ ㄏㄣˇ ㄏㄠˇ ㄋㄚˊ？
ㄓㄤ：ㄐㄩㄝˊ ㄓˋ ㄅㄧˋ ㄨㄟˋ ㄐㄧㄚ ㄉㄜ ㄋㄧㄢˊ ㄓㄢˋ ㄩㄥˋ ㄏㄠˋ。
ㄨㄤ：ㄊㄚ ㄏㄞˊ，ㄍㄨㄛˋ ㄐㄧˇ ㄋㄧㄢˊ ㄐㄧㄡˋ ㄏㄠˇ ㄉㄜ。

Dì Wǔ Kè — Huáyǔ Gēn Fǎyǔ Yíyàng Hǎotīng

I

A : Nǐ syuéguò Fǎyǔ ma?

B : Syuéguò.

A : Yǒurén shuō Fǎyǔ shìh shìhjièshàng zuèi hǎotīngde yǔyán, nǐ shuō ne?

B : Wǒ jyuéde Huáyǔ gēn Fǎyǔ yíyàng hǎotīng.

A : Huáyǔde yǔfǎ hěn róngyìsyué, Fǎyǔ ne?

B : Fǎyǔde yǔfǎ bǐ Huáyǔ nánduōle, kěshìh Fǎguó zìh méiyǒu Jhōngguó zìh nàme nánsiě.

A : Fǎwún gēn Yīngwún yǒu hěnduō zìh hěn siàng, shìh ma?

B : Shìh a, suǒyǐ yǒude Měiguó rén jyuéde Fǎwún hěn róngyì syué, jiòu siàng Rìhběn rén jyuéde Jhōngguó zìh hǎosiě yíyàng.

II

Jhāng : Wáng Siānshēng, hǎojiǒu bújiàn, nín shìh shénme shíhhòu huéilái de?

Wáng : Wǒ shìh shàngsīngcí huéilái de.

Jhāng : Jhè jǐnián nín zài guówài yíciè dōu hǎo ba?

Wáng : Dōu hǎo, nín ne?

Jhāng : Wǒ yě hěn hǎo.

Wáng : Nín hǎosiàng bǐ yǐcián shòule yìdiǎnr.

Jhāng : Shìh ma? Yěsyǔ yīnwèi zuèijìn bǐjiào máng ba.

Wáng : Jhāng Tàitai hǎo ma?

Jhāng : Tā hěn hǎo, sièsie.

Wáng : Nínde liǎngge háizih yǒu duódà le?

Jhāng : Nyǔér shíh suèi, érzih bā suèi le.

Wáng : Rìhzi guòde jhēn kuài a! Tāmende gōngkè dōu hěn hǎo ba?

Jhāng : Jiějie niànshū bǐ dìdi niànde hǎo. Dìdi cōngmíngde hěn, kěshìh méiyǒu jiějie nàme yònggōng.

Wáng : Tā hái siǎo, guò jǐnián jiòu hǎole.

Dì Wǔ Kè — Huáyǔ Gēn Fǎyǔ Yíyàng Hǎotīng

I

A : Nǐ xuéguò Fǎyǔ ma?

B : Xuéguò.

A : Yǒurén shuō Fǎyǔ shì shìjièshàng zuì hǎotīngde yǔyán, nǐ shuō ne?

B : Wǒ juéde Huáyǔ gēn Fǎyǔ yíyàng hǎotīng .

A : Huáyǔde yǔfǎ hěn róngyìxué, Fǎyǔ ne?

B : Fǎyǔde yǔfǎ bǐ Huáyǔ nánduōle, kěshì Fǎguó zì méiyǒu Zhōngguó zì nàme nánxiě.

A : Fǎwén gēn Yīngwén yǒu hěnduō zì hěn xiàng, shì ma?

B : Shì a, suǒyǐ yǒude Měiguó rén juéde Fǎwén hěn róngyì xué, jiù xiàng Rìběn rén juéde Zhōngguó zì hǎoxiě yíyàng.

II

Zhāng: Wáng Xiānshēng, hǎojiǔ bújiàn, nín shì shénme shíhòu huílái de?

Wáng : Wǒ shì shàngxīngqí huílái de.

Zhāng: Zhè jǐnián nín zài guówài yíqiè dōu hǎo ba?

Wáng : Dōu hǎo, nín ne?

Zhāng: Wǒ yě hěn hǎo.

Wáng : Nín hǎoxiàng bǐ yǐqián shòule yìdiǎnr.

Zhāng: Shì ma? Yěxǔ yīnwèi zuìjìn bǐjiào máng ba.

Wáng : Zhāng Tàitai hǎo ma?

Zhāng: Tā hěn hǎo, xièxie.

Wáng : Nínde liǎngge háizi yǒu duódà le?

Zhāng: Nǚér shí suì, érzi bā suì le.

Wáng : Rìzi guòde zhēn kuài a! Tāmende gōngkè dōu hěn hǎo ba?

Zhāng: Jiějie niànshū bǐ dìdi niànde hǎo. Dìdi cōngmíngde hěn, kěshì
méiyǒu jiějie nàme yònggōng.

Wáng : Tā hái xiǎo, guò jǐnián jiù hǎole.

LESSON 5   CHINESE SOUNDS AS MELODIOUS AS FRENCH

I

A : Have you ever studied French before?

B : Yes, I have.

A : Some people say French is the most melodious language in the world, what do you say?

B : I think Chinese sounds as melodious as French.

A : Chinese grammar is very easy to learn. What about French?

B : French grammar is much more difficult than Chinese grammar, but writing French isn't as difficult as writing Chinese.

A : Many words are similar in French and English, right?

B : That's right, so some Americans think French is very easy to learn, just like Japanese think Chinese is easy to write.

II

Zhang : Mr. Wang, long time no see. When did you come back?

Wang : I came back last week.

Zhang : Has everything been all right for these last few years when you have been abroad?

Wang : Everything's been fine, and you?

Zhang : I've also been fine.

Wang : It seems like you are a little slimmer than before.

Zhang : Really? Perhaps it's because recently I've been busier than usual.

Wang : How is Mrs. Zhang?

Zhang : She is very well, thank you.

Wang : How old are your two kids now?

Zhang : My daughter is ten and my son is eight.

Wang : Boy! Time really flies. Is their schoolwork going well?

Zhang : Big sister is doing better than her little brother. Little brother is very smart, but he doesn't work as hard as his sister.

Wang : He's still too young, he'll be fine in a few years.

2 | NARRATION

　　我朋友王大明的年紀^⑰跟我一樣大，都是二十歲。他比我高，也比我瘦。最近，他學校的功課忙得不得了^⑱，所以他更^⑲瘦了。

　　王大明很聰明，也很用功，會說很多國語言。我也跟他學了一點兒，可是沒有他說得那麼好。我喜歡跟他一塊兒去旅行，因為他會說那麼多國語言，到世界上很多地方去都很方便。

ㄨㄛˇ ㄆㄥˊ ㄧㄡˇ ㄨㄤˊ ㄉㄚˋ ㄇㄧㄥˊ ㄉㄜ˙ ㄋㄧㄢˊ ㄐㄧˋ ㄍㄣ ㄨㄛˇ ㄧˊ ㄧㄤˋ ㄉㄚˋ，ㄉㄡ ㄕˋ ㄦˋ ㄕˊ ㄙㄨㄟˋ。ㄊㄚ ㄅㄧˇ ㄨㄛˇ ㄍㄠ，ㄧㄝˇ ㄅㄧˇ ㄨㄛˇ ㄕㄡˋ。ㄗㄨㄟˋ ㄐㄧㄣˋ，ㄊㄚ ㄒㄩㄝˊ ㄒㄧㄠˋ ㄉㄜ˙ ㄍㄨㄥ ㄎㄜˋ ㄇㄤˊ ㄉㄜ˙ ㄅㄨˋ ㄉㄜˊ ㄌㄧㄠˇ，ㄙㄨㄛˇ ㄧˇ ㄊㄚ ㄍㄥˋ ㄕㄡˋ ㄌㄜ˙。

ㄨㄤˊ ㄉㄚˋ ㄇㄧㄥˊ ㄏㄣˇ ㄘㄨㄥ ㄇㄧㄥˊ，ㄧㄝˇ ㄏㄣˇ ㄩㄥˋ ㄍㄨㄥ，ㄏㄨㄟˋ ㄕㄨㄛ ㄏㄣˇ ㄉㄨㄛ ㄍㄨㄛˊ ㄩˇ ㄧㄢˊ。ㄨㄛˇ ㄧㄝˇ ㄍㄣ ㄊㄚ ㄒㄩㄝˊ ㄌㄜ˙ ㄧˋ ㄉㄧㄢˇ ㄦ，ㄎㄜˇ ㄕˋ ㄇㄟˊ ㄧㄡˇ ㄊㄚ ㄕㄨㄛ ㄉㄜ˙ ㄋㄚˋ ㄇㄜ˙ ㄏㄠˇ。ㄨㄛˇ ㄒㄧˇ ㄏㄨㄢ ㄍㄣ ㄊㄚ ㄧˊ ㄎㄨㄞˋ ㄦ ㄑㄩˋ ㄌㄩˇ ㄒㄧㄥˊ，ㄧㄣ ㄨㄟˋ ㄊㄚ ㄏㄨㄟˋ ㄕㄨㄛ ㄋㄚˋ ㄇㄜ˙ ㄉㄨㄛ ㄍㄨㄛˊ ㄩˇ ㄧㄢˊ，ㄉㄠˋ ㄕˋ ㄐㄧㄝˋ ㄕㄤˋ ㄏㄣˇ ㄉㄨㄛ ㄉㄧˋ ㄈㄤ ㄑㄩˋ ㄉㄡ ㄏㄣˇ ㄈㄤ ㄅㄧㄢˋ。

Wǒ péngyǒu Wáng Dàmíngde niánjì gēn wǒ yíyàng dà, dōu shìh èrshíh suèi. Tā bǐ wǒ gāo, yě bǐ wǒ shòu. Zuèijìn, tā syuésiàode gōngkè mángde bùdéliǎo, suǒyǐ tā gèng shòu le.

Wáng Dàmíng hěn cōngmíng, yě hěn yònggōng, huèi shuō hěn duō guó yǔyán. Wǒ yě gēn tā syuéle yìdiǎnr, kěshìh méiyǒu tā shuōde nàme hǎo. Wǒ sǐhuān gēn tā yíkuàir cyù lyǔsíng, yīnwèi tā huèi shuō nàme duō guó yǔyán, dào shìhjièshàng hěn duō dìfāng cyù dōu hěn fāngbiàn.

Wǒ péngyǒu Wáng Dàmíngde niánjì gēn wǒ yíyàng dà, dōu shì èrshí suì. Tā bǐ wǒ gāo, yě bǐ wǒ shòu. Zuìjìn, tā xuéxiàode gōngkè mángde bùdéliǎo, suǒyǐ tā gèng shòu le.

Wáng Dàmíng hěn cōngmíng, yě hěn yònggōng, huì shuō hěn duō guó yǔyán. Wǒ yě gēn tā xuéle yìdiǎnr, kěshì méiyǒu tā shuōde nàme hǎo. Wǒ xǐhuān gēn tā yíkuàir qù lǚxíng, yīnwèi tā huì shuō nàme duō guó yǔyán, dào shìjièshàng hěn duō dìfāng qù dōu hěn fāngbiàn.

My friend Daming Wang is the same age, twenty years old, as I. He's taller and thinner than I. Recently he has been extremely busy with his schoolwork, so he is even skinnier than usual.

Daming Wang is very intelligent and studious, and can speak many languages. I've studied a little with him, but I can't speak as well as he can. I like to travel with him because he can speak so many languages and this makes it very easy to go many places all over the world.

3 VOCABULARY

1 華ㄏㄨㄚˊ語ㄩˇ (Huáyǔ)　N：the Chinese language

他ㄊㄚ會ㄏㄨㄟˋ說ㄕㄨㄛ華ㄏㄨㄚˊ語ㄩˇ。

Tā huèi shuō Huáyǔ.
Tā huì shuō Huáyǔ.
He speaks Chinese.

語ㄩˇ (yǔ)　BF：language

法ㄈㄚˇ語ㄩˇ (Fǎyǔ)　N：France language

2 一ㄧˊ樣ㄧㄤˋ (yíyàng)　SV/A：to be the same, identical

這ㄓㄜˋ兩ㄌㄧㄤˇ枝ㄓ筆ㄅㄧˇ一ㄧˊ樣ㄧㄤˋ。

Jhè liǎngjhīh bǐ yíyàng.
Zhè liǎngzhī bǐ yíyàng.
These two pens are identical.

我ㄨㄛˇ跟ㄍㄣ我ㄨㄛˇ哥ㄍㄜ哥ㄍㄜ一ㄧˊ樣ㄧㄤˋ高ㄍㄠ。

Wǒ gēn wǒ gēge yíyàng gāo.
I'm as tall as my older brother. / I'm the same height as my older brother.

樣ㄧㄤˋ (yàng)　BF/M：appearance, shape; kind of, type of

樣ㄧㄤˋ子ㄗ˙ (yàngzih / yàngzi)　N：appearance, shape, model, pattern

這ㄓㄜˋ件ㄐㄧㄢˋ衣ㄧ服ㄈㄨˊ樣ㄧㄤˋ子ㄗ˙很ㄏㄣˇ好ㄏㄠˇ看ㄎㄢˋ。

Jhèijiàn yīfú yàngzih hěn hǎokàn.
Zhèijiàn yīfú yàngzi hěn hǎokàn.
The pattern of this outfit is very beautiful.

3 世ㄕˋ界ㄐㄧㄝˋ (shìhjiè / shìjiè)　N：the world

世ㄕˋ界ㄐㄧㄝˋ上ㄕㄤˋ最ㄗㄨㄟˋ高ㄍㄠ的ㄉㄜ˙大ㄉㄚˋ樓ㄌㄡˊ在ㄗㄞˋ哪ㄋㄚˇ兒ㄦ˙？

Shìhjièshàng zuèi gāode dàlóu zài nǎr?

111

Shìjièshàng zuì gāode dàlóu zài nǎr?
Where is the tallest building in the world?

4 語言 (yǔyán)   N：language

世界上最難學的語言是哪國話？

Shìhjièshàng zuèi nánsyuéde yǔyán shìh něiguó huà?
Shìjièshàng zuì nánxuéde yǔyán shì něiguó huà?
Which country has the world's most difficult language to learn?

5 語法 (yǔfǎ)   N：grammar

華語的語法不難。

Huáyǔde yǔfǎ bùnán.
Chinese grammar is not difficult.

辦法 (bànfǎ)   N：method, way of doing something

他說的這個辦法不錯。

Tā shuōde jhèige bànfǎ búcuò.
Tā shuōde zhèige bànfǎ búcuò.
The method he just stated is pretty good.

6 比 (bǐ)   V/CV：to compare; compared to, than

請你比一比這兩個地方的天氣。

Cǐng nǐ bǐyìbǐ jhè liǎngge dìfāngde tiāncì.
Qǐng nǐ bǐyìbǐ zhè liǎngge dìfāngde tiānqì.
Please compare the climate of these two areas.

他比我忙。

Tā bǐ wǒ máng.
He is busier than I.

7 像 (siàng / xiàng)   SV/V：to be alike, to be like; to resemble

我跟我父親很像。

112

Wǒ gēn wǒ fùcīn hěn siàng.
Wǒ gēn wǒ fùqīn hěn xiàng.
I'm a lot like my father.

他ㄊㄚ像ㄒㄧㄤ他ㄊㄚ父ㄈㄨ親ㄑㄧㄣ。

Tā siàng tā fùcīn.
Tā xiàng tā fùqīn.
He resembles his father.

8 一ㄧ切ㄑㄧㄝ (yíciè / yíqiè)　N：all, everything

我ㄨㄛ一ㄧ切ㄑㄧㄝ都ㄉㄡ好ㄏㄠ，請ㄑㄧㄥ您ㄋㄧㄣ放ㄈㄤ心ㄒㄧㄣ。

Wǒ yíciè dōu hǎo, cǐng nín fàngsīn.
Wǒ yíqiè dōu hǎo, qǐng nín fàngxīn.
I'm completely fine. Please put your mind at rest.

9 好ㄏㄠ像ㄒㄧㄤ (hǎosiàng / hǎoxiàng)　MA/V：to seem, to be likely, to be like

他ㄊㄚ好ㄏㄠ像ㄒㄧㄤ很ㄏㄣ高ㄍㄠ興ㄒㄧㄥ。

Tā hǎosiàng hěn gāosìng.
Tā hǎoxiàng hěn gāoxìng.
He seems very happy.

他ㄊㄚ說ㄕㄨㄛ話ㄏㄨㄚ好ㄏㄠ像ㄒㄧㄤ小ㄒㄧㄠ孩ㄏㄞ子ㄗ。

Tā shuōhuà hǎosiàng siǎoháizih.
Tā shuōhuà hǎoxiàng xiǎoháizi.
He sounds like a child when he talks.

10 瘦ㄕㄡ (shòu)　SV：to be thin

天ㄊㄧㄢ氣ㄑㄧ太ㄊㄞ熱ㄖㄜ，我ㄨㄛ吃ㄔ得ㄉㄜ很ㄏㄣ少ㄕㄠ，所ㄙㄨㄛ以ㄧ瘦ㄕㄡ了ㄌㄜ。

Tiāncì tài rè, wǒ chīhde hěn shǎo, suǒyǐ shòule.
Tiānqì tài rè, wǒ chīde hěn shǎo, suǒyǐ shòule.
I have been eating less because the weather has been hot, so I have become thinner.

11 比較 (bǐjiào) A/V：comparatively; to compare

今天好像比較冷。

Jīntiān hǎosiàng bǐjiào lěng.
Jīntiān hǎoxiàng bǐjiào lěng.
Seems like it's (comparatively) colder today.

12 歲 (suèi / suì) M：measure word for age, years old

他兒子今年十歲了。

Tā érzih jīnnián shíh suèi le.
Tā érzi jīnnián shí suì le.
This year his son is ten years old.

13 日子 (rìhzih / rìzi) N：day (date), days (time)

14 功課 (gōngkè) N：schoolwork, homework

那個學生的功課很好。

Nèige syuéshēngde gōngkè hěn hǎo.
Nèige xuéshēngde gōngkè hěn hǎo.
That student's schoolwork is very good.

15 聰明 (cōngmíng) SV：to be intelligent

聰明的學生功課都好嗎？

Cōngmíngde syuéshēng gōngkè dōu hǎo ma?
Cōngmíngde xuéshēng gōngkè dōu hǎo ma?
Do intelligent students always do well on their study?

16 用功 (yònggōng)

SV：to be studious, industrious, to be hard working

老師喜歡用功的學生。

Lǎoshīh sǐhuān yònggōngde syuéshēng.
Lǎoshī xǐhuān yònggōngde xuéshēng.
Teachers like hard working students.

SUPPLEMENTARY VOCABULARY

17 年紀 (niánjì)　N：age

他父母年紀都大了。

Tā fùmǔ niánjì dōu dàle.
Both of his parents are old.

18 不得了 (bùdéliǎo)

SV：to be extremely, to be exceedingly (hot, cold, wet, etc.)

外面熱得不得了。

Wàimiàn rède bùdéliǎo.
It is extremely hot outside.

19 更 (gèng)　A：even more, still more

這個菜很好吃，那個菜更好吃。

Jhèige cài hěn hǎochīh, nèige cài gèng hǎochīh.
Zhèige cài hěn hǎochī, nèige cài gèng hǎochī.
This dish is delicious, (but) that dish is even better.

20 極 (jí)　BF：utmost, extremely

那個人瘦極了。

Nèige rén shòujíle.
That person is extremely thin.

21 胖 (pàng)　SV：to be fat

他以前很瘦，現在胖了。

Tā yǐcián hěn shòu, siànzài pàngle.
Tā yǐqián hěn shòu, xiànzài pàngle.
Before he was very thin, now he's become fat.

22 長_{ㄔㄤ} (cháng)　SV：to be long

這_{ㄓㄜ}條_{ㄊㄧㄠ}河_{ㄏㄜ}比_{ㄅㄧ}那_{ㄋㄟ}條_{ㄊㄧㄠ}長_{ㄔㄤ}。

> Jhèitiáo hé bǐ nèitiáo cháng.
> Zhèitiáo hé bǐ nèitiáo cháng.
> **This river is longer than that one.**

23 矮_ㄞ (ǎi)　SV：to be short（opp. 高_{ㄍㄠ} gāo）

那_{ㄋㄚ}兩_{ㄌㄧㄤ}個_{ㄍㄜ}人_{ㄖㄣ}，一_ㄧ個_{ㄍㄜ}高_{ㄍㄠ}，一_ㄧ個_{ㄍㄜ}矮_ㄞ。

> Nà liǎngge rén, yíge gāo, yíge ǎi.
> **Of those two people, one is tall, the other is short.**

24 多_{ㄉㄨㄛ}（麼_{ㄇㄜ}）[duó (me)]

A (QW)：how SV? (often used in an exclamatory sentence
indicating a high degree, "How……" or "What a……")

你_{ㄋㄧ}看_{ㄎㄢ}，這_{ㄓㄜ}件_{ㄐㄧㄢ}衣_ㄧ服_{ㄈㄨ}多_{ㄉㄨㄛ}（麼_{ㄇㄜ}）好_{ㄏㄠ}看_{ㄎㄢ}啊_ㄚ！

> Nǐ kàn, jhèijiàn yīfú duó(me) hǎokàn a!
> Nǐ kàn, zhèijiàn yīfú duó(me) hǎokàn a!
> **Look, how beautiful this outfit is!**

你_{ㄋㄧ}有_{ㄧㄡ}多_{ㄉㄨㄛ}（麼_{ㄇㄜ}）高_{ㄍㄠ}？

> Nǐ yǒu duó(me) gāo?
> **How tall are you?**

25 公_{ㄍㄨㄥ}分_{ㄈㄣ} (gōngfēn)　M：centimeter

這_{ㄓㄜ}件_{ㄐㄧㄢ}衣_ㄧ服_{ㄈㄨ}比_{ㄅㄧ}那_{ㄋㄟ}件_{ㄐㄧㄢ}長_{ㄔㄤ}十_ㄕ公_{ㄍㄨㄥ}分_{ㄈㄣ}。

> Jhèijiàn yīfú bǐ nèijiàn cháng shíh gōngfēn.
> Zhèijiàn yīfú bǐ nèijiàn cháng shí gōngfēn.
> **This outfit is ten centimeters longer than that one.**

26 公_{ㄍㄨㄥ}里_{ㄌㄧ} (gōnglǐ)　M：kilometer

里_{ㄌㄧ} (lǐ)　M：Chinese mile

英ㄥ 里ㄌ (yīnglǐ)　M：mile (American measurement)

27 公ㄍㄨㄥ 尺ㄔ (gōngchǐh / gōngchǐ)　M：meter

尺ㄔ (chǐh / chǐ)　M/N：a unit for measuring length; a ruler

英ㄥ 尺ㄔ (yīngchǐh / yīngchǐ)　M：foot

28 重ㄓㄨㄥ (jhòng / zhòng)　SV：to be heavy

這ㄓㄜ 個ㄍㄜ 桌ㄓㄨㄛ 子ㄗ 比ㄅ一 那ㄋㄚ 個ㄍㄜ 重ㄓㄨㄥ 多ㄉㄨㄛ 了ㄌㄜ。

Jhèige jhuōzih bǐ nèige jhòngduōle.
Zhèige zhuōzi bǐ nèige zhòngduōle.
This table is much heavier than that one.

29 公ㄍㄨㄥ 斤ㄐㄧㄣ (gōngjīn)　N：kilogram

30 笨ㄅㄣ (bèn)　SV：to be stupid

31 短ㄉㄨㄢ (duǎn)　SV：to be short (opp. 長ㄔㄤ cháng)

他ㄊㄚ 每ㄇㄟ 次ㄘ 寫ㄒ一ㄝ 的ㄉㄜ 信ㄒ一ㄣ 都ㄉㄡ 很ㄏㄣ 短ㄉㄨㄢ。

Tā měicìh siěde sìn dōu hěn duǎn.
Tā měicì xiěde xìn dōu hěn duǎn.
Every letter he writes is very short.

4　SYNTAX PRACTICE

▼ I. Stative Verbs with Intensifying Complements

得很／極了／得不得了 can be placed on the end of stative verbs to indicate an extreme condition.

N	SV	Complement
他	高興	得很。
He is very happy.		
他	高興	極了。
He is extremely happy.		
他	高興	得不得了。
He is ecstatic.		

1. 這個菜好吃得很。

2. 他家離學校遠得很。

3. 那件事麻煩極了。

4. 她唱歌兒唱得好極了。

5. 他弟弟聰明得不得了。

6. 他小的時候胖得不得了。

Answer the following questions with SV＋Complement

1. 那位醫生客氣嗎？

2. 學中文有意思嗎？

3. 跳舞容易不容易？

4. 這件衣服舒服嗎？

5. 那個電影好看嗎？

6. 他開車開得快不快？

▼ II. Similarity and Disparity

（I）If you want to compare the difference between two or more people, affairs, or things, then the "A 跟 B（不）一樣 SV" pattern is used.

a.

N₁　（不）　跟　　N₂（不）　　一樣(SV)
我　　　　　跟　他　　　　　一樣高。 I'm as tall as he is.

我　　　　他

b.

S₁　　(VO)　　　　　　（V-得）跟／像　　S₂（V-得）　　一樣　　SV
他　　寫字　，　寫得　跟　　　你　　　　　一樣　　好。 他　　寫字　，　　　　跟　　　你寫得　　　一樣　　好。 He writes as well as you do.

1. 今天的天氣跟昨天的一樣熱。

2. 這件衣服跟那件不一樣長。

3. 今天我來得跟你一樣早。

4. 他吃飯，吃得跟我一樣多，可是他不胖。

5. 我說日本話，能像日本人說得一樣快。

6. 他用筷子，跟臺灣人用得一樣好。

(II) If you want to have a positive or negative comparison between the difference of two or more persons, affairs or things then the sentence pattern "A（沒）有／（不）像 B 這麼／那麼 SV" is used.

a.

N₁（沒）有／（不）像		N₂	那麼／這麼	SV
我 沒 有		他	那麼	高。
我	不 像	他	那麼	高。
I'm not quite as tall as he is.				

b.

S₁(VO)	（V-得）	（沒）有／	（不）像	S₂(V-得)	那麼／這麼 SV
他寫字	寫得	沒 有		你	這麼好。
他寫字			不像	你寫得	這麼好。
He doesn't write quite as well as you do.					

1. 這個屋子沒有那個那麼大。

2. 我姐姐不像我這麼瘦。

3. 你走路走得沒有他那麼快。

4. 去年下雨沒有今年下得這麼多。

5. 他說德國話，有你說得這麼好。

6. 女孩子吃飯，不像男孩子吃得那麼多。

Look at the pictures and complete the sentences below

張先生　張太太　　　　$60　$20　　　弟弟 姐姐 哥哥　　　小車　　　大車

1. 張先生_____張太太一樣_____，可是不一樣_____，張太太
   _____ _____張先生_____ _____胖。

2. 這本書跟那本書_____ _____ _____，這本書_____ _____
   那本那麼_____。

3. 他們三個人都_____ _____ _____高，弟弟_____ _____姐
   姐那麼高，姐姐沒有_____ _____那麼高，_____ _____最
   矮，_____ _____最高。

4. 大車跟小車開得不_____ _____快，小車開得_____ _____
   大車_____ _____快。

III. Comparison

a.

N₁	（不）	比	N₂	SV
今天		比	昨天	冷。
Today is colder than yesterday.				

b.

S₁	(VO)	（V-得）（不）	比	S₂	（V-得）	SV
你	說話	說得	比	我		快。
你	說話，		比	我	說得	快。
You speak faster than I do.						

1. 他比我忙，我沒有他那麼忙。

2. 雞肉貴，牛肉比雞肉更（or 還）貴。

3. 他不比我矮，他跟我一樣高。

4. 他寫字，寫得比我好。

5. 我學外國話，比我朋友學得慢。

6. 你們兩個人，誰做飯做得好？

  她做得比我好。

Make sentences with 比

1. 牛肉貴。

  魚便宜。

2. 中國大。

  日本小。

3. 南部熱。

   北部不熱。

4. 學中國話容易。

   學中國字難。

5. 他走得快。

   我走得慢。

6. 他八點鐘來。

   你十點鐘來。

7. 他們學得慢。

   我們學得快

8. 哥哥吃得多。

   弟弟吃得少。

▼ IV. Measuring Age, Length, Height, Distance, etc.

N （有）	多（麼）	/ NU-M	SV
你 有	多（麼）		高？
How tall are you?			
我 有		一百八十公分	高。
I'm 180 cm.			

1. 你多大了？（你幾歲了？）

   我十八歲了。

2. 您有多大年紀了？

   我七十五歲了。

123

3. 那條河有多長？

　　那條河有五百公里長。

4. 那個山有多高？

　　有三千公尺高。

5. 你家離學校有多遠？

　　差不多有兩英里。

6. 那個東西有多重？多大？

　　有三公斤重，差不多這麼大。

Make questions according to the answers given

1. 這條路有二十公里長。

2. 我家離火車站有三公里遠。

3. 那個房子有三公尺高。

4. 他弟弟十六歲。

5. 那個孩子有八公斤。

6. 他父親七十歲了。

▼ V. Degree of Comparison

If you want to compare the level of two or more persons, affairs or things, all sentence patterns are "A 比 B＋SV＋Complement"

N₁	比	N₂	SV	Complement
我	比	他	矮	五公分。
I'm five centimeter shorter than him (compared to him).				

1. 今天比昨天熱多了。

2. 他比我胖兩公斤。

3. 你家比我家大得多。

4. 我不笨，我比他們聰明多了。

5. 這件衣服比那件短很多。

6. 走這條路比那條近一點兒。

7. 舊車比新車便宜多少？

　　舊車比新車便宜兩千塊錢。

8. 你姐姐比你大幾歲？

　　她比我大三歲。

Look at the pictures and make sentence with 比

5 APPLICATION ACTIVITIES

▼ I . Student A uses "N 有多 SV?" to ask a question. Student B answers and asks the student C a similar question.

▼ II . Compare and discuss the relative differences in the weight, dimension and age of people and / or objects in the classroom.

▼ III . Each student draws four different figures on his paper, and gives them names. Then the other students should ask questions and from the answers guess each figure's shape.

▼ IV . Two students are from different places or countries and argue about which place is better in terms of climate, size, scenery, cost of living, etc.

6 NOTES

1. 語言 "Language" refers to the spoken language but terms such as 華語 "Chinese language" and 中國話 "Chinese" as well as 法語 "the language of French" and 法國話 "French" are often used interchangeably.

第六課 | 歡迎你們搬來①②

1 DIALOGUE

I

林③：您好。

陳④：您好。

林：您住在二樓啊？我是剛搬來的。我姓林。

陳：噢，歡迎，歡迎。我們姓陳。您住在幾樓？

林：我就住在三樓。您要出去⑤嗎？

陳：是啊，我去超級市場買點兒東西⑥。

林：您走路去嗎？遠不遠？

陳：不太遠，從這兒去，只要五分鐘，
很方便。您也要出去嗎？

林：我到學校去接孩子。

陳：您每天自己接送孩子⑦嗎？

林：平常⑧早上我先生送他去，中午我去接他回來。

陳：那麼，您快去吧。

林：好的。有空⑨的時候，歡迎你們上來坐坐。

陳：一定，一定。有什麼需要我們幫忙⑩的，
也請不要客氣。

林：好，謝謝。我走了，改天⑪再談⑫。

陳：再見。

Ⅱ

A：請問，王大年先生住在這兒嗎？

B：您找王先生啊？他已經搬家了。

A：您知道他搬到哪兒去了嗎？

B：他搬到郊區⑬去了。我有他的新地址⑭，我上樓去給您拿⑮。請進來坐一會兒吧⑯。

A：我不進去了。我就在門口等吧。

B：那麼，請等一等，我馬上就拿給您。

A：謝謝。

ㄉㄧˋ　ㄌㄡˋ　ㄎㄜˋ　　ㄏㄨㄢ　ㄧㄥˊ　ㄋㄧˇ　ㄇㄣ˙　ㄅㄢ　ㄌㄞˊ

I

ㄌㄧㄣˊ：ㄋㄧˇㄇㄣ˙ㄋㄧㄣˊㄏㄠˇ。

ㄔㄣˊ：ㄋㄧㄣˊㄋㄧㄣˊㄏㄠˇ。

ㄔㄣˊㄉㄞˋ：ㄓㄜˋㄗㄞˋㄦˊㄉㄡˋㄚ？ㄨㄛˇㄕˋㄒㄧㄤˋㄅㄢㄌㄞˊㄉㄜ˙。ㄨㄛˇㄒㄧㄥˋㄌㄧㄣˊ。

ㄔㄣˊ：ㄡ，ㄏㄨㄢˊㄧˊ，ㄏㄨㄢˊㄧˊ。ㄨㄛˇㄒㄧㄥˊㄔㄣˊ。ㄋㄧㄣˊㄓㄨˋㄗㄞˋㄐㄧˇㄌㄡˊ？

ㄔㄣˊㄉㄞˋ：ㄨㄛˇㄐㄧㄡˋㄓㄨˋㄗㄞˋㄙㄢㄌㄡˊ。ㄋㄧㄣˊㄧㄠˇㄔㄨㄑㄩㄇㄞˇㄉㄨㄥㄒㄧ。

ㄔㄣˊ：ㄕˋㄚ，ㄨㄛˇㄑㄩㄔㄠˇㄐㄧˋㄕˋㄔㄤˊㄇㄞˇㄉㄧㄢˇ？ㄩˇㄍㄨˇㄐㄩˊ？

ㄔㄣˊㄉㄞˋ：ㄋㄡˋㄉㄨㄛㄑㄩㄇㄚˊ？ㄗㄞˇㄊㄞˊㄩㄢˊ，ㄎㄨㄟˊㄓㄜˋㄦˊㄑㄩˋ，ㄓˋㄠˇㄨˇㄈㄣㄓㄨㄥ，ㄏㄣˊㄈㄤˊㄅㄧㄢˋ。ㄋㄧˇㄧㄝˇㄧㄠˋㄔㄨㄑㄩˋㄇㄟˇㄒㄧˊㄒㄧㄥˋㄇㄚ˙？

ㄌㄧㄣˊ：ㄔㄣˊㄔㄣˊㄉㄞˋㄔㄣˊㄔㄣˊㄉㄞˋ：ㄨㄛˇㄋㄧㄢˊㄅㄟˇㄔㄤˊㄠˇㄕㄤˊㄇㄟㄒㄧㄢ，ㄐㄧㄝˊㄐㄩˊㄐㄧㄝˊㄒㄧㄢ，ㄏㄨㄥˊㄙㄨㄥˋㄕㄢˊㄊㄜˊㄑㄩˋ，ㄓㄨˋㄨˇㄨㄛˇㄑㄩˊㄐㄧㄝˊㄊㄚˊㄨㄟˇㄌㄞˊ。ㄏㄞˊㄐㄧˇ，ㄚ，ㄓㄨˋㄚ？

ㄔㄣˊㄉㄞˋㄔㄣˊㄋㄧㄢˊㄅㄟˇ：ㄏㄨㄛˊㄉㄧㄤˋㄅㄇㄛˊ，ㄓㄡˊㄋㄧㄢˊㄉㄨㄛˇㄉㄜ˙ㄉㄨㄥㄒㄧ，ㄓㄨˋㄧˇㄨㄟˇㄑㄩˇㄐㄧㄝˊㄊㄚㄟˇㄌㄞˊ。ㄕˋㄡ，ㄏㄨㄢˊㄧˊㄋㄧˊㄋㄧㄣˊㄕㄤˋㄌㄞˋㄗㄨㄛˊㄗㄨㄛˋ，ㄧㄝˇㄑㄧㄥˊㄅㄨ

ㄌㄧㄣˊㄔㄣˊㄉㄞˋ：ㄧˇㄧㄠˊㄓㄨˋ，ㄒㄧㄝ˙。ㄨㄛˇㄗㄡˇㄌㄜ˙，ㄍㄞˊㄊㄧㄢ ㄗㄞˋㄊㄢˊ。

ㄔㄣˊㄉㄞˋ：ㄗㄞˋㄐㄧㄢˋ

II

Ａ：ㄑㄧㄥˊㄨㄣˋ，ㄨㄤˊㄅㄚˊㄋㄧㄢˊㄒㄧㄢˊㄕㄥˊㄓㄨˋㄗㄞˋㄓㄜˋㄦˊㄇㄚ˙ㄉㄜ˙？

Ｂ：ㄨㄤˊㄓㄨˋㄒㄧㄢˊㄕㄥˊㄚ˙？ㄊㄚㄧˇㄗㄜㄐㄩㄅㄢㄗㄡˋㄦˊㄐㄧㄚ。

Ａ：ㄔㄣˊㄋㄧㄢˊㄓㄨˋㄉㄠˊㄅㄢˊㄑㄩㄑㄩˇㄌㄜ˙ㄇㄚ˙？ㄉㄜ˙ㄒㄧㄣ ㄅˇㄓˋ，ㄨˇㄕㄤˊㄉㄞ ㄑㄩˋ

Ｂ：ㄊㄞˊㄅㄢˊㄉㄠㄋㄧㄢ ㄍㄟˇㄚ。ㄨㄛˇㄧˇㄉㄡˇㄊㄧㄢˊㄏㄨㄛˇㄐㄩˊㄌㄜ˙。ㄉㄜㄦˊ ㄒㄧㄢˊ　ㄅㄧˇㄓˋ，ㄨˇㄕㄤˊㄉㄞˋㄑㄩˇ。

129

A : ㄨㄛˇ ㄅㄨˊ ㄐㄧㄣ ㄑㄧˋ ㄉㄤ。ㄨㄛˇ ㄐㄧㄡˋ ㄗㄞˋ ㄇㄣ ㄎㄡˇ ㄉㄥˇ ㄋㄚˊ。

B : ㄋㄚˊ ㄇㄛ˙，ㄑㄧㄥ ㄉㄥˇ ㄧˊ ㄉㄥˇ，ㄨㄛˇ ㄇㄚˇ ㄕㄤ ㄐㄧㄡˋ ㄋㄚˊ ㄍㄨㄛ ㄋㄞˊ。

A : ㄒㄧㄝˋ ㄒㄧㄝ˙。

Dì Liòu Kè　Huānyíng Nǐmen Bānlái

I

Lín　: Nín hǎo.

Chén : Nín hǎo.

Lín　: Nín jhùzài èrlóu a? Wǒ shìh gāng bānlái de. Wǒ sìng Lín.

Chén : Òu, huānyíng, huānyíng. Wǒmen sìng Chén. Nín jhùzài jǐlóu?

Lín　: Wǒ jiòu jhùzài sānlóu. Nín yào chūcyù ma?

Chén : Shìh a, wǒ cyù chāojíshìhchǎng mǎi diǎnr dōngsī.

Lín　: Nín zǒulù cyù ma? Yuǎn bùyuǎn?

Chén : Bú tài yuǎn, cóng jhèr cyù, jhǐh yào wǔfēnjhōng, hěn fāngbiàn. Nín yě yào chūcyù ma?

Lín　: Wǒ dào syuésiào cyù jiē háizih.

Chén : Nín měitiān zìhjǐ jiē sòng háizih ma?

Lín　: Píngcháng zǎoshàng wǒ siānshēng sòng tā cyù, jhōngwǔ wǒ cyù jiē tā huéilái.

Chén : Nàme, nín kuài cyù ba.

Lín　: Hǎode. Yǒukòng de shíhhòu, huānyíng nǐmen shànglái zuòzuò.

Chén : Yídìng, yídìng. Yǒu shénme syūyào wǒmen bāngmáng de, yě cǐng búyào kècì.

Lín　: Hǎo, sièsie. Wǒ zǒule, gǎitiān zài tán.

Chén : Zàijiàn.

II

A : Cǐngwùn, Wáng Dànián Siānshēng jhùzài jhèr ma?

B : Nín jhǎo Wáng Siānshēng a? Tā yǐjīng bānjiāle.

A : Nín jhīhdào tā bāndào nǎr cyùle ma?

B : Tā bāndào jiāocyū cyùle. Wǒ yǒu tāde sīn dìjhǐh, wǒ shànglóu cyù gěi nín ná. Cǐng jìnlái zuò yìhuěir ba.

A : Wǒ bújìncyùle. Wǒ jiòu zài ménkǒu děng ba!

B : Nàme, cǐng děngyìděng, wǒ mǎshàng jiòu nágěi nín.

A : Sièsie.

Dì Liù Kè　Huānyíng Nǐmen Bānlái

I

Lín　 : Nín hǎo.

Chén : Nín hǎo.

Lín　 : Nín zhùzài èrlóu a? Wǒ shì gāng bānlái de. Wǒ xìng Lín.

Chén : Òu, huānyíng, huānyíng. Wǒmen xìng Chén. Nín zhùzài jǐlóu?

Lín　 : Wǒ jiù zhùzài sānlóu. Nín yào chūqù ma?

Chén : Shì a, wǒ qù chāojíshìchǎng mǎi diǎnr dōngxī.

Lín　 : Nín zǒulù qù ma? Yuǎn bùyuǎn?

Chén : Bú tài yuǎn, cóng zhèr qù, zhǐ yào wǔfēnzhōng, hěn fāngbiàn. Nín yě yào chūqù ma?

Lín　 : Wǒ dào xuéxiào qù jiē háizi.

Chén : Nín měitiān zìjǐ jiē sòng háizi ma?

Lín　 : Píngcháng zǎoshàng wǒ xiānshēng sòng tā qù, zhōngwǔ wǒ qù jiē tā huílái.

Chén : Nàme, nín kuài qù ba.

Lín   : Hǎode. Yǒukòng de shíhòu, huānyíng nǐmen shànglái zuòzuò.

Chén : Yídìng, yídìng. Yǒu shénme xūyào wǒmen bāngmáng de, yě qǐng búyào kèqì.

Lín   : Hǎo, xièsie. Wǒ zǒule, gǎitiān zài tán.

Chén : Zàijiàn.

Ⅱ

A : Qǐngwèn, Wáng Dànián Xiānshēng zhùzài zhèr ma?

B : Nín zhǎo Wáng Xiānshēng a? Tā yǐjīng bānjiāle.

A : Nín zhīdào tā bāndào nǎr qùle ma?

B : Tā bāndào jiāoqū qùle. Wǒ yǒu tāde xīn dìzhǐ, wǒ shànglóu qù gěi nín ná. Qǐng jìnlái zuò yìhuǐr ba.

A : Wǒ bújìnqùle. Wǒ jiù zài ménkǒu děng ba.

B : Nàme, qǐng děngyìděng, wǒ mǎshàng jiù nágěi nín.

A : Xièxie.

LESSON 6 — WELCOME TO THE NEIGHBORHOOD

Ⅰ

Lin   : Hello.

Chen : Hello.

Lin   : Do you live on the second floor? I just moved here. My last name is Lin.

Chen : Oh, welcome, welcome. We're the Chens. What floor do you live on?

Lin   : I live on the third floor. Are you going out?

Chen : Yes, I'm going to the supermarket to buy a few things.

Lin   : Are you going to walk there? Is it far?

Chen : Not very. It only takes about five minutes walking from here. It's very convenient. Are you also going out?

Lin　: I'm going to school to meet my child.

Chen : Do you go by yourself everyday to pick up and send off your child?

Lin　: Normally my husband brings him to school in the morning, and at noon I bring him back.

Chen : Well, you'd better get going.

Lin　: All right. When you have some free time, you are welcome to come up for a visit.

Chen : Sure, sure. If you need any help, please don't hesitate to ask.

Lin　: Fine, thank you. I'm off. See you another day.

Chen : Good-bye.

II

A : Excuse me, does Mr. Danian Wang live here?

B : You're looking for Mr. Wang? He has already moved.

A : Do you know where he has moved to?

B : He moved to the suburbs. I have his new address. I'll go get it from upstairs. Please come in and sit down for a bit.

A : I won't go inside. I'll just wait here at the entrance.

B : In that case, please wait a minute. I'll go get it right away.

A : Thank you.

2 NARRATION

　　陳先生陳太太搬家了，他們的新家在郊區，可是買東西很方便，因為陳家附近有一個超級市場。平常他們都走路去買東西。

　　他們給了我他們的新地址，歡迎我過去坐坐。我也買了一些盤子⑰、碗，要送給他們。我想這些都是每天要用的東西。可是最近家裡的事很多，我沒有空自己送去，所以我決定寄⑱給他們。

ㄔㄣˊ ㄒㄧㄢ ㄕㄥ ㄔㄣˊ ㄊㄞˋ ㄊㄞ˙ ㄅㄢ ㄐㄧㄚ ㄌㄜ˙，ㄊㄚ ㄇㄣ˙ ㄉㄜ˙ ㄒㄧㄣ ㄐㄧㄚ ㄗㄞˋ ㄐㄧㄠ ㄑㄩ，ㄎㄜˇ ㄕˋ ㄇㄞˇ ㄉㄨㄥ ㄒㄧ ㄏㄣˇ ㄈㄤ ㄅㄧㄢˋ，ㄧㄣ ㄨㄟˋ ㄔㄣˊ ㄐㄧㄚ ㄈㄨˋ ㄐㄧㄣˋ ㄧㄡˇ ㄧˊ ㄍㄜ˙ ㄔㄠ ㄐㄧˊ ㄕˋ ㄔㄤˇ。ㄆㄧㄥˊ ㄔㄤˊ ㄊㄚ ㄇㄣ˙ ㄉㄡ ㄗㄡˇ ㄌㄨˋ ㄑㄩˋ ㄇㄞˇ ㄉㄨㄥ ㄒㄧ。

ㄊㄚ ㄇㄣ˙ ㄍㄟˇ ㄌㄜ˙ ㄨㄛˇ ㄊㄚ ㄇㄣ˙ ㄉㄜ˙ ㄒㄧㄣ ㄉㄧˋ ㄓˇ，ㄏㄨㄢ ㄧㄥˊ ㄨㄛˇ ㄍㄨㄛˋ ㄑㄩˋ ㄗㄨㄛˋ ㄗㄨㄛˋ。ㄨㄛˇ ㄧㄝˇ ㄇㄞˇ ㄌㄜ˙ ㄧˋ ㄒㄧㄝ ㄆㄢˊ ㄗ˙、ㄨㄢˇ，ㄧㄠˋ ㄙㄨㄥˋ ㄍㄟˇ ㄊㄚ ㄇㄣ˙。ㄨㄛˇ ㄒㄧㄤˇ ㄓㄜˋ ㄒㄧㄝ ㄉㄡ ㄕˋ ㄇㄟˇ ㄊㄧㄢ ㄧㄠˋ ㄩㄥˋ ㄉㄜ˙ ㄉㄨㄥ ㄒㄧ。ㄎㄜˇ ㄕˋ ㄗㄨㄟˋ ㄐㄧㄣˋ ㄐㄧㄚ ㄌㄧˇ ㄉㄜ˙ ㄕˋ ㄏㄣˇ ㄉㄨㄛ，ㄨㄛˇ ㄇㄟˊ ㄧㄡˇ ㄎㄨㄥˋ ㄗˋ ㄐㄧˇ ㄙㄨㄥˋ ㄑㄩˋ，ㄙㄨㄛˇ ㄧˇ ㄨㄛˇ ㄐㄩㄝˊ ㄉㄧㄥˋ ㄐㄧˋ ㄍㄟˇ ㄊㄚ ㄇㄣ˙。

Chén Siānshēng Chén Tàitai bānjiāle. Tāmende sīn jiā zài jiāocyū, kěshìh mǎi dōngsi hěn fāngbiàn, yīnwèi Chénjiā fùjìn yǒu yíge chāojíshìhchǎng. Píngcháng tāmen dōu zǒulù cyù mǎi dōngsi.

Tāmen gěile wǒ tāmende sīn dìjhǐh, huānyíng wǒ guòcyù zuòzuò. Wǒ yě mǎile yìsiē pánzih, wǎn, yào sònggěi tāmen. Wǒ siǎng jhèisiē dōu shìh měitiān yào yòngde dōngsi. Kěshìh zuèijìn jiālǐde shìh hěn duō, wǒ méiyǒukòng zìhjǐ sòngcyù, suǒyǐ wǒ jyuédìng jìgěi tāmen.

Chén Xiānshēng Chén Tàitai bānjiāle. Tāmende xīn jiā zài jiāoqū, kěshì mǎi dōngxī hěn fāngbiàn, yīnwèi Chénjiā fùjìn yǒu yíge chāojíshìchǎng. Píngcháng tāmen dōu zǒulù qù mǎi dōngxī.

Tāmen gěile wǒ tāmende xīn dìzhǐ, huānyíng wǒ guòqù zuòzuò. Wǒ yě mǎile yìxiē pánzi, wǎn, yào sònggěi tāmen. Wǒ xiǎng zhèixiē dōu shì měitiān yào yòngde dōngxī. Kěshì zuìjìn jiālǐde shì hěn duō, wǒ méiyǒukòng zìjǐ sòngqù, suǒyǐ wǒ juédìng jìgěi tāmen.

Mr. and Mrs. Chen have moved. Their new house is in the suburbs, but shopping is very convenient, because there is a supermarket near their home. Usually they walk there to buy things.

They gave me their new address and said I was welcome to come by for a visit. I bought some plates and bowls to give to them. I think these are things one can use around the house everyday. But recently I've had a lot to do around the house, so I haven't had any free time to bring them over myself. Therefore I've decided to mail them to them.

3 VOCABULARY

1 歡迎 (huānyíng)　V/IE：welcome

我很歡迎你們來我家玩兒。

Wǒ hěn huānyíng nǐmen lái wǒ jiā wánr.
I very much welcome you to come to my home.

2 搬 (bān)　V：to move

他已經搬到英國去了。

Tā yǐjīng bāndào Yīngguó cyùle.
Tā yǐjīng bāndào Yīngguó qùle.
He has already moved to England.

搬家 (bānjiā)　VO：to move (one's house)

你什麼時候要搬家？

Nǐ shénme shíhhòu yào bānjiā?
When are you going to move?

3 林 (Lín)　N：a common Chinese surname

4 陳 (Chén)　N：a common Chinese surname

5 出去 (chūcyù / chūqù)　DC：to go out, to leave

他不在家，他剛出去了。

Tā búzài jiā, tā gāng chūcyùle.
Tā búzài jiā, tā gāng chūqùle.
He's not home. He just went out.

出 (chū)　DV：to go or come out
出來 (chūlái)　DC：to come out

137

6 超級市場 (chāojíshìhchǎng / chāojíshìchǎng)

N：supermarket

離這兒最近的超級市場在哪兒？

Lí jhèr zuèi jìnde chāojíshìhchǎng zài nǎr?
Lí zhèr zuì jìnde chāojíshìchǎng zài nǎr?
Where is the nearest supermarket from here?

市場 (shìhchǎng / shìchǎng)　N：market

場 (chǎng)　BF：site, spot, field

機場 (jīchǎng)　N：airport

7 送 (sòng)　V：to escort, to deliver, to send off, to present

我開車送你回家吧！

Wǒ kāichē sòng nǐ huéijiā ba!
Wǒ kāichē sòng nǐ huíjiā ba!
I'll drive you home!

這張畫兒，請你送到他家去。

Jhèijhāng huàr, cǐng nǐ sòngdào tā jiā cyù.
Zhèizhāng huàr, qǐng nǐ sòngdào tā jiā qù.
Please send this painting to his home.

他到機場送朋友去了。

Tā dào jīchǎng sòng péngyǒu cyùle.
Tā dào jīchǎng sòng péngyǒu qùle.
He went to the airport to send off his friend.

這張畫兒是朋友送我的。

Jhèijhāng huàr shìh péngyǒu sòng wǒ de.
Zhèizhāng huàr shì péngyǒu sòng wǒ de.
This painting is the one my friend gave to me.

8 平常 (píngcháng)

SV/MA：to be ordinary / generally, ordinarily, usually

平常晚上我十點睡覺。

Píngcháng wǎnshàng wǒ shíhdiǎn shuèijiào.
Píngcháng wǎnshàng wǒ shídiǎn shuìjiào.
I usually go to bed at ten o'clock in the evening.

平 (píng)　SV：to be even, level

9　有空 (yǒukòng)　VO：to have free time, to be free

有空的時候，我常畫畫兒。

Yǒukòng de shíhhòu, wǒ cháng huàhuàr.
Yǒukòng de shíhòu, wǒ cháng huàhuàr.
In my free time I often paint.

空 (kòng)　N/SV：free time

空 (kōng)　SV：to be empty

10　需要 (syūyào / xūyào)

V/AV/N：to need, to require; need to; need, requirement

每個人都需要朋友。

Měige rén dōu syūyào péngyǒu.
Měige rén dōu xūyào péngyǒu.
Every person needs friends.

11　改天 (gǎitiān)　MA (TW)：another day

我得走了，改天再見。

Wǒ děi zǒule, gǎitiān zàijiàn.
I've got to go. See you later.

改 (gǎi)　V：to change, to alter, to correct

12　談 (tán)　V：to talk about

我不想談這件事。

Wǒ bùsiǎng tán jhèijiàn shìh.
Wǒ bùxiǎng tán zhèijiàn shì.
I don't want to talk about this affair.

139

談話 (tánhuà)　VO：to talk

他們在那兒談話呢。

Tāmen zài nàr tánhuà ne.
They are talking there.

13 郊區 (jiāocyū / jiāoqū)　N：suburbs

我要搬到郊區去住。

Wǒ yào bāndào jiāocyū cyù jhù.
Wǒ yào bāndào jiāoqū qù zhù.
I want to move to the suburbs.

區 (cyū / qū)　N：district, area, region

市區 (shìhcyū / shìqū)　N：urban area, urban district

14 地址 (dìjhǐh / dìzhǐ)　N：address

我沒有他的地址。

Wǒ méiyǒu tāde dìjhǐh.
Wǒ méiyǒu tāde dìzhǐ.
I don't have his address.

15 拿 (ná)　V：to bring, to carry (in one's, or with one's hand)

這些東西，請你拿給她。

Jhèisiē dōngsī, cǐng nǐ nágěi tā.
Zhèixiē dōngxī, qǐng nǐ nágěi tā.
Please give these things to her.

16 進來 (jìnlái)　DC：come in

請進來坐坐。

Cǐng jìnlái zuòzuò.
Qǐng jìnlái zuòzuò.
Please come in and sit for a while.

140　進 (jìn)　DV：move forward, enter

進ㄐㄧㄣˋ去ㄑㄩˋ (jìncyù / jìnqù)　DC：go in

請ㄑㄧㄥˇ進ㄐㄧㄣˋ (cǐngjìn / qǐngjìn)　IE：come in, please

SUPPLEMENTARY VOCABULARY

17　盤ㄆㄢˊ子ㄗˇ (pánzih / pánzi)　N：plate

盤ㄆㄢˊ (pán)　M：tray of, plate of, dish of

18　寄ㄐㄧˋ (jì)　V：to mail

昨ㄗㄨㄛˊ天ㄊㄧㄢ你ㄋㄧˇ寄ㄐㄧˋ給ㄍㄟˇ媽ㄇㄚ媽ㄇㄚ什ㄕㄜˊ麼ㄇㄜ東ㄉㄨㄥ西ㄒㄧ？

Zuótiān nǐ jìgěi māma shénme dōngsī?
Zuótiān nǐ jìgěi māma shénme dōngxī?
What things did you mail to your mother yesterday?

19　跑ㄆㄠˇ (pǎo)　V：to run

我ㄨㄛˇ跑ㄆㄠˇ得ㄉㄜ不ㄅㄨˊ快ㄎㄨㄞˋ。

Wǒ pǎode búkuài.
I don't run fast.

20　出ㄔㄨ門ㄇㄣˊ (chūmén)

VO：to go outside, to go out, to go out the door

星ㄒㄧㄥ期ㄑㄧˊ天ㄊㄧㄢ我ㄨㄛˇ不ㄅㄨˋ常ㄔㄤˊ出ㄔㄨ門ㄇㄣˊ。

Sīngcítiān wǒ bùcháng chūmén.
Xīngqítiān wǒ bùcháng chūmén.
I don't often go out on Sundays.

21　頁ㄧㄝˋ (yè)　M：measure word for page

22　行ㄏㄤˊ (háng)　M：measure word for lines, rows

4 SYNTAX PRACTICE

I. Directional Compounds (DC)

來／去 can be suffixed to some verbs. In this case they lose their original meaning of "to come / to go"; rather, they indicate that the action is coming towards, or going away from the speaker.

(I) Action Verb＋來／去

走來	walk (here)	走去	walk (there)
搬來	move (here)	搬去	move (there)
開來	drive (here)	開去	drive (there)
跑來	run (here)	跑去	run (there)
拿來	take (here)	拿去	take (there)
送來	send (here), etc.	送去	send (there), etc.

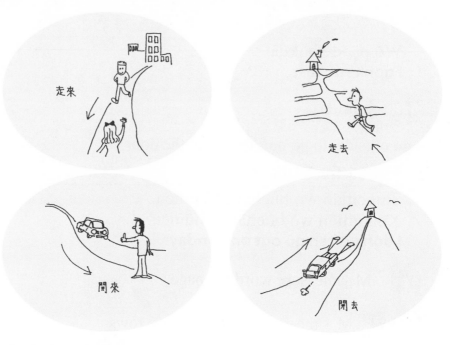

1. 我是昨天搬來的。

2. 他跑來告訴我這件事。

3. 我買的東西已經都送來了。

4. 這個東西，要是你喜歡，就拿去吧！

(II) Directional Verb＋來／去

上來 come up	下來 come down	進來 come in
出來 come out	過來 come over	回來 come back
起來 get up / rise		
上去 go up	下去 go down	進去 go in
出去 go out	過去 go over	回去 go back

1. 現在你可以進去了。

2. 他從樓上下來跟我說了幾句話。

3. 他們在那兒做什麼？我們過去看看吧！

4. 有空的時候，請過來玩兒。

(III) Verb＋Directional Verb＋來／去

走回去 go back on foot	跑進來 run in (here)
搬上去 move up (there)	拿起來 pick up
站起來 stand up, etc.	

走出來　　跑上去　　拿起來　　站起來

1. 歡迎你搬回來。

2. 我是跑回來的。

3. 你應該站起來說話。

4. 下了課，孩子都跑出去玩兒了。

(IV) Verb ＋ Directional Verb

| 坐下 | sit down | 放下 | put down | 穿上 | put on |
| 走開 | leave / get out / go away | 拿走 | take away, etc. | | |

坐下　　　　　放下　　　　　穿上

1. 坐下！別站起來。

2. 他放下東西，就走了。

3. 這些東西，我還要用，請你別拿走。

4. 走開！別在這兒玩兒。

Look at the pictures and complete the sentences below

1.

2.

3.

4.

5.

6.

1. 他從外面＿＿＿＿＿＿＿。

2. 他從樓上＿＿＿＿＿＿＿。

3. 她從屋子裡＿＿＿＿＿＿＿。

4. 他從樓下＿＿＿＿＿＿＿。

5. 她要＿＿＿＿＿＿＿。

6. 她要＿＿＿＿＿＿＿。

Complete the following sentences with 來 or 去

1. 要是你喜歡這個東西，就拿＿＿＿＿＿＿＿。

2. 我在家做事，不能出＿＿＿＿＿＿＿。

3. 他要搬＿＿＿＿＿＿跟我們住。

4. 他從樓上下＿＿＿＿＿＿＿跟我談話。

5. 我還要睡覺，不要起＿＿＿＿＿＿。

6. 她給我打電話，要我過＿＿＿＿＿＿。

7. 我現在需要那個東西，你能不能馬上送＿＿＿＿＿＿。

8. 他們在那間屋子裡等你進＿＿＿＿＿＿。

9. 請大家都站起＿＿＿＿＿＿。

10. 沒有公車，我不能回＿＿＿＿＿＿。

II. Directional Compounds with Objects

When a directional compound occurs with an object, the object is often inserted between the directional verb and 來 / 去.

V +	DV	+ N	+ 來 / 去	(+ Purpose)
我	走	回 家	來	吃飯。
I walked home for dinner.				

1. 她父母搬回鄉下去了。

2. 他跑上樓去找朋友了。

3. 你得過街去等車。

4. 她出門去買東西了。

5. 他拿起筆來寫了幾個字。

Insert the nouns given into the directional compounds

1. 跑下來（樓）	6. 走上去（五樓）
2. 搬回去（臺北）	7. 拿起來（書）
3. 開上去（山）	8. 走過來（街）
4. 拿進去（客廳）	9. 回去（英國）
5. 送回去（家）	10. 出去（門）

III. 在，到，給 Used as Post Verbs (PV)

(I) Verb-在

When 在 is used as a suffix to some verbs, it refers to the place "in", "at" or "on" which that action takes place.

S　　V-在　PW
他　住在　三樓。
He lives on the third floor.

1. 我就住在學校附近。

2. 上中文課，他常常坐在前面。

3. 高的站在後面，矮的站在前面。

4. 那個東西，你放在哪兒了？

(II) Verb-到

When 到 is used as a suffix to verbs of action, it must take a place word or a time phrase for its object. If the object is a place word, 來／去 is often placed after the place word.

a.

S	V-到	PW	來／去
他	走到	學校	來。
He walks to school.			

1. 你跑到哪兒去了？

2. 我要搬到郊區去。

3. 他已經回到德國去了。

4. 這些書，請你拿到書房去。

b.

S	V-到	PW
你們	念到	哪兒了。
How far have you read?		

1. 我們念到第十八課了。

2. 昨天我說到哪兒了？

3. 這本書我看到第九十八頁了。

4. 她唱到第三行，就不唱了。

c.

S	(VO) V-到	Time When
你每天	念書念到	幾點鐘？
What time do you stay up studying everyday?		

1. 你們放假，放到幾號？

2. 昨天我看電視，看到十二點鐘。

3. 我玩兒到六點鐘，就得回家。

4. 他在那兒住到一九九一年，就搬家了。

(III) Verb-給

S	V-給	Ind. O	Dir. O
他	送給	我	一本書。
He gave me a book (as a gift).			

1. 我借給他十塊錢。

2. 這是他賣給我的，不是送給我的。

3. 那個東西，請你拿給我看看。

4. 這封信是陳先生寄給我的。

Fill in the blanks with 在，到 or 給

1. 她弟弟跑＿＿＿＿＿＿外面去了。

2. 那三本書，我拿＿＿＿＿＿＿書房去了。

3. 你住＿＿＿＿＿＿哪裡？

4. 明天考試，考＿＿＿＿＿＿第十七課。

5. 她媽媽送＿＿＿＿＿＿她一輛汽車。

6. 我昨天念書，念＿＿＿＿＿＿夜裡一點鐘。

7. 他借＿＿＿＿＿＿我一本書。

8. 這封信，我要寄＿＿＿＿＿＿日本去。

9. 這些東西，我要寄＿＿＿＿＿＿我妹妹。

10. 他喜歡坐＿＿＿＿＿＿後面。

11. 這首歌兒，我唱＿＿＿＿＿＿他聽了。

12. 我們放假放＿＿＿＿＿＿下個星期一。

▼ IV. 快 and 慢 in Imperative Mood

一點兒 is often added to 快 or 慢 to express a greater or less degree.

(I) As Adverbial

a.

快	V(O)
快　走！ Go faster! / Get going!	

a.

快 / 慢	一點兒	V(O)
快　　　一點兒　　　走！ Walk a little faster! /Get going!		

1. 不早了，快起來吧！

2. 別玩兒了，快做功課！

3. 別說話，快一點兒寫字。

4. 別急，慢一點兒說。

(II)　As Adverbial

V	快 / 慢	一點兒
走　　　快　　　　一點兒！ Walk a little faster!		

1. 別開得太快，請你開慢一點兒。

2. 我的中國話不好，請你說慢一點兒。

What do you say when ......?

1. 孩子吃飯吃得太慢，我對他說：「＿＿＿＿＿＿。」

2. 他開車開得太快，我對他說：「＿＿＿＿＿＿。」

3. 老師說得太快，我對老師說：「＿＿＿＿＿＿。」

4. 吃飯的時候到了，孩子還在看電視，我要他來吃飯，我對他說：「＿＿＿＿＿＿。」

5. 時候不早了，他還在睡覺，我對他說：「＿＿＿＿＿＿。」

6. 下雨了，他在房子外面，我對他說：「＿＿＿＿＿＿。」

5 APPLICATION ACTIVITIES

▼ I. Look at the following pictures and respond.

II. Situations

1. **An old student and a new student meet at the dormitory entrance and talk.**
2. **You go to a friend's dormitory room, and your friend is not there. Talk to the student who opens the door.**

第七課 | 你要把這張畫兒掛在哪兒？

1 DIALOGUE

I

爸爸：文美，我們把沙ㄚ發ㄈ (shāfā)*放在
　　　客廳當中，你看怎麼樣？

媽媽：我覺得最好放在窗戶
　　　旁邊，那兒比較亮。

爸爸：好。那，我把電視機跟
　　　錄影機搬過來，放在沙發對面吧！

大明：媽，這張畫兒掛在哪裡呢？

媽媽：把它掛在樓上你的臥房裡。你把這個檯燈也帶上去。

大明：好。

爸爸：文美，盤子、碗，你都搬進來了嗎？

媽媽：已經都送到廚房，放在碗櫃裡了。

爸爸：我再把這個書架搬到書房去，就好了。

大明：媽，我已經把畫兒掛上了，還有什麼需要搬的嗎？

媽媽：都搬得差不多了，天也快黑了，我們先一塊兒出去
　　　吃飯吧！

大明：好極了，我已經餓得不得了了。

媽媽：大明，你看你的手多髒啊！快去把手洗洗。

爸爸：文美，把汽車鑰匙拿給我，我先到車房把車開出來。

---

*沙ㄚ發ㄈ (shāfā)：sofa

153

II

（從飯館兒回家以後）

爸爸：忙了一天了，文美，快坐下休息休息吧！

媽媽：好，我把廚房的燈關上^㉑就來。

媽媽（從廚房走過來）：這是你的茶。要不要吃點兒水果？

爸爸：不用了^㉒，有茶就行了。

媽媽：開開電視^㉓看看有什麼新聞^㉔吧！

爸爸：是啊，今天還沒看報呢。

大明：媽，下星期我可以把^㉕同學帶回家來玩兒嗎？

媽媽：當然可以^㉖，以後歡迎他們常來玩兒。

ㄉㄧˋ ㄑㄧˊ ㄎㄜˋ　ㄋㄧˇ ㄧㄠˋ ㄅㄚˇ ㄓㄜˋ ㄓㄤ ㄏㄨㄚˋ ㄦˊ ㄍㄨㄚˋ ㄗㄞˋ ㄋㄚˇ ㄦ？

I

ㄅㄚˊ ˙ㄅㄚ ： ㄨㄟˊ ㄇㄟˋ，ㄨㄛˇ ˙ㄇㄣ ㄅㄚ ㄕㄚ ㄈㄚ ㄈㄤ ㄗㄞˋ ㄎㄜˋ ㄊㄤ ㄓㄨㄥ，ㄋㄧˇ ㄎㄢˋ ㄗㄣˇ ˙ㄇㄜ ㄧㄤˋ？

ㄇㄨˋ ˙ㄇㄨ ： ㄨㄛˇ ㄐㄩㄝˊ ˙ㄉㄜ ㄗㄨㄟ ㄏㄠˇ ㄈㄤˋ ㄗㄞˋ ㄔㄨㄤ ㄏㄨˋ ㄆㄤˊ ㄅㄧㄢ，ㄋㄚˋ ㄦ ㄅㄧˇ ㄐㄧㄠˋ ㄌㄧㄤˋ。

ㄅㄚˊ ˙ㄅㄚ ： ㄏㄠˇ。ㄋㄚˋ，ㄨㄛˇ ㄅㄚˇ ㄉㄧㄢˋ ㄕˋ ㄐㄧ ㄍㄨㄟ ㄧˊ ㄍㄨㄥˋ ㄐㄧㄣ ㄍㄨㄛˋ ㄌㄞˊ，ㄈㄤˊ ㄗㄞˋ ㄈㄤˊ ㄗˋ ㄈㄤˋ ㄇㄧㄢˋ ㄅㄧㄢˋ！

ㄇㄚˇ ㄇㄧㄥˊ ： ㄇㄚ，ㄓㄜˋ ㄓㄤ ㄏㄨㄟ ㄦ ㄗㄞˋ ㄋㄚˇ ㄌㄜ ˙ㄋㄜ？

ㄇㄨˋ ˙ㄇㄨ ： ㄋㄧˇ ㄊㄚˋ ㄍㄨㄟ ㄗㄞˋ ㄕㄨ ㄋㄚˇ ˙ㄉㄜ ㄨㄛˇ ㄇㄧㄢˋ ㄌㄧˋ。ㄋㄧˇ ㄅㄚˇ ㄓˋ ㄍㄜˋ ㄊㄞˊ ㄉㄥ ㄧㄝˊ ㄅㄚˋ ㄕㄤ ㄑㄩˋ。

ㄇㄚˇ ㄇㄧㄥˊ ： ㄏㄠˇ。

ㄅㄚˊ ˙ㄅㄚ ： ㄨㄟˊ ㄇㄟˋ，ㄆㄢˊ ㄗ、ㄨㄢˋ，ㄋㄧˇ ㄉㄡ ㄅㄢ ㄐㄧㄣ ㄌㄞˊ ˙ㄌㄜ ㄇㄚ？

ㄇㄨˋ ˙ㄇㄨ ˙ㄋㄧ ： ㄧˋ ㄐㄧㄥ ㄉㄡ ㄙㄨㄥˋ ㄉㄠˋ ㄔㄨˊ ㄈㄤˊ，ㄈㄤˋ ㄗㄞˋ ㄨㄢˋ ㄍㄨㄟˋ ㄌㄧˇ ˙ㄉㄜ。

ㄅㄚˊ ˙ㄅㄚ ˙ㄅㄚ ： ㄨㄛˇ ㄗㄞˋ ㄅㄚ ㄓㄜˋ ㄍㄨㄟˋ ㄕㄚ ㄐㄧㄢ ㄗㄞˋ ㄈㄤˊ ㄑㄩ，ㄏㄠˇ ㄌㄧˋ。

ㄇㄨˋ ˙ㄇㄨ ˙ㄇㄨㄥ ： ˙ㄋㄧ，ㄨㄛˇ ㄧˋ ㄐㄧㄚ ㄏㄨㄟ ㄦ ㄍㄨㄟˋ ㄕㄚˋ ㄌㄧˋ，ㄏㄟ ㄕˋ ˙ㄇㄜ ㄒㄧ ㄧˋ ㄅㄢ ˙ㄉㄜ？

ㄇㄚˇ ˙ㄇㄨ ： ㄅㄣˇ ˙ㄅㄚ ˙ㄉㄜ ㄔㄚ ㄅㄨˋ ㄅㄨㄛˊ ㄅㄢ，ㄊㄞˊ ㄧㄝˊ ㄎㄞˋ ㄏㄟ ˙ㄉㄜ，ㄨㄛˇ ˙ㄇㄣ ㄒㄧㄢ ㄎㄨㄞˋ。

ㄇㄨˋ ˙ㄇㄨ ˙ㄋㄧ ： ㄏㄠˇ ㄐㄧ ㄐㄩㄝˊ ˙ㄉㄜ，ㄨㄛˇ ㄧˋ ㄐㄧㄥ ㄍㄜˋ ˙ㄉㄜ ㄅㄨˋ ㄉㄜˊ ㄌㄧㄠˇ ˙ㄉㄜ。

ㄇㄨˋ ˙ㄇㄨ ˙ㄋㄧ ： ㄅㄣˇ ㄅㄚˊ ㄋㄧˇ ㄨㄣˋ ㄅㄣˇ，ㄅㄣ ㄑㄧˋ ㄧㄠˋ ㄕˋ ㄍㄜˋ ㄇㄟˊ ㄨㄛˇ，ㄨㄛˇ ㄗㄞˋ ㄗㄣˇ ㄒㄧㄤˋ ㄇㄜˋ ㄑㄩˋ。ㄎㄞˋ ㄒㄧ ㄨㄢˋ ㄔㄚˋ ㄔㄨ ㄌㄞˊ。

II

(ㄊㄨㄥˊ ㄈㄢˋ ㄍㄨㄛˋ ㄦ ㄏㄨㄟˋ ㄐㄧㄚ ㄧˇ ㄏㄡˋ)

ㄅㄚˊ ˙ㄅㄚ ˙ㄋㄧ ： ㄇㄤˊ ˙ㄉㄜ ㄧˋ ㄊㄧㄢˊ ˙ㄉㄜ，ㄨㄛˇ ㄇㄟˋ，ㄎㄨㄞˋ ㄗㄨㄛˋ ㄒㄧㄚ ㄒㄧㄡˊ ㄒㄧ ㄒㄧㄡˊ ˙ㄅㄚ！

ㄇㄚ ˙ㄇㄚ ： ㄏㄠˇ，ㄨㄛˇ ㄒㄧㄢˋ ㄑㄩˋ ㄔㄚ ㄊㄨˊ ㄈㄤˊ ㄍㄥ ㄕㄤˋ ㄍㄨㄢ ㄕㄤˋ ㄗㄞˋ ㄐㄧㄢˋ ㄔㄤˊ。

ㄅㄚˋ ㄅㄚ˙（ㄨˊ ㄇㄟˇ，ㄨㄛˇ ㄇㄣ˙ ㄅㄚˇ）：ㄕㄚ ㄈㄚ ㄈㄤˋ ㄗㄞˋ ㄎㄜˋ ㄊㄧㄥ ㄉㄤ
　　　　　 ㄓㄨㄥ，ㄋㄧˇ ㄎㄢˋ ㄗㄣˇ ㄇㄜ˙ ㄧㄤˋ？

ㄇㄚ ㄇㄚ˙：ㄨㄛˇ ㄐㄩㄝˊ ㄉㄜ˙，ㄗㄨㄟˋ ㄏㄠˇ ㄈㄤˋ ㄗㄞˋ ㄔㄨㄤ ㄏㄨˋ ㄆㄤˊ ㄅㄧㄢ，
　　　　　ㄋㄚˋ ㄦ ㄅㄧˇ ㄐㄧㄠˋ ㄌㄧㄤˋ。

ㄅㄚˋ ㄅㄚ˙：ㄏㄠˇ。ㄋㄚˋ，ㄨㄛˇ ㄅㄚˇ ㄉㄧㄢˋ ㄕˋ ㄐㄧ ㄍㄣ ㄌㄨˋ ㄧㄣˇ ㄐㄧ ㄅㄢ ㄍㄨㄛˋ ㄌㄞˊ！

ㄅㄚˋ ㄅㄚ˙：ㄕˊ ㄚ，ㄐㄧㄣ ㄊㄧㄢ ㄏㄞˊ ㄇㄟˊ ㄅㄢ ㄅㄠ ㄉㄜ˙。

ㄉㄚˋ ㄇㄧㄥˊ：ㄇㄚ，ㄒㄧ ㄒㄧㄤ ㄑㄧ ㄨㄛˋ ㄎㄜˋ ㄅㄢ ㄕㄤˋ ㄒㄧㄚˋ ㄉㄜ˙ ㄏㄨㄟ ㄐㄧ ㄉㄨㄛ ㄦ ㄇㄚ˙？

ㄇㄚ ㄇㄚ˙：ㄉㄤ ㄖㄢˊ ㄎㄜˋ，ㄧˋ ㄏㄡˋ ㄏㄨㄟ ㄧ ㄊㄧㄢ ㄇㄣ˙ ㄔ ㄉㄤ ㄉㄨㄛ ㄦ。

Dì Cī Kè — Nǐ Yào Bǎ Jhèijhāng Huàr Guàzài Nǎr?

I

Bàba : Wúměi, wǒmen bǎ shāfā fàngzài kètīng dāngjhōng, nǐ kàn zěnmeyàng?

Māma : Wǒ jyuéde zuèihǎo fàngzài chuānghù pángbiān, nàr bǐjiào liàng.

Bàba : Hǎo. Nà, wǒ bǎ diànshìhjī gēn lùyǐnjī bānguòlái, fàngzài shāfā duèimiàn ba!

Dàmíng : Mā, jhèijhāng huàr guàzài nǎlǐ ne?

Māma : Bǎ tā guàzài lóushàng nǐde wòfánglǐ. Nǐ bǎ jhèige táidēng yě dàishàngcyù.

Dàmíng : Hǎo.

Bàba : Wúměi, pánzih, wǎn, nǐ dōu bānjìnláile ma?

Māma : Yǐjīng dōu sòngdào chúfáng, fàngzài wǎnguèilǐ le.

Bàba : Wǒ zài bǎ jhèige shūjià bāndào shūfáng cyù, jiòu hǎole.

Dàmíng : Mā, wǒ yǐjīng bǎ huàr guàshàngle, háiyǒu shénme syūyào bānde ma?

Māma : Dōu bānde chàbùduōle, tiān yě kuài hēile, wǒmen siān yíkuàir cyù chīhfàn ba!

Dàmíng : Hǎojíle, wǒ yǐjīng ède bùdéliǎole.

Māma : Dàmíng, nǐ kàn nǐde shǒu duó zāng a! Kuài cyù bǎ shǒu sǐsǐ.

Bàba　：Wúnměi, bǎ cìchē yàoshih nágěi wǒ, wǒ siān dào chēfáng cyù bǎ
　　　　chē kāichūlái.

II

(cóng fànguǎnr huéilái yǐhòu)

Bàba　：Mángle yìtiān le, Wúnměi, kuài zuòsià siōusí siōusí ba!

Māma　：Hǎo, wǒ bǎ chúfángde dēng guānshàng jiòu lái.

Māma (cóng chúfáng zǒuguòlái) : Jhè shìh nǐde chá. Yào búyào chīh diǎnr
　　　　　　　　　　　　　shuěiguǒ?

Bàba　：Búyòngle, yǒu chá jiòu síngle.

Māma　：Kāikāi diànshìh kànkàn yǒu shénme sīnwún ba!

Bàba　：Shìh a, jīntiān hái méi kàn bào ne.

Dàmíng：Mā, siàsīngcí wǒ kěyǐ bǎ tóngsyué dàihuéijiā lái wánr ma?

Māma　：Dāngrán kěyǐ, yǐhòu huānyíng tāmen cháng lái wánr.

Dì Qī Kè　　Nǐ Yào Bǎ Zhèizhāng Huàr Guàzài Nǎr?

I

Bàba　：Wénměi, wǒmen bǎ shāfā fàngzài kètīng dāngzhōng, nǐ kàn
　　　　zěnmeyàng?

Māma　：Wǒ juéde zuìhǎo fàngzài chuānghù pángbiān, nàr bǐjiào liàng.

Bàba　：Hǎo. Nà, wǒ bǎ diànshìjī gēn lùyǐnjī bānguòlái, fàngzài shāfā
　　　　duìmiàn ba!

Dàmíng：Mā, zhèizhāng huàr guàzài nǎlǐ ne?

Māma　：Bǎ tā guàzài lóushàng nǐde wòfánglǐ. Nǐ bǎ zhèige táidēng yě
　　　　dàishàngqù.

Dàmíng：Hǎo.

Bàba　：Wénměi, pánzi, wǎn, nǐ dōu bānjìnláile ma?

Māma　：Yǐjīng dōu sòngdào chúfáng, fàngzài wǎnguìlǐ le.

Bàba　：Wǒ zài bǎ zhèige shūjià bāndào shūfáng qù, jiù hǎole.

157

Dàmíng : Mā, wǒ yǐjīng bǎ huàr guàshàngle, háiyǒu shénme xūyào bānde
ma?

Māma : Dōu bānde chàbùduōle, tiān yě kuài hēile, wǒmen xiān yíkuàir
chūqù chīfàn ba!

Dàmíng : Hǎojíle, wǒ yǐjīng ède bùdéliǎole.

Māma : Dàmíng, nǐ kàn nǐde shǒu duó zāng a! Kuài qù bǎ shǒu xǐxǐ.

Bàba : Wénměi, bǎ qìchē yàoshi nágěi wǒ, wǒ xiān dào chēfáng qù bǎ
chē kāichūlái.

II

(cóng fànguǎnr huílái yǐhòu)

Bàba : Mángle yìtiān le, Wénměi, kuài zuòxià xiūxí xiūxí ba!

Māma : Hǎo, wǒ bǎ chúfángde dēng guānshàng jiù lái.

Māma (cóng chúfáng zǒuguòlái) : Zhè shì nǐde chá. Yào búyào chī diǎnr
shuǐguǒ?

Bàba : Búyòngle, yǒu chá jiù xíngle.

Māma : Kāikāi diànshì kànkàn yǒu shénme xīnwén ba!

Bàba : Shì a, jīntiān hái méi kàn bào ne.

Dàmíng : Mā, xiàxīngqí wǒ kěyǐ bǎ tóngxué dàihuíjiā lái wánr ma?

Māma : Dāngrán kěyǐ, yǐhòu huānyíng tāmen cháng lái wánr.

LESSON 7 — WHERE DO YOU WANT TO HANG THIS PAINTING?

I

Father : Wenmei, what do you think if we move the sofa to the center of
the living room?

Mother : I think it would be best if we put it over by the window. It's
brighter over there.

Father : OK, so I will move the TV and the VCR and put them opposite the sofa.

Daming : Mom, where do you want to hang this painting?

Mother : Hang it in your bedroom upstairs. Take this lamp up there also.

Daming : OK.

Father : Wenmei, did you bring in all the plates and bowls already?

Mother : I already sent them to the kitchen, and put them in the cabinet.

Father : I'll move this bookshelf into the study.

Daming : Mom, I already hang up the painting. What else still needs to be moved?

Mother : Just about everything has been moved in. It'll be getting dark soon. Let's first go out together for something to eat.

Daming : Great, I'm already really hungry.

Mother : Daming, look, how dirty your hands are! Go quickly and wash them.

Father : Wenmei, give me the car keys. I'll first go to the garage and drive the car out.

II

(after returning home from the restaurant)

Father : It's been a busy day. Wenmei, hurry up and come sit down to rest for a while.

Mother : OK. I'll be coming as soon as I turn off the kitchen light.

Mother (after walking out of the kitchen) : Here is your tea. Would you like to eat a little fruit?

Father : Don't bother. Tea is fine.

Mother : Turn on the television. See if there's any news on.

Father : Right, I still haven't read the paper today.

Daming : Mom, next week can I bring my classmates for a visit?

Mother : Of course you can. From now on, they are welcome to come over for a visit often.

2 NARRATION

　　我跟很多同學住在學校的宿舍裡[27]。有一個同學很麻煩，我們都不喜歡他。他常把衣服脫下來[28]，就扔在地上[29]、床上，不掛在衣櫃裡，書也不放在書架上，把燈開開了以後，就不記得關上，出去也不關門。

　　他喜歡在床上吃東西，吃飽了以後，就把髒盤子、髒碗都放在床底下。我們常常得幫他洗碗、掛衣服、關燈、關門。他給我們這麼多麻煩，當然我們都不喜歡跟他住在一塊兒。

ㄨㄛˇ ㄍㄣ ㄏㄣˇ ㄉㄨㄛ ㄊㄨㄥˊ ㄒㄩㄝˊ ㄓㄨˋ ㄗㄞˋ ㄒㄩㄝˊ ㄒㄧㄠˋ ˙ㄉㄜ ㄙㄨˋ ㄕㄜˋ ㄌㄧˇ。ㄧㄡˇ ㄧˊ ˙ㄍㄜ ㄊㄨㄥˊ ㄒㄩㄝˊ ㄏㄣˇ ㄇㄚˊ ㄈㄢˊ，ㄨㄛˇ ˙ㄇㄣ ㄉㄡ ㄅㄨˋ ㄒㄧˇ ㄏㄨㄢ ㄊㄚ。ㄊㄚ ㄔㄤˊ ㄅㄚˇ ㄧ ㄈㄨˊ ㄊㄨㄛ ㄒㄧㄚˋ ㄌㄞˊ，ㄐㄧㄡˋ ㄖㄥ ㄗㄞˋ ㄉㄧˋ ㄕㄤˋ、ㄔㄨㄤˊ ㄕㄤˋ，ㄅㄨˊ ㄍㄨㄚˋ ㄗㄞˋ ㄧ ㄍㄨㄟˋ ㄌㄧˇ。ㄕㄨ ㄧㄝˇ ㄅㄨˊ ㄈㄤˋ ㄗㄞˋ ㄕㄨ ㄐㄧㄚˋ ㄕㄤˋ。ㄅㄚˇ ㄉㄥ ㄎㄞ ㄎㄞ ˙ㄌㄜ ㄧˇ ㄏㄡˋ，ㄐㄧㄡˋ ㄅㄨˊ ㄐㄧˋ ˙ㄉㄜ ㄍㄨㄢ ㄕㄤˋ，ㄔㄨ ㄑㄩˋ ㄧㄝˇ ㄅㄨˋ ㄍㄨㄢ ㄇㄣˊ。

ㄊㄚ ㄒㄧˇ ㄏㄨㄢ ㄗㄞˋ ㄔㄨㄤˊ ㄕㄤˋ ㄔ ㄉㄨㄥ ㄒㄧ，ㄔ ㄅㄠˇ ˙ㄌㄜ ㄧˇ ㄏㄡˋ，ㄐㄧㄡˋ ㄅㄚˇ ㄗㄤ ㄆㄢˊ ˙ㄗ，ㄗㄤ ㄨㄢˇ ㄉㄡ ㄈㄤˋ ㄗㄞˋ ㄔㄨㄤˊ ㄉㄧˇ ㄒㄧㄚˋ。ㄨㄛˇ ˙ㄇㄣ ㄔㄤˊ ㄔㄤˊ ㄉㄟˇ ㄅㄤ ㄊㄚ ㄒㄧˇ ㄨㄢˇ，ㄍㄨㄚˋ ㄧ ㄈㄨˊ，ㄍㄨㄢ ㄉㄥ，ㄍㄨㄢ ㄇㄣˊ。ㄊㄚ ㄍㄟˇ ㄨㄛˇ ˙ㄇㄣ ㄓㄜˋ ˙ㄇㄜ ㄉㄨㄛ ㄇㄚˊ ㄈㄢˊ，ㄉㄤ ㄖㄢˊ ㄨㄛˇ ˙ㄇㄣ ㄉㄡ ㄅㄨˋ ㄒㄧ ㄏㄨㄢ ㄍㄣ ㄊㄚ ㄓㄨˋ ㄗㄞˋ ㄧ ㄎㄨㄞˋ ㄦ。

Wǒ gēn hěn duō tóngsyué jhùzài syuésiàode sùshèlǐ. Yǒu yíge tóngsyué hěn máfán, wǒmen dōu bù sǐhuān tā. Tā cháng bǎ yīfú tuōsiàlái, jiòu rēngzài dìshàng, chuángshàng, búguàzài yīguèilǐ. Shū yě búfàngzài shūjiàshàng. Bǎ dēng kāikāile yǐhòu, jiòu bújìdé guānshàng, chūcyù yě bùguān mén.

Tā sǐhuān zài chuángshàng chīh dōngsī. Chīhbǎole yǐhòu, jiòu bǎzāng pánzih, zāng wǎn dōu fàngzài chuáng dǐsià. Wǒmen chángcháng děi bāng tā sǐ wǎn, guà yīfú, guān dēng, guān mén. Tā gěi wǒmen jhème duō máfán, dāngrán wǒmen dōu bùsǐhuān gēn tā jhùzài yíkuàir.

Wǒ gēn hěn duō tóngxué zhùzài xuéxiàode sùshèlǐ. Yǒu yíge tóngxué hěn máfán, wǒmen dōu bù xǐhuān tā. Tā cháng bǎ yīfú tuōxiàlái, jiù rēngzài dìshàng, chuángshàng, búguàzài yīguìlǐ. Shū yě búfàngzài shūjiàshàng. Bǎ dēng kāikāile yǐhòu, jiù bújìdé guānshàng, chūqù yě bùguān mén.

Tā xǐhuān zài chuángshàng chī dōngxī. Chībǎole yǐhòu, jiù bǎ zāng pánzi, zāng wǎn dōu fàngzài chuáng dǐxià. Wǒmen chángcháng děi bāng tā xǐ wǎn, guà yīfú, guān dēng, guān mén. Tā gěi wǒmen zhème duō máfán, dāngrán wǒmen dōu bùxǐhuān gēn tā zhùzài yíkuàir.

I live with many classmates in the school dormitory. There is one classmate who is a real pain. None of us likes him. When he takes off his clothes, he often throws them on the floor or on the bed. He doesn't hang them in the closet. He also never puts his books on the bookshelf. After he turns on the light, he forgets to turn it off, and when he goes out, he doesn't close the door.

He likes to eat in bed, and after eating he puts the dirty plates and bowls under the bed. We often help him clean his bowls, hang up his clothes, turn off the lights, and shut the door. He gives us so much trouble, so of course we don't like living with him.

3 VOCABULARY

1 把 (bǎ)

CV：“把” is a coverb indicating dispose. “把” itself can not be translated directly into English. It is used to draw attention to the object, rather than the subject of a sentence.

請你把這張畫兒拿出去。

Cǐng nǐ bǎ jhèijhāng huàr náchūcyù.
Qǐng nǐ bǎ zhèizhāng huàr náchūqù.
Please take this painting out.

2 掛 (guà)　　V：to hang

你的衣服掛在哪兒了？

Nǐde yīfú guàzài nǎr le?
Where did you hang your clothes?

3 當中 (dāngjhōng / dāngzhōng)　　N(PW)：middle, in the center

4 最好 (zuèihǎo / zuìhǎo)　　A：best, better to

這件事，最好別告訴他。

Jhèijiàn shìh, zuèihǎo bié gàosù tā.
Zhèijiàn shì, zuìhǎo bié gàosù tā.
It's best not to tell him about this.

5 窗戶 (chuānghù)　　N：window

6 亮 (liàng)　　SV：to be sunny, to be bright

外面還很亮呢！

Wàimiàn hái hěn liàng ne!
It's still very bright outside!

7 錄影機 (lùyǐngjī) N：video machine（M：部 bù）

錄 (lù) V：to record

8 對面 (duèimiàn / duìmiàn)

N(PW)：the other side, place across from

9 它 (tā) PN：it

10 臥房 (wòfáng) N：bedroom（M：間 jiān）

11 檯燈 (táidēng) N：lamp（M：盞 jhǎn / zhǎn）

燈 (dēng) N：lamp, light

12 帶 (dài) V：to bring

今天我忘了帶錢來。
Jīntiān wǒ wàngle dài cián lái.
Jīntiān wǒ wàngle dài qián lái.
I forgot to bring my money with me today.

13 廚房 (chúfáng) N：kitchen

14 碗櫃 (wǎnguèi / wǎnguì) N：(kitchen) cabinet, cupboard

櫃 (guèi / guì) BF：cabinet

衣櫃 (yīguèi / yīguì) N：closet

櫃子 (guèizih / guìzi) N：cabinet, sideboard

15 書架 (shūjià) N：bookshelf, bookcase

架 (jià) M：measure word for airplane, machine

架子 (jiàzih / jiàzi) N：frame, stand, rack, shelf

16 黑 (hēi)　　N/SV：black / to be black, to be dark

天已經黑了，我們回家吧！

Tiān yǐjīng hēile, wǒmen huéijiā ba!
Tiān yǐjīng hēile, wǒmen huíjiā ba!
It's already dark. Let's go home!

17 餓 (è)　　SV：to be hungry

我現在還不餓。

Wǒ siànzài hái búè.
Wǒ xiànzài hái búè.
Right now I'm still not hungry.

18 髒 (zāng)　　SV：to be dirty

你的手很髒，快去洗洗。

Nǐde shǒu hěn zāng, kuài cyù sǐsǐ.
Nǐde shǒu hěn zāng, kuài qù xǐxǐ.
Your hands are very dirty. Go and wash them quickly.

19 鑰匙 (yàoshih / yàoshi)　　N：key（M：把 bǎ）

20 車房 (chēfáng)　　N：garage

21 關上 (guānshàng)　　DC：to close, to shut; to turn off

太冷了，請把窗戶關上。

Tài lěng le, cǐng bǎ chuānghù guānshàng.
Tài lěng le, qǐng bǎ chuānghù guānshàng.
It's too cold. Please shut the window.

關 (guān)　　V：to close, to turn off

22 不用 (búyòng) AV/V：need not, don't have to

你不用說了，我已經知道了。

Nǐ búyòng shuō le, wǒ yǐjīng jhīhdàole.
Nǐ búyòng shuō le, wǒ yǐjīng zhīdàole.
You don't have to say anything. I already know it.

我自己能去，不用你送我去。

Wǒ zìhjǐ néng cyù, búyòng nǐ sòng wǒ cyù.
Wǒ zìjǐ néng qù, búyòng nǐ sòng wǒ qù.
I can go by myself. You need not escort me.

23 開開 (kāikāi) DC：to turn on, to switch on

天黑了，請把燈開開。

Tiān hēile, cǐng bǎ dēng kāikāi.
Tiān hēile, qǐng bǎ dēng kāikāi.
It's dark. Please turn on the light.

24 新聞 (sīnwún / xīnwén) N：news

聞 (wún / wén) V：to smell, to listen

25 同學 (tóngsyué / tóngxué)

N/V：classmate; to be in the same class

26 當然 (dāngrán) MA：of course

他忙了一天了，當然很累。

Tā mángle yìtiān le, dāngrán hěn lèi.
He has been busy all day. Of course he is tired.

SUPPLEMENTARY VOCABULARY

27 宿舍 (sùshè) N：dormitory

28 脫下來 (tuōsiàlái / tuōxiàlái)　DC：to take off

你穿的這件衣服很髒，快脫下來。

Nǐ chuānde jhèijiàn yīfú hěn zāng, kuài tuōsiàlái.
Nǐ chuānde zhèijiàn yīfú hěn zāng, kuài tuōxiàlái.
The clothes you are wearing are very dirty. Hurry up and take them off.

脫 (tuō)　V：to peel, to take or to cast off, to escape

29 扔 (rēng)　V：to throw, to toss, to cast

別把衣服扔在椅子上。

Bié bǎ yīfú rēngzài yǐzihshàng.
Bié bǎ yīfú rēngzài yǐzishàng.
Don't throw your clothes on the chair.

4 SYNTAX PRACTICE

把 Construction

When the 把 construction is used, the main verb is always a transitive verb and takes an object. The object must be moved up in front of the main verb, and the main verb must be followed by a complement in order to call attention on the object rather than the subject.

The negative adverbs 別，沒，不 must be placed before 把 in a negative sentence. When you want to stress the result of having dealt with something, then 給 can be placed In front of the main verb.

In a sentence with the 把 construction, the object pointed out by 把 is usually a definite person, affair, or thing.

S	(Neg-)	(AV)	把	O	（給）	V Complement
你	不	可以	把	桌子		搬出去。
You may not move the desk out.						

167

(I)

S 把 O V 了
他 把 房子 賣 了。
He sold the house.

1. 我已經把功課做了。
2. 誰把我的茶喝了？
   他把你的茶喝了。
3. 對不起，我把那件事給忘了。
4. 我把藥吃了，就睡覺了。

(II)

S 把 O V來/去
我 把 那本書 帶來 了。
I brought that book.

1. 請你把他叫來。
2. 我開車去把他接來了。
3. 她把你需要的東西都買來了。
4. 我已經替你把東西送去了。

(III)

S 把 O V-DV-來/去
他 把 車 開回來 了。
He drove the car back.

1. 請你把書拿起來。
2. 快把髒衣服脫下來洗洗。
3. 我把他說的都寫下來了。
4. 請把你的意思說出來。

(IV)

S	把	O	V-DV-N	來／去
他	把	報	拿上樓	去了。
He brought the newspaper upstairs.				

1. 我要把這本書帶回國去。

2. 你可以把車開進車房去。

3. 我去把孩子接回家來。

4. 她不舒服，我把她送回家去了。

(V)

S	把	O	V-DV
你	把	東西	放下吧。
Put the things down.			

1. 請你把門關上。

2. 我把窗戶開開了。

3. 別把這些東西拿走。

4. 外面冷，快把衣服穿上！

(VI)

S	把	O	V-在	PW
我	把	汽車	停在	路邊了。
I parked the car on the side of the street.				

1. 你把那本書放在哪兒了？

　　放在書架上了。

2. 請你把名字跟地址寫在這兒。

3. 我把那張畫兒掛在飯廳裡了。

4. 別把衣服扔在床上。

169

(VII)

S	把	O	V-到	PW	來/去

我 把 碗 拿到 廚房 去了。
I carried the bowls to the kitchen.

1. 我把孩子送到學校去。

2. 我們把這張床搬到樓上去吧。

3. 不可以把狗帶到學校來。

4. 爸爸把車開到公司去了。

(VIII)

S	把	Dir. O	V₁-給	Ind. O	(V₂)

他 把 那件事 說給 我 聽了。
He told me about that affair.

1. 我把那本書借給朋友了。

2. 他把舊車賣給同學了。

3. 她要把這張畫兒送給別人。

4. 麻煩您把那個東西拿給我看看。

(IX)

S	把	Dir. O	V	Ind. O

請你 把 那枝筆 給 我。
Please give me that pen.

1. 他把錢都給我了。

2. 我已經把書給他了。

3. 別把這件事告訴別人。

4. 請把你的名字告訴我。

(X)

S 把	O	V（一）V

你 把 這些字 念（一）念。
Read these characters.

1. 上課以前，把書看看。

2. 要是今天有空，我要把衣服洗一洗。

3. 把學過的那幾課再念一念。

4. 你應該再把這個問題想一想。

(XI)

S 把	O	V	NU-M

請你 把 這課 念 一次。
Please read this lesson once.

1. 他把話說了一半，就不說了。

2. 你再把這件事跟他說一次。

3. 我把每一個字寫了一百次。

4. 老師叫我把這些句子念幾次。

Change the following sentences into 把 construction

1. 他拿起那個杯子來了。

2. 快接他來。

3. 窗戶，我都開開了。

4. 我忘了他的名字了。

5. 我可以借給你我的照像機。

6. 別拿走我們的東西。

7. 你應該看一看書。

8. 他吃了早飯，就去上班了。

9. 那個椅子，我要搬出去。

10. 那件事，王先生沒說給我聽。

11. 請你告訴我你的電話號碼，好不好？

12. 那張畫兒，你掛在哪裡了？

5 APPLICATION ACTIVITIES

I. Every student gives a request about the pen by using the 把 construction. The other students will carry out the request while at the same time say what they do.

II. How do you say it?

1. Ask a clerk to show you a camera.

2. Ask a friend to close the door when he leaves.

3. Ask your roommate to turn on the light.

4. Ask a classmate not to forget to bring the book to school the next day.

5. Ask your roommate to wash the fruit.

III. Situation

Three classmates rent an apartment. The conversation contains furniture arrangement.

6 NOTES

1. The 把 construction is a kind of disposal form of sentence pattern. It is used to stress or emphasize special objects and what is done to them.

eg. 他把車開到學校去了。　**He drove the car to school.**
　　他開車到學校去了。　　**He drove to school.**

2. Verbs expressing feelings or emotions, sensory verbs, and verbs indicating being / existing or possession cannot use the 把 construction. The reason in this case is that it is impossible for the subject to dispose of the object in the manner indicated by the verb phrase.

eg. 我喜歡他。　　　**I like him.**
　* 我把他喜歡。　　(incorrect)
　　他沒看見我。　　**He didn't see me.**
　* 他把我沒看見。　(incorrect)
　　他哥哥在家。　　**His elder brother is at home.**
　* 他哥哥把家在。　(incorrect)
　　我有錢。　　　　**I have money.**
　* 我把錢有。　　　(incorrect)

第八課 | 他們在樓下等著我們呢①

1 DIALOGUE

I

真真：愛美，你好了②沒有？文德他們已經來了，在樓下等
　　　著我們呢。

愛美：我在化妝③，還沒換④衣服呢。

真真：快一點兒吧！你要穿哪件衣服？要不要我幫你拿？

愛美：我想穿那件黃色的，在櫃子裡掛⑤著呢。

真真：這件衣服真漂亮⑥，是新的嗎？

愛美：不是，是我去年買的，很久
　　　沒穿了。

真真：你快去換吧。

愛美：好，請你在這兒等一等。

（幾分鐘以後）

愛美：好了，我們可以走了，你看
　　　我穿這雙⑦白⑧皮鞋⑨，可以嗎？

真真：可以，這雙鞋樣子不錯。

愛美：外面涼⑩不涼？要不要
　　　帶外套⑪？

真真：我想不用了。我們走吧。

II

李：趙太太，好久不見，請進，請進。您今天怎麼有空來？

趙：我早就想來看你們了，可是總是沒有時間。⑫

李：是啊，大家都忙。

趙：就您一個人在家嗎？李先生呢？

李：他出去買點兒東西，一會兒就回來。小兒子到同學家去了。

趙：門口停著一輛⑬藍色的汽車，是你們的嗎？好漂亮啊！

李：那是我們新買⑭的車，原來那輛⑮紅色的給大兒子開了。

趙：我一年多沒看見您大兒子了。他現在念幾年級⑯？

李：他已經念大學二年級了。現在住校⑰，每學期只回來一、兩次。

趙：您父母都好吧？還在南部住著嗎？

李：他們都好，夏天的時候來住了兩個多月，可是北部冬天太冷，他們不願意⑱住在這兒。

趙：年紀大的人都怕冷，我父母也一樣。

<table>
<tr><td>ㄉㄧˋ　ㄅㄚ　ㄎㄜˋ</td><td>ㄊㄚ　ㄇㄣˊ　ㄗㄞˋ　ㄌㄡˊ　ㄒㄧㄚˋ　ㄉㄥˇ　ㄓㄜ˙　ㄨㄛˇ　ㄇㄣˊ　ㄋㄜ˙</td></tr>
</table>

I

ㄓㄣ　ㄓㄣ：ㄞˋ　ㄇㄟˇ，ㄋㄧˊ　ㄍㄠ　ㄉㄜ˙　ㄇㄟˊ　ㄧㄡˇ？ㄨㄣˊ　ㄅㄜˋ　ㄊㄚ　ㄉㄢˊ　ㄧ　ㄐㄧㄥ　ㄌㄞˊ　ㄉㄜ˙，ㄗㄞˋ
ㄌㄡˊ　ㄒㄧㄚˋ　ㄉㄥˇ　ㄓㄜ˙　ㄨㄛˇ　ㄇㄣˊ　ㄋㄜ˙　。

ㄞˋ　ㄇㄟˇ：ㄨㄛˇ　ㄗㄞˋ　ㄍㄨㄚ ㄐㄧㄣˋ，ㄅㄞˋ ㄇㄟˇ ㄏㄨㄢˊ ㄧ ㄈㄨˋ ㄋㄜ˙ 。

ㄓㄣ　ㄓㄣ：ㄎㄨㄞˋ ㄧ ㄉㄧㄢˇ ㄦˊ ㄅㄚ ！ ㄋㄧˊ ㄧㄠˇ ㄔㄨㄢ ㄋㄟˇ ㄧ ㄈㄨˋ？ㄧㄠˇ ㄅㄨˇ ㄧㄠˋ ㄨㄛˇ ㄅㄤ
ㄋㄧˇ ㄋㄧˊ ㄋㄚˋ？

ㄞˋ　ㄇㄟˇ：ㄨㄛˇ ㄒㄧㄤˇ ㄔㄨㄢ ㄋㄟˇ ㄐㄧㄢ ㄏㄨㄚˋ ㄙㄜ ㄉㄜ˙，ㄗㄞˋ ㄍㄟˇ ㄗ˙ ㄐㄧˇ ㄍㄨㄚˋ ㄓㄜ˙ 。

ㄓㄣ　ㄓㄣ：ㄓㄟˋ ㄧ ㄐㄧㄢˇ ㄈㄨˋ ㄙㄜ ㄉㄤˋ，ㄗˋ ㄒㄧ ㄉㄧˇ ㄇㄣ˙？

ㄞˋ　ㄇㄟˇ：ㄅㄨˇ ㄕˋ，ㄗˋ ㄨㄛˇ ㄑㄩ ㄋㄧㄢˊ ㄇㄞˇ ㄉㄜ˙，ㄏㄣˊ ㄐㄧㄡˇ ㄇㄟˊ ㄔㄨㄢ ㄉㄜ˙ 。

ㄓㄣ　ㄓㄣ：ㄋㄧˇ ㄎㄨㄞˋ ㄑㄩˋ ㄏㄨㄢˋ ㄧㄚ 。

ㄞˋ　ㄇㄟˇ：ㄏㄠˇ，ㄑㄧㄥ ㄋㄧˊ ㄗㄞˋ ㄓㄜˋ ㄦˊ ㄉㄥˇ ㄧ ㄉㄥˇ 。

(ㄐㄧˇ ㄈㄣ ㄓㄨㄥ ㄧ ㄏㄡˋ)

ㄞˋ　ㄇㄟˇ：ㄏㄠˇ ㄉㄜ˙，ㄨㄛˇ ㄇㄣˊ ㄎㄜˊ ㄧˇ ㄗㄡˇ ㄉㄜ˙，ㄋㄧˊ ㄎㄢˋ ㄨㄛˇ ㄔㄨㄢ ㄅㄟˇ ㄓㄨㄛ ㄅㄨˋ ㄆㄧ
ㄏㄠ ㄒㄧㄝˋ，ㄎㄢ ㄧˇ ㄇㄚˇ？

ㄓㄣ　ㄓㄣ：ㄎㄜˊ ㄧˇ，ㄓㄟˋ ㄓㄨㄤˇ ㄒㄧㄝˋ ㄧㄤˊ ㄗˋ ㄅㄨ ㄘㄨㄛˋ 。

ㄞˋ　ㄇㄟˇ：ㄨㄞˋ ㄨㄞˊ ㄒㄧㄤˊ ㄉㄤˋ ㄅㄧㄥˋ ㄌㄡ˙？ㄧㄠˇ ㄅㄨˇ ㄧㄠˋ ㄉㄞˋ ㄨㄞˊ ㄊㄠˋ？

ㄓㄣ　ㄓㄣ：ㄨㄛˇ ㄒㄧㄤˇ ㄋㄞ 。

II

ㄉㄧ：ㄓㄠ ㄊㄞˊ，ㄏㄞˊ ㄐㄧㄡˇ ㄅㄨˋ ㄐㄧㄢˋ，ㄑㄧㄥ ㄐㄧㄣˋ，ㄑㄧㄥ ㄐㄧㄣˋ 。ㄋㄧˇ ㄐㄧㄣ ㄊㄧㄢ ㄗㄣˊ ㄇㄜ˙ ㄧㄡˇ
ㄎㄨㄥ ㄌㄞˊ？

ㄓㄠ：ㄨㄛˇ ㄗㄠˇ ㄐㄧㄡˋ ㄒㄧㄤˇ ㄌㄞˊ ㄎㄢˋ ㄋㄧˊ ㄇㄣˊ ㄉㄜ˙，ㄎㄜˇ ㄕˋ ㄗㄨㄥˇ ㄗˋ ㄇㄟˊ ㄧㄡˇ ㄕˊ ㄐㄧㄢ 。

ㄉㄧ：ㄕˋ ㄚˊ，ㄅㄚ ㄐㄧˊ ㄅㄨˋ ㄇㄤˊ 。

ㄓㄠ：ㄐㄧㄝ ㄋㄧㄡ ㄧˇ ㄍㄜ ㄖˊ ㄗㄞˋ ㄐㄧㄚˊ ㄚˊ？ㄉㄧ ㄒㄧㄣˊ ㄕㄣ ㄌㄜ˙？

ㄓㄣ ： ㄞˇㄇㄟˇ，ㄋㄧˇ ㄏㄠˇㄌㄜ ㄇㄟˊㄧㄡˇ？ ㄨˊㄉㄜˊ ㄊㄚㄇㄣ˙ ㄧˇㄐㄧㄥ ㄌㄞˊㄌㄜ，ㄗㄞˋ ㄌㄡˊㄒㄧㄚˋ ㄉㄥˇㄓㄜ˙ ㄨㄛˇㄇㄣ˙ ㄋㄜ˙。

ㄞˇ ： ㄨㄛˇ ㄗㄞˋ ㄏㄨㄚˋㄓㄨㄤ，ㄏㄞˊ ㄇㄟˊㄏㄨㄢˋ ㄧ ㄈㄨˊ ㄋㄜ˙。

ㄓㄣ ： ㄎㄨㄞˋ ㄧˋㄉㄧㄢˇㄦ ㄅㄚ˙！ ㄋㄧˇ ㄧㄠˋ ㄔㄨㄢ ㄋㄟˇㄐㄧㄢˋ ㄧ ㄈㄨˊ？ ㄧㄠˋ ㄅㄨˊㄧㄠˋ ㄨㄛˇ ㄅㄤ ㄋㄧˇ ㄋㄚˊ？

ㄞˇ ： ㄨㄛˇ ㄒㄧㄤˇ ㄔㄨㄢ ㄋㄟˋㄐㄧㄢˋ ㄏㄨㄤˊㄙㄜˋㄉㄜ˙，ㄗㄞˋ ㄍㄨㄟˋㄗㄦˇㄌㄧˇ ㄍㄨㄚˋㄓㄜ˙ ㄋㄜ˙。

ㄓㄣ ： ㄓㄟˋㄐㄧㄢˋ ㄧ ㄈㄨˊ ㄓㄣ ㄆㄧㄠˋㄌㄧㄤˋ，ㄕˋ ㄒㄧㄣ ㄉㄜ˙ ㄇㄚ˙？

ㄞˇ ： ㄅㄨˊㄕˋ，ㄕˋ ㄨㄛˇ ㄑㄩˋㄋㄧㄢˊ ㄇㄞˇ ㄉㄜ˙，ㄏㄣˇ ㄐㄧㄡˇ ㄇㄟˊㄔㄨㄢ ㄌㄜ˙。

ㄓㄣ ： ㄋㄧˇ ㄎㄨㄞˋ ㄑㄩˋ ㄏㄨㄢˋ ㄅㄚ˙。

Dì Bā Kè   Tāmen Zài Lóusià Děngjhe Wǒmen Ne

I

Jhēnjhēn : Àiměi, nǐ hǎole méiyǒu? Wúndé tāmen yǐjīng láile, zài lóusià děngjhe wǒmen ne.

Àiměi : Wǒ zài huàjhuāng, hái méihuàn yīfú ne.

Jhēnjhēn : Kuài yìdiǎnr ba! Nǐ yào chuān něijiàn yīfú? Yào búyào wǒ bāng nǐ ná?

Àiměi : Wǒ siǎng chuān nèijiàn huángsède, zài guèizihlǐ guàjhe ne.

Jhēnjhēn : Jhèijiàn yīfú jhēn piàoliàng, shìh sīnde ma?

Àiměi : Búshìh, shìh wǒ cyùnián mǎi de, hěn jiǒu méichuānle.

Jhēnjhēn : Nǐ kuài cyù huàn ba.

Àiměi　　： Hǎo, cǐng nǐ zài jhèr děngyìděng.
(jǐfēnjhōng yǐhòu)
Àiměi　　： Hǎole, wǒmen kěyǐ zǒule. Nǐ kàn wǒ chuān jhèishuāng bái
　　　　　　písié, kěyǐ ma?
Jhēnjhēn： Kěyǐ, jhèishuāng sié yàngzih búcuò.
Àiměi　　： Wàimiàn liǎng bùliǎng? Yào búyào dài wàitào?
Jhēnjhēn： Wǒ siǎng búyòngle. Wǒmen zǒu ba.

II

Lǐ　　： Jhào Tàitai, hǎo jiǒu bújiàn, cǐng jìn, cǐng jìn. Nín jīntiān zěnme
　　　　yǒukòng lái?
Jhào： Wǒ zǎo jiòu siǎng lái kàn nǐmen le, kěshìh zǒngshìh méiyǒu
　　　　shíhjiān.
Lǐ　　： Shìh a, dàjiā dōu máng.
Jhào： Jiòu nín yíge rén zài jiā ma? Lǐ Siānshēng ne?
Lǐ　　： Tā chūcyù mǎi diǎnr dōngsī, yìhuěir jiòu huéilái. Siǎo érzih dào
　　　　tóngsyué jiā cyùle.
Jhào： Ménkǒu tíngjhe yíliàng lánsède cìchē, shìh nǐmende ma? Hǎo
　　　　piàoliàng a!
Lǐ　　： Nà shìh wǒmen sīn mǎide chē, yuánlái nèiliàng hóngsède gěi dà
　　　　érzih kāile.
Jhào： Wǒ yìniánduō méikànjiàn nín dà érzih le. Tā siànzài niàn jǐniánjí?
Lǐ　　： Tā yǐjīng niàn dàsyué èrniánjí le. Siànzài jhùsiào, měisyuécí jhǐh
　　　　huéilái yì, liǎngcìh.
Jhào： Nín fùmǔ dōu hǎo ba? Hái zài nánbù jhùjhe ma?
Lǐ　　： Tāmen dōu hǎo, siàtiānde shíhhòu lái jhùle liǎnggeduō yuè, kěshìh
　　　　běibù dōngtiān tài lěng, tāmen búyuànyì jhùzài jhèr.
Jhào： Niánjì dàde rén dōu pà lěng, wǒ fùmǔ yě yíyàng.

Dì Bā Kè   Tāmen Zài Lóuxià Děngzhe Wǒmen Ne

I

Zhēnzhēn : Àiměi, nǐ hǎole méiyǒu? Wéndé tāmen yǐjīng láile, zài lóuxià děngzhe wǒmen ne.

Àiměi   : Wǒ zài huàzhuāng, hái méihuàn yīfú ne.

Zhēnzhēn : Kuài yìdiǎnr ba! Nǐ yào chuān něijiàn yīfú? Yào búyào wǒ bāng nǐ ná?

Àiměi   : Wǒ xiǎng chuān nèijiàn huángsède, zài guìzilǐ guàzhe ne.

Zhēnzhēn : Zhèijiàn yīfú zhēn piàoliàng, shì xīnde ma?

Àiměi   : Búshì, shì wǒ qùnián mǎi de, hěn jiǔ méichuānle.

Zhēnzhēn : Nǐ kuài qù huàn ba.

Àiměi   : Hǎo, qǐng nǐ zài zhèr děngyìděng.

(jǐfēnzhōng yǐhòu)

Àiměi   : Hǎole, wǒmen kěyǐ zǒule. Nǐ kàn wǒ chuān zhèishuāng bái píxié, kěyǐ ma?

Zhēnzhēn : Kěyǐ, zhèishuāng xié yàngzi búcuò.

Àiměi   : Wàimiàn lǐáng bùlǐáng? Yào búyào dài wàitào?

Zhēnzhēn : Wǒ xiǎng búyòngle. Wǒmen zǒu ba.

II

Lǐ   : Zhào Tàitai, hǎo jiǔ bújiàn, qǐng jìn, qǐng jìn. Nín jīntiān zěnme yǒukòng lái?

Zhào : Wǒ zǎo jiù xiǎng lái kàn nǐmen le, kěshì zǒngshì méiyǒu shíjiān.

Lǐ   : Shì a, dàjiā dōu máng.

Zhào : Jiù nín yíge rén zài jiā ma? Lǐ Xiānshēng ne?

Lǐ   : Tā chūqù mǎi diǎnr dōngxi, yìhuǐr jiù huílái. Xiǎo érzi dào tóngxué jiā qùle.

Zhào : Ménkǒu tíngzhe yíliàng lánsède qìchē, shì nǐmende ma? Hǎo
       piàoliàng a!

Lǐ   : Nà shì wǒmen xīn mǎide chē, yuánlái nèiliàng hóngsède gěi dà érzi
       kāile.

Zhào : Wǒ yìniánduō méikànjiàn nín dà érzi le. Tā xiànzài niàn jǐniánjí?

Lǐ   : Tā yǐjīng niàn dàxué èrniánjí le. Xiànzài zhùxiào, měixuéqí zhǐ
       huílái yì, liǎngcì.

Zhào : Nín fùmǔ dōu hǎo ba? Hái zài nánbù zhùzhe ma?

Lǐ   : Tāmen dōu hǎo, xiàtiānde shíhòu lái zhùle liǎnggeduō yuè, kěshì
       běibù dōngtiān tài lěng, tāmen búyuànyì zhùzài zhèr.

Zhào : Niánjì dàde rén dōu pà lěng, wǒ fùmǔ yě yíyàng.

LESSON 8 — THEY ARE WAITING FOR US DOWNSTAIRS

I

Zhenzhen : Amy, are you ready? Wende and the group are already here.
           They are downstairs waiting for us.

Amy   : I'm putting on make-up. I'm not dressed yet.

Zhenzhen : Hurry up! What do you want to wear? Do you want me to help
           you get it?

Amy   : I think I will wear the yellow one. It is hanging in the closet.

Zhenzhen : This one is really pretty. Is it new?

Amy   : No, I bought it last year. I haven't worn it in a long time.

Zhenzhen : Hurry and put it on.

Amy   : OK. Please wait here a minute.

(after a few minutes)

Amy   : OK, let's go. Look at this pair of white shoes I am wearing. Are
           they OK?

Zhenzhen : Yes, their style is good.

Amy : Is it cool outside? Should I bring a coat?

Zhenzhen : I don't think you need one. Let's go.

II

Li : Mrs. Zhao, long time no see. Please come in. Come in. What brings you here today?

Zhao : I've wanted to come see you for a long time, but I never have the time.

Li : Yes, everyone is very busy.

Zhao : Are you the only one home? What about Mr. Li?

Li : He went out to buy a few things, he'll be back soon. Our smallest son went over to a classmate's house.

Zhao : There is a blue car parked at the entrance. Is it yours? It's beautiful!

Li : That's our newly purchased car. We gave our original red car to our eldest son to drive.

Zhao : I haven't seen your eldest son for more than a year. What year of the school is he studying?

Li : He is already in his second year of college. He lives at school now, and only comes home once or twice a semester.

Zhao : Are your parents well? Are they still living down south?

Li : They are both fine. During the summer they came live here for over two months, but the northern winters are too cold, so they don't want to live here.

Zhao : All old people dread the cold. My parents are the same.

2 | NARRATION

故　事[19]

　　從前，在一個小城裡，住著一位老先生。他是一個很好的人，大家都喜歡他。有一天，他在家門口站著，一個穿著白衣服的人走過來，對他說：「我知道你是一個好人，現在我要給你一封介紹信[20]，明天你帶著這封信，往西一直走，就可以到一個最好的地方了。」

　　第二天，老人帶著他的東西跟這封信出門了。他在路上走著走著，忽然[21]從路邊兒跑出來一個強盜 (ciángdào / qiángdào)*，要老人把東西都給他。老人說：「我什麼都可以給你，可是這封信我不能給你。」老人把這封信的故事說給強盜聽。強盜聽了以後，也要這封信。老人沒辦法，只好[22]說：「好吧，我撕 (sīh / sī)* 給你一部分[23]。」

* 強盜 (ciángdào / qiángdào)：robber
* 撕 (sīh / sī)：to tear

他們一塊兒在路上走著，強盜說：「我做過很多壞事，可是你給我的這一部分太小，你應該再給我一點兒。」老人說：「好吧，我再給你一點兒。」

他們到了一個地方，裡面非常漂亮，綠色的草地上開著很多顏色的花，門口站著一個人。老人把信拿給他看。那個人看了以後說：「歡迎，歡迎，請進。」強盜也把信拿出來，可是他不能進去。你知道為什麼嗎？

ㄍㄨˋ　ㄕˋ

　　ㄕˋ ㄇㄢˊ ： ㄗㄠˇ ㄕㄤˋ ㄏㄠˇ ， ㄊㄚˋ ㄇㄣ ． ㄕˋ ㄐㄧㄣ ， ㄨˇ ㄈㄢˋ ㄏㄠˇ ， ㄗㄞˋ ㄒㄧˇ ㄍㄜ ， ㄌㄞˊ ㄋㄧˇ ， ㄒㄧㄠˋ ㄊㄧㄢ 。

　　ㄒㄧㄠˋ ㄊㄧㄢ ， ㄐㄧㄝˊ ㄐㄩㄝˊ ， ㄐㄧㄚ ㄎㄡˇ ㄒㄧㄢ ㄈㄨˊ ， ㄖㄣˊ ㄒㄧㄣ ㄨㄤˋ ， ㄗㄞˋ ㄇㄜ ㄧˊ ㄠˋ ㄗㄨ ， ㄉㄡ ㄊㄚ ㄗㄨㄛˋ ㄐㄩㄝˋ ， ㄎㄡ 。

　　ㄑㄧㄢˊ ， ㄗㄞˊ ㄧ ， ㄍㄜ ㄏㄣˊ ㄏㄠˇ ， ㄉㄧㄢˊ ， ㄐㄧㄨˋ ， ㄍㄜ ㄔㄨㄤˊ ， ㄕˋ ， ㄍㄜ ㄓㄜ ㄋㄧㄢˊ ， ㄕˋ ㄍㄜ ㄓㄜ ㄒㄧㄥˊ ， ㄒㄧㄣˊ ㄨㄤˊ ，

　　ㄎㄡˇ ， ㄓㄜ ㄉㄠˋ ㄋㄧˊ ㄎㄞˇ ㄓㄜ ㄓㄤˇ ， ㄒㄧㄠˊ ， ㄏㄠˇ ㄏㄜ ˙ㄍㄜ ㄈㄤˋ ˙ㄉㄜ 。

　　　ㄌㄜ ˙ ． ㄦˊ ㄊㄧㄢˊ ， ㄌㄜ ㄖㄣˋ ㄅㄞˊ ㄓㄜ ㄊㄚ ˙ㄉㄜ ㄊㄨㄥˊ ， ㄒㄧ ㄍㄜ ㄓ ㄈㄣˊ ㄒㄧㄣ ㄔㄤˊ ㄇㄣˊ ㄦˊ ㄆㄠˇ ㄓㄞˋ ㄌㄞˊ ㄧ ，

　　ㄅㄧˋ 。 ㄊㄚ ㄗㄞˋ ㄅㄟˇ ㄕˋ ㄖㄨˋ ㄤˋ ㄕㄡˋ ㄕㄡˊ ㄅㄣˇ ， ㄏㄨˊ ㄖㄣˊ ㄊㄨㄥˊ ㄍㄨㄥ ㄇㄣˊ ㄦˊ ㄆㄠˇ ： 「 ㄨㄛˇ ㄕˋ ㄊㄜ ˙ ㄅㄚ

　　ㄉㄜˊ ㄍㄟ ㄅㄞˊ ㄒㄧㄣ ˙ㄉㄜ ㄨˋ ㄗㄨㄛˇ ㄑㄧㄤˊ ㄊㄜˊ 。 ㄅㄨˊ ㄖㄣˊ ㄇㄢˊ ㄐㄧㄚ ， ㄓˋ ㄏㄡˊ ： 「 ㄏㄠˇ ㄅㄚ ， ㄇㄜ ㄙ ㄍㄜ ㄋㄧˊ ㄧˊ ㄈㄨˋ

　　ㄊㄚ ㄅㄣ ㄧˊ ㄎㄨㄞ ㄦˊ ㄗㄞˋ ㄌㄜˊ ㄕˋ ㄗㄨˋ ㄤˋ ㄓˋ ， ㄑㄧ ㄉㄧㄢˋ ㄊㄚ ㄗㄨㄛˋ ： 「 ㄨㄛˇ ㄍㄨㄥˊ ㄏㄣˊ ㄍㄨㄥ ， ㄋㄧˊ ㄧ ㄍㄜ ㄗㄞˋ ㄖㄣˊ ． 」

　　ㄅㄨㄛˊ ㄍㄟ ˋ ， ㄅㄧˋ ㄕˋ ㄋㄧˊ ㄍㄜ ˙ㄉㄜ ㄓˋ ， ㄑㄧ ㄊㄞˇ ： 「 ㄍㄠˇ ， ㄨㄛˋ ㄍㄜ ㄏㄣˊ ㄒㄧㄤˊ ㄊㄚ ˙ㄉㄜ ㄆㄛˋ ㄓˋ ， ㄉㄜˋ ㄌㄜˊ ㄧˊ ㄍㄜˊ ㄖㄣˊ 。

　　ㄅㄠˋ ㄅㄧㄝˊ ㄧˊ ， ㄑㄧˋ ㄐㄩˋ ㄏㄨㄚˋ ㄕˋ ㄤˊ ㄋㄧˊ ㄍㄜˊ ㄊㄚˋ ㄎㄞˇ ㄋㄚˊ ， ㄇㄟˊ ㄈㄨˊ ㄇㄣˊ ㄏㄡˋ ： 「 ㄏㄠˊ ， ㄨㄛˋ ㄏㄨㄞˇ ㄑㄩ 。

　　ㄧˊ ㄓ ㄨˋ ㄇㄟˊ ㄇㄚ ？

Gùshìh

Cóngcián zài yíge siǎochénglǐ, jhùjhe yíwèi lǎo siānshēng. Tā shìh yíge hěn hǎode rén, dàjiā dōu sǐhuān tā. Yǒu yìtiān, tā zài jiā ménkǒu jhàn jhe, yíge chuānjhe bái yīfúde rén zǒuguòlái, duèi tā shuō: "Wǒ jhīhdào nǐ shìh yíge hǎo rén, siànzài wǒ yào gěi nǐ yìfōng jièshàosìn, míngtiān nǐ dàijhe jhèifōng sìn, wǎng sī yìjhíh zǒu, jiòu kěyǐ dào yíge zuèi hǎode dìfāng le."

Dièrtiān, lǎo rén dàijhe tāde dōngsī gēn jhèifōng sìn chūménle. Tā zài lùshàng zǒujhe zǒujhe, hūrán cóng lùbiānr pǎochūlái yíge ciángdào, yào lǎo rén bǎ dōngsī dōu gěi tā. Lǎo rén shuō: "Wǒ shénme dōu kěyǐ gěi nǐ, kěshìh jhèifōng sìn wǒ bùnéng gěi nǐ." Lǎo rén bǎ jhèifōng sìnde gùshìh shuōgěi ciángdào tīng. Ciángdào tīngle yǐhòu, yě yào jhèifōng sìn. Lǎo rén méibànfǎ, jhǐhhǎo shuō: "Hǎo ba, wǒ sīhgěi nǐ yíbùfèn."

Tāmen yíkuàir zài lùshàng zǒujhe, ciángdào shuō: "Wǒ zuòguò hěn duō huàishìh, kěshìh nǐ gěi wǒde jhè yíbùfèn tài siǎo, nǐ yīnggāi zài gěi wǒ yìdiǎnr," Lǎo rén shuō : "Hǎo ba, wǒ zài gěi nǐ yìdiǎnr."

Tāmen dàole yíge dìfāng, lǐmiàn fēicháng piàoliàng, lyùsède cǎodìshàng kāijhe hěn duō yánsède huā, ménkǒu jhànjhe yíge rén. Lǎo rén bǎ sìn nágěi tā kàn. Nèige rén kànle yǐhòu shuō: "Huānyíng, huānyíng, cǐng jìn." Ciángdào yě bǎ sìn náchūlái, kěshìh tā bùnéng jìncyù. Nǐ jhīhdào wéishénme ma?

Gùshì

Cóngqián zài yíge xiǎochénglǐ, zhùzhe yíwèi lǎo xiānshēng. Tā shì yíge hěn hǎode rén, dàjiā dōu xǐhuān tā. Yǒu yìtiān, tā zài jiā ménkǒu zhànzhe, yíge chuānzhe bái yīfúde rén zǒuguòlái, duì tā shuō: "Wǒ zhīdào nǐ shì yíge hǎo rén, xiànzài wǒ yào gěi nǐ yìfēng jièshàoxìn, míngtiān nǐ dàizhe zhèifēng xìn, wǎng xī yìzhí zǒu, jiù kěyǐ dào yíge zuì hǎode dìfāng le."

Dìèrtiān, lǎo rén dàizhe tāde dōngxī gēn zhèifēng xìn chūménle. Tā zài lùshàng zǒuzhe zǒuzhe, hūrán cóng lùbiānr pǎochūlái yíge qiángdào, yào lǎo rén bǎ dōngxī dōu gěi tā. Lǎo rén shuō: "Wǒ shénme dōu kěyǐ gěi nǐ, kěshì zhèifēng xìn wǒ bùnéng gěi nǐ." Lǎo rén bǎ zhèifēng xìnde gùshì shuōgěi qiángdào tīng. Qiángdào tīngle yǐhòu, yě yào zhèifēng xìn. Lǎo rén méibànfǎ, zhǐhǎo shuō: "Hǎo ba, wǒ sīgěi nǐ yíbùfèn."

Tāmen yíkuàir zài lùshàng zǒuzhe, qiángdào shuō: "Wǒ zuòguò hěn duō huàishì, kěshì nǐ gěi wǒde zhè yíbùfèn tài xiǎo, nǐ yīnggāi zài gěi wǒ yìdiǎnr," Lǎo rén shuō : "Hǎo ba, wǒ zài gěi nǐ yìdiǎnr."

Tāmen dàole yíge dìfāng, lǐmiàn fēicháng piàoliàng, lǜsède cǎodìshàng kāizhe hěn duō yánsède huā, ménkǒu zhànzhe yíge rén. Lǎo rén bǎ xìn nágěi tā kàn. Nèige rén kànle yǐhòu shuō: "Huānyíng, huānyíng, qǐng jìn." Qiángdào yě bǎ xìn náchūlái, kěshì tā bùnéng jìnqù. Nǐ zhīdào wéishénme ma?

STORY

A long time ago, in a small town lived an old man. He was a good man. Every one liked him. One day as he was standing in the doorway, a man dressed in white came. He said, "I know you are a good man. Now I want to give you a letter of introduction. Tomorrow take this letter, go straight west, and you can go to a better place."

The next day the old man carried his things and the letter and left. He was walking down the road when suddenly a robber ran from the side of the road, wanting the old man to give him his things. The old man said, "I can give you everything, but I cannot give you this letter." The old man told the robber the story about the letter. After the robber listened to the story, he also wanted the letter. The old man could do nothing, but say, "OK, I will tear it and give you part."

Together they walked down the road, the robber said, "I have done many bad things, but the piece you gave me is too small. You must give me more." The old man said, "OK, I will give you a little more."

They came to a place. Inside was very beautiful. Many colored flowers were blooming on the green lawn. A man stood of the gate. The old man gave him the letter. The man looked at it and said, "Welcome, welcome. Please come in." The robber also handed him the letter, but he could not go in. Do you know why?

3 VOCABULARY

1 著 (jhe / zhe)

P：a verbal suffix, indicating the action or the state is continuing

他在外面站著呢。

Tā zài wàimiàn jhànjhe ne.
Tā zài wàimiàn zhànzhe ne.
He is standing outside.

2 好了 (hǎole)　SV：to be ready

你好了嗎？我們得走了。

Nǐ hǎole ma? Wǒmen děi zǒule.
Are you ready? We must go.

3 化妝 (huàjhuāng / huàzhuāng)　VO：to put on make-up

她出門以前，一定化妝。

Tā chūmén yǐcián, yídìng huàjhuāng.
Tā chūmén yǐqián, yídìng huàzhuāng.
Before she goes out, she must put on make-up.

4 換 (huàn)　V：to change

她在換衣服，請等一會兒。

Tā zài huàn yīfú, cǐng děng yìhuěir.
Tā zài huàn yīfú, qǐng děng yìhuǐr.
She is changing clothes. Please wait a while.

5 黃色 (huángsè) N：yellow

那件黃色的外套是誰的？
Nèijiàn huángsède wàitào shìh shéide?
Nèijiàn huángsède wàitào shì shéide?
Whose yellow coat is that?

黃 (huáng) N/SV：yellow / to be yellow

色 (sè) BF：color

6 漂亮 (piàoliàng) SV：to be beautiful, to be pretty

你今天穿的鞋子很漂亮。
Nǐ jīntiān chuānde siézih hěn piàoliàng.
Nǐ jīntiān chuānde xiézi hěn piàoliàng.
The shoes you are wearing today are very beautiful.

7 雙 (shuāng) M：pair of

這雙皮鞋是我昨天新買的。
Jhèishuāng písié shìh wǒ zuótiān sīn mǎide.
Zhèishuāng píxié shì wǒ zuótiān xīn mǎide.
I bought this pair of shoes yesterday.

8 白 (bái) N/SV：white; to be white

他家有一隻大白狗。
Tā jiā yǒu yìjhīh dà bái gǒu.
Tā jiā yǒu yìzhī dà bái gǒu.
His family has a large white dog.

9 皮鞋 (písié / píxié) N：leather shoes（M：雙 shuāng）

皮 (pí) N：leather

皮子 (pízih / pízi)

N：leather（M：張 jhāng / zhāng，塊 kuài）

鞋_{ㄒㄧㄝ} (sié / xié)　N：shoe

鞋_{ㄒㄧㄝ}子_ㄗ (siézih / xiézi)　N：shoe

10　涼_{ㄌㄧㄤ} (liáng)　SV：to be cool

涼_{ㄌㄧㄤ}快_{ㄎㄨㄞ} (liángkuài)　SV：to be (pleasantly) cool

今_{ㄐㄧㄣ}天_{ㄊㄧㄢ}比_{ㄅㄧ}昨_{ㄗㄨㄛ}天_{ㄊㄧㄢ}涼_{ㄌㄧㄤ}快_{ㄎㄨㄞ}多_{ㄉㄨㄛ}了_{ㄌㄜ}。

Jīntiān bǐ zuótiān liángkuài duōle.
Today is much cooler than yesterday.

11　外_{ㄨㄞ}套_{ㄊㄠ} (wàitào)　N：overcoat（M：件_{ㄐㄧㄢ} jiàn）

套_{ㄊㄠ} (tào)　M：suit, set of clothes, books, furniture, etc.

12　總_{ㄗㄨㄥ}是_ㄕ (zǒngshìh / zǒngshì)　A：always, without exception

我_{ㄨㄛ}每_{ㄇㄟ}次_ㄘ看_{ㄎㄢ}見_{ㄐㄧㄢ}他_{ㄊㄚ}，他_{ㄊㄚ}總_{ㄗㄨㄥ}是_ㄕ在_{ㄗㄞ}念_{ㄋㄧㄢ}書_{ㄕㄨ}。

Wǒ měicìh kànjiàn tā, tā zǒngshìh zài niànshū.
Wǒ měicì kànjiàn tā, tā zǒngshì zài niànshū.
Every time I see him, he's always studying.

13　藍_{ㄌㄢ} (lán)　N/SV：blue / to be blue

14　原_{ㄩㄢ}來_{ㄌㄞ} (yuánlái)　MA：originally, formerly

我_{ㄨㄛ}原_{ㄩㄢ}來_{ㄌㄞ}不_{ㄅㄨ}喜_{ㄒㄧ}歡_{ㄏㄨㄢ}吃_ㄔ牛_{ㄋㄧㄡ}肉_{ㄖㄡ}，現_{ㄒㄧㄢ}在_{ㄗㄞ}很_{ㄏㄣ}喜_{ㄒㄧ}歡_{ㄏㄨㄢ}吃_ㄔ了_{ㄌㄜ}。

Wǒ yuánlái bùsǐhuān chīh nióuròu, siànzài hěn sǐhuān
chīhle.
Wǒ yuánlái bùxǐhuān chī niúròu, xiànzài hěn xǐhuān chīle.
Originally I didn't like to eat beef, but now I like it a lot.

15　紅_{ㄏㄨㄥ} (hóng)　N/SV：red / to be red

16　年_{ㄋㄧㄢ}級_{ㄐㄧ} (niánjí)　N/M：grade in school

17　住_{ㄓㄨ}校_{ㄒㄧㄠ} (jhùsiào / zhùxiào)　VO：to live at school

18 願意ˋ (yuànyì)　　AV：be willing, want to, like to

我ˇ很ˇ願意ˋ幫ˋ你ˇ忙ˊ，可ˇ是ˋ今ㄐ天ㄊ我ˇ沒ˊ有ˇ時ˊ間ㄐ。

Wǒ hěn yuànyì bāng nǐ máng, kěshìh jīntiān wǒ méiyǒu shíhjiān.

Wǒ hěn yuànyì bāng nǐ máng, kěshì jīntiān wǒ méiyǒu shíjiān.

I really want to help you, but today I don't have time.

SUPPLEMENTARY VOCABULARY

19 故事ˋ (gùshìh / gùshì)　　N：story

他ㄊ說ㄕ的ㄉ故ˋ事ˋ都ㄉ很ˇ好ˇ聽ㄊ。

Tā shuōde gùshìh dōu hěn hǎotīng.

Tā shuōde gùshì dōu hěn hǎotīng.

The stories he tells all sound good.

20 介紹ˋ信ㄒ (jièshàosìn / jièshàoxìn)　　N：introduction letter

21 忽然ㄖ (hūrán)　　A：suddenly

22 只ˇ好ˇ (jhǐhhǎo / zhǐhǎo)　　A：cannot but, have to

車ㄔ壞ˋ了ㄉ，我ˇ們ㄇ只ˇ好ˇ走ˇ路ˋ回ˊ家ㄐ了ㄉ。

Chē huàile, wǒmen jhǐhhǎo zǒulù huéijiā le.

Chē huàile, wǒmen zhǐhǎo zǒulù huíjiā le.

The car is broken down, so we have to walk home.

23 部ˋ分ㄣ (bùfèn)　　M/N：part, section

請ˇ你ˇ把ˇ這ˋ一ˋ部ˋ分ㄣ拿ˊ給ˇ他ㄊ。

Cǐng nǐ bǎ jhè yíbùfèn nágěi tā.

Qǐng nǐ bǎ zhè yíbùfèn nágěi tā.

Please take this part and give it to him.

大ㄉㄚ部ㄅㄨ分ㄈㄣ (dàbùfèn)　N：the most part

老ㄌㄠ師ㄕ教ㄐㄧㄠ過ㄍㄨㄛ的ㄉㄜ字ㄗ，我ㄨㄛ大ㄉㄚ部ㄅㄨ分ㄈㄣ都ㄉㄡ記ㄐㄧ得ㄉㄜ。

Lǎoshīh jiāoguòde zìh, wǒ dàbùfèn dōu jìdé.
Lǎoshī jiāoguòde zì, wǒ dàbùfèn dōu jìdé.
I remember most of the words the teacher taught.

24　綠ㄌㄩ (lyù / lǜ)　N/SV：green / to be green

25　草ㄘㄠ地ㄉㄧ (cǎodì)　N：lawn（M：片ㄆㄧㄢ piàn）

草ㄘㄠ (cǎo)　N：grass（M：棵ㄎㄜ kē）

26　顏ㄧㄢ色ㄙㄜ (yánsè)　N：color

27　開ㄎㄞ花ㄏㄨㄚ (kāihuā)　VO：to bloom, to blossom

開ㄎㄞ (kāi)　V：to bloom, to blossom

花ㄏㄨㄚ (huā)　N：flower（M：朵ㄉㄨㄛ duǒ）

春ㄔㄨㄣ天ㄊㄧㄢ到ㄉㄠ了ㄌㄜ，草ㄘㄠ地ㄉㄧ上ㄕㄤ的ㄉㄜ花ㄏㄨㄚ都ㄉㄡ開ㄎㄞ了ㄌㄜ。

Chūntiān dàole, cǎodìshàngde huā dōu kāile.
Spring has arrived. All the flowers on the lawn have blossomed.

28　黑ㄏㄟ板ㄅㄢ (hēibǎn)　N：blackboard（M：塊ㄎㄨㄞ kuài）

29　戴ㄉㄞ (dài)　V：to wear (hat, watch, jewelry etc.)

他ㄊㄚ戴ㄉㄞ的ㄉㄜ那ㄋㄚ個ㄍㄜ錶ㄅㄧㄠ很ㄏㄣ貴ㄍㄨㄟ。

Tā dàide nèige biǎo hěn guèi.
Tā dàide nèige biǎo hěn guì.
That watch he is wearing is very expensive.

4 SYNTAX PRACTICE

I. Verbal Suffix 著 Used as a Marker of Continuity

(I) V-著 indicates the continuity of an action or state.

a.

S	V-著	(O)	呢
我	聽著		呢。
I'm listening.			

1. 外面下著雨呢，你別出去了吧。

2. 快去吧，他在那兒等著你呢。

3. 他們還在鄉下住著呢。

4. 他在那兒站著呢，你看見了嗎？

　　看見了。

b.

S₁	V₁-著	V₁-著，	(S₂)	V₂O₂	了
我們	走著	走著，		到學校了。	
We walked and walked, and arrived at the school.					

1. 我們談著談著，公車來了。

2. 我走著走著，忽然下雨了。

3. 我們說著說著，他回來了。

4. 我們唱著唱著，忘了時間了。

(II) V-著 indicates that a state (which came into being as a result of certain action) is continuing (i.e. remains unchanged).

a.

N/PW	V-著 (NU-M-) N
他的手裡	拿著 一 枝 筆。
He is holding a pen in his hand.	

1. 書架上放著好幾本書。
2. 客廳裡掛著一張畫兒。
3. 黑板上寫著幾個句子。
4. 他戴著一個很貴的錶。
5. 她今天穿著一件紅衣服。

b.

N （在 PW）	V-著 （呢）
筆 在 桌子上	放著 呢。
The pen is lying on the table.	

1. 門開著呢，快關上吧。
2. 我的車在車房裡停著呢。
3. 那件外套在衣櫃裡掛著呢。
4. 他跟客人在客廳裡坐著呢。
5. 我的筆呢？在你的手裡拿著呢。

(III) V-著 is used in imperative sentences. (It is a request or an order, asking someone to maintain a certain state.)

S	V-著(O)
你	拿著這個，我去買票。
You take this. I'll go buy tickets.	

1. 你坐著，別站起來。

2. 你們看著我，別看書。

3. 你在這兒等著，別走開。

4. 你得記著這件事，別忘了。

5. 你聽著，我在跟你說話呢。

(IV) V / SV-著 acts as an adverb to show the manner or circumstance which accompanies the action that is indicated by the main verb.

S	V₁-著 (O₁)	V	O
他	看著 報	吃	早飯。
He reads the newspaper, while eating breakfast.			

1. 你可以坐著說，不必站起來。

2. 她總是唱著歌兒走路。

3. 我試著用中文寫一封信。

4. 我喜歡關著燈睡覺。

5. 我忙著到學校來，忘了吃早飯了。

Please describe the living room

Fill in the blanks with V- 著 (O)

1. 快去吧，你朋友 ＿＿＿＿＿＿＿＿ 你呢。

2. 窗戶 ＿＿＿＿＿＿＿＿ 呢，所以房間裡很冷。

3. 車房裡 ＿＿＿＿＿＿＿＿ 兩輛車。

4. 你的茶在桌子上 ＿＿＿＿＿＿＿＿ 呢。

5. 我 ＿＿＿＿＿＿＿＿ ，忽然覺得不太舒服。

6. 她 ＿＿＿＿＿＿＿＿ 新衣服去跳舞了。

7. 他常常 ＿＿＿＿＿＿＿＿ 開車。

8. 別 ＿＿＿＿＿＿＿＿ 說話。

9. 老師 ＿＿＿＿＿＿＿＿ 上課。

10. 他喜歡 ＿＿＿＿＿＿＿＿ 吃飯。

II. Time Elapsed

In positive sentences time-spent phrases are placed after the main verbs. However, if the desire is to indicate that the action hasn't occurred for quite some time, then the time-elapsed is placed before the main verb.

（Ⅰ）

S	(AV)	Time Elapsed	Neg-	VO
我	能	一天	不	吃飯，
	不能	一天	不	喝水。
I can go without eating for one day, but I can't go without drinking for one day.				

1. 我不能一天不睡覺。

2. 要是三個月不下雨，水就不夠了。

3. 要是我一年不說中文，大概就都忘了。

(II)

S Time-When 有 Time Elapsed Neg- VO
我　上個月　有　　十天　　沒　上課。
Last month I didn't go to class for ten days.

1. 他下星期有三天不能來。

2. 我上個月有好幾天沒在家吃飯。

3. 他去年有半年沒做事。

(III)

S （已經）Time Elapsed 沒- VO 了
他　已經　　三天　　沒　上課　了。
He hasn't come to class for three days already.

1. 你多久沒看見他了？

   差不多三年沒看見他了。

2. 我已經一年沒給她寫信了。

3. 已經兩個月沒下雨了。

Answer the following questions

1. 你多久沒去市場了？

2. 你多久沒看電影了？

3. 你多久沒去旅行了？

4. 你多久沒跳舞了？

5. 你多久沒照像了？

6. 上個星期你有幾天沒上課？

7. 你上個星期有幾天沒看電視？

8. 你去年有多久沒住在家裡？

9. 要是一個月不看報，你覺得怎麼樣？

10. 要是一年不下雨，你想我們還有水喝嗎？

11. 你能不能一天不說話？

12. 你能不能一個月不看書？

5 APPLICATION ACTIVITIES

▼ I. Each student uses "V-著" to make a sentence describing some one or something in the class.

eg. 教ㄐㄠ室ㄕ (jiàoshìh / jiàoshì)* 裡放著很多桌子椅子。
老師在前面站著上課。

▼ II. What color do you think each piece of the clothes is?

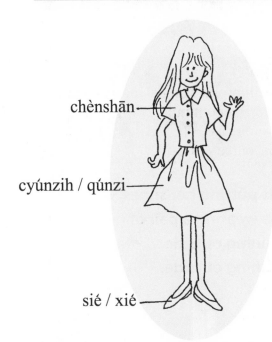

chènshān

cyúnzih / qúnzi

sié / xié

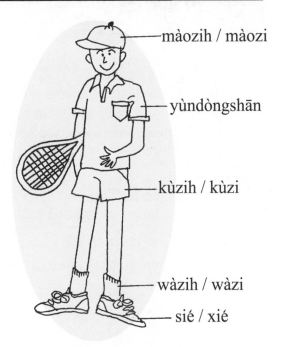

màozih / màozi

yùndòngshān

kùzih / kùzi

wàzih / wàzi

sié / xié

---

* 教ㄐㄠ室ㄕ (jiàoshìh/jiàoshì)：classroom

> **III. Each student asks a question using** "S 多久沒 VO 了"
> **to a classmate. The classmate answers and then uses**
> **the same format to ask another classmate.**

> **IV. Situation**

A person goes to visit a friend. The two discuss each other's family situation.

6 | NOTES

The Contrast between "V 著 O" and "在 VO"
"在 VO" indicates the action (not state) is in progressing at a certain time.
"V 著 O" indicates either an action or a state is continuing. "著" as a subordinate marker usually does not stand alone as "在", "著" is often followed by "呢" or a main part of the discourse.

eg.	她在穿鞋。	She is putting her shoes.
	她穿著一雙新鞋。	She is wearing a pair of new shoes.
	外面在下雨。	It's raining outside.
	外面下著雨呢。	It's raining outside.

第九課 | 這個盒子裝①得②下嗎？

1 DIALOGUE

I

文德：真真，愛美，你們在忙什麼？準備明天野餐③的東西④嗎？

愛美：是啊，我們在做沙拉 (shālā)*。

文德：需要我幫忙嗎？

愛美：好啊，請你從碗櫃裡拿兩個盒子給我，我要裝沙拉跟炸雞⑤。

文德：你看用這兩個盒子，裝得下嗎？

愛美：我想裝得下。真真，我們上次買的紙杯、紙盤⑥，你放在哪兒了？

真真：我忘了，噢，我想起來了，在那個櫃子裡，我去拿出來。

---

* 沙拉 (shālā)：salad

愛美：先把這些東西放在袋子⑦裡吧。別忘了帶刀叉。

文德：明天也要烤肉⑧嗎？

愛美：對啊，肉在冰箱⑨裡放著呢。

文德：我們這次還是到公園去野餐⑩嗎？

真真：是啊，你想得出更好的地方來嗎？

文德：為什麼不去海邊呢？

真真：現在海邊大概還太冷，風也太大⑪。

愛美：文德，不早了，你快回去睡覺吧，要不然⑫，你明天早
　　　上起不來，我們就不等你了。

文德：好，好，好。真真，愛美，晚安⑬。明天見。

真真、愛美：明天見。

Ⅱ

（在公園裡）

愛美：肉烤好了，文德呢？

真真：他跟那些孩子玩兒起來了。

愛美：他們好像玩兒得好高興啊。

愛美：文德，你要不要過來吃一片烤肉^⑭？

文德：好，我來了。這個肉烤得好香^⑮啊！

愛美：那你就多吃幾片吧。真真，你也再來一片吧。

真真：我吃不下^⑯了，我只想喝汽水。

文德：汽水在哪兒呢？我也好渴^⑰。

愛美：汽水在麵包^⑱旁邊。文德，你也幫真真拿一罐^⑲吧。

文德：好。真真，這罐汽水，我幫你開開了，拿去吧。

真真：謝謝。

文德：我們休息一會兒，一起過去玩兒吧。

ㄉㄧˋ ㄐㄧㄡˇ ㄎㄜˋ　ㄓㄟˋ ㄍㄜ˙ ㄏㄜˊ ㄕˋ ㄓㄨㄤˋ ㄉㄜ˙ ㄒㄧㄚˋ ㄇㄚ ？

I

ㄨㄣˊ ㄅㄛˊ：ㄓㄣˋ ㄓㄣ，ㄞˋ ㄇㄟˇ，ㄋㄧˇ ㄇㄣ˙ ㄗㄞˋ ㄇㄤˊ ㄕˊ ㄇㄜ˙？ㄓㄣˋ ㄟ ㄇㄧㄥˊ ㄊㄧㄢ ㄧㄝ ㄎㄞ ㄉㄜ˙ ㄅㄨㄥˋ ㄒㄧ ㄇㄚ？

ㄞˋ ㄇㄟˇ：ㄕˋ ㄚ˙，ㄨㄛˇ ㄇㄣ˙ ㄗㄞˋ ㄗㄨㄛˋ ㄕˋ ㄉㄚ。

ㄨㄣˊ ㄅㄛˊ：ㄒㄩ ㄧㄠˋ ㄨㄛˇ ㄅㄤ ㄇㄤˊ ㄇㄚ˙？

ㄞˋ ㄇㄟˇ：ㄏㄠˇ ㄚ˙，ㄑㄧㄥ ㄋㄧˇ ㄊㄞˊ ㄨㄢˇ ㄍㄨㄟˋ ㄋㄧˊ ㄌㄧㄠˋ ㄍㄜ˙ ㄍㄜ˙ ㄕˋ ㄨㄟˋ ㄇㄛˊ，ㄨㄛˇ ㄧㄠˋ ㄓㄨ ㄕㄨㄤ ㄉㄚ ㄍㄚ ㄐㄧㄢ ㄐㄧㄚ ㄐㄧˇ。

ㄨㄣˊ ㄅㄛˊ：ㄋㄧˇ ㄎㄢ ㄩ ㄓㄣˋ ㄌㄧㄚˇ ㄒㄧㄤˊ ㄍㄜˊ ㄍㄜ ㄕˋ，ㄓㄨㄤˋ ㄉㄜ˙ ㄒㄧㄚˋ ㄇㄚ？

ㄞˋ ㄇㄟˇ：ㄨㄛˇ ㄒㄧㄤˋ ㄓㄨㄤˋ ㄉㄜ˙ ㄒㄧㄚˋ。ㄓㄣˋ ㄓㄣ，ㄨㄛˇ ㄇㄣˊ ㄕㄤ ㄅㄞ ㄇㄣˊ ㄉㄜ˙ ㄓˊ ㄅㄟ˙、ㄓˊ ㄆㄢˊ，ㄋㄧˇ ㄇㄧㄤˋ ㄆㄞ ㄋㄚˇ ㄦˊ ㄚ？

ㄓㄣ ㄓㄣ：ㄨㄛˇ ㄨㄤˊ ㄉㄜ˙ ㄌㄜ˙，ㄡˋ，ㄨㄛˇ ㄒㄧㄤ ㄑㄧ ㄌㄞˊ ㄌㄜ˙，ㄗㄞˋ ㄋㄚˇ ㄍㄜˊ ㄍㄨㄟˋ ㄕˊ ㄌㄧ，ㄨㄛˇ ㄑㄩˋ ㄋㄚˊ ㄔㄨ ㄌㄞˊ。

ㄞˋ ㄇㄟˇ：ㄒㄧㄢˋ ㄅㄨˊ ㄓㄟˋ ㄒㄧㄢ ㄆㄨㄥˋ ㄒㄧ ㄈㄤ ㄗㄞˋ ㄅㄞˊ ㄅㄧˇ ㄋㄧˊ。ㄅㄛˊ ㄨㄤˊ ㄉㄜ˙ ㄅㄞ ㄅㄠˇ ㄔㄧ ㄚˊ ㄇㄧㄥˊ ㄧˊ ㄌㄧㄠˇ。

ㄨㄣˊ ㄅㄛˊ：ㄊㄧㄢˊ ㄧㄝˊ ㄧㄠˋ ㄎㄠˋ ㄖㄡ ㄇㄚˊ？

ㄞˋ ㄇㄟˇ：ㄅㄨˊ ㄩˊ，ㄏㄞˋ ㄗㄞˋ ㄈㄤ ㄒㄧㄤ ㄌㄧˇ ㄈㄤˊ ㄓㄜˊ ㄋㄜ˙。

ㄨㄣˊ ㄅㄛˊ：ㄨㄛˇ ㄋㄧˇ ㄓㄟˋ ㄅㄟ ㄏㄞˊ ㄕˋ ㄨㄛˇ ㄓㄟˋ ㄩˋ ㄑㄧ ㄧㄝˊ ㄔㄢˊ ㄋㄧˊ？

ㄓㄣ ㄓㄣ：ㄕˋ ㄚ˙，ㄋㄧˇ ㄒㄧㄤ ㄋㄧˊ ㄔㄨˊ ㄍㄠˋ ㄑㄧˊ ㄧㄝˊ ㄈㄤˊ ㄌㄞˊ ㄇㄚ˙？

ㄨㄣˊ ㄅㄛˊ：ㄨㄟ ㄗˋ ㄌㄜ˙ ㄅㄧˇ ㄑㄩ ㄏㄞˊ ㄅㄟ˙ ㄋㄜ˙？

ㄓㄣ ㄓㄣ：ㄒㄧㄢˊ ㄏㄞˊ ㄏㄞˊ ㄏㄞˊ ㄐㄧㄚ ㄏㄜˊ ㄊㄞˋ ㄉㄨㄛ，ㄈㄤˊ ㄧㄝˊ ㄊㄞˋ ㄅㄚ˙。

ㄞˋ ㄇㄟˇ：ㄨㄛˇ ㄨㄤˊ ㄉㄜ˙，ㄅㄨ ㄗˋ ㄉㄜ˙，ㄋㄧˇ ㄎㄢˊ ㄏㄜˊ ㄙㄨ ㄐㄩ ㄐㄩˊ ㄅㄣˊ，ㄧˋ ㄅㄧˇ ㄖㄢ，ㄋㄧˇ ㄇㄜˊ ㄅㄠˊ ㄅㄛˊ ㄊㄞ ㄗˋ ㄕㄨˊ ㄑㄟˊ ㄅㄟ ㄖㄢˊ，ㄨㄛˇ ㄅㄨ˙ ㄐㄩ ㄋㄧˊ ㄌㄧㄝˊ ㄐㄧㄢ。

ㄨㄣˊ ㄅㄛˊ：ㄏㄜˊ，ㄏㄠˇ，ㄏㄠˇ。ㄓㄣˋ ㄓㄣ，ㄞˋ ㄇㄟˇ，ㄨㄢ ㄢ。ㄇㄧㄥˊ ㄊㄧㄢ ㄐㄧㄢˋ。

ㄓㄣ ㄓㄣ、ㄞˋ ㄇㄟˇ：ㄇㄧㄥˊ ㄊㄧㄢ ㄐㄧㄢˋ。

Ⅱ

（ㄗㄞˋ ㄍㄨㄥ ㄩㄢˊ ㄌㄧˇ）

ㄞˋ ㄇㄟˇ ： ㄖㄡˋ ㄎㄠ ㄍㄜˊ ㄉㄜ˙ ，ㄨㄣˊ ㄅㄜˊ ㄋㄜˊ ？

ㄓㄣ ㄓㄣ ： ㄊㄚˊ ㄍㄜ˙ ㄋㄟˋ ㄏㄞˊ ㄕˊ ㄨㄢˊ ㄦ ㄧˊ ㄉㄧㄢˋ ㄉㄜ˙ 。

ㄞˋ ㄇㄟˇ ： ㄊㄚˊ ㄅㄣˇ ㄋㄠˋ ㄏㄧㄤ ㄨㄢˊ ㄦ ㄉㄜ˙ ㄍㄠˊ ㄒㄧㄥˋ 。

ㄞˋ ㄇㄟˇ ： ㄨㄢˊ ㄉㄜˊ ，ㄋㄟˇ ㄧˊ ㄠˋ ㄨˊ ㄧˊ ㄨㄟˋ ㄉㄟ ㄔ ㄧˊ ㄊㄧㄢˋ ㄎㄞˊ ㄖㄡˋ ？

ㄨㄣˊ ㄉㄜˊ ： ㄏㄠˊ ，ㄨˊ ㄉㄞˋ ㄉㄜ˙ 。ㄓㄜ ㄍㄜ˙ ㄖㄡˋ ㄎㄜˊ ㄉㄜ˙ ㄏㄧㄤ ㄚˋ ！

ㄞˋ ㄇㄟˇ ： ㄋㄚˊ˙ㄋㄧ ㄐㄧㄡˋ ㄔ ㄐㄧ ㄆㄡˊ˙ㄅㄣ 。ㄓㄣ ㄓㄣ ，ㄋㄧˊ ㄧㄝ ㄗㄞˋ ㄉㄞˋ ㄧˊ ㄊㄧㄢˊ˙ㄅㄚ 。

ㄓㄣ ㄓㄣ ： ㄨㄛˊ ㄔ ㄅㄨ ㄒㄧㄚˊ ㄉㄜˋ ，ㄨㄛˊ ㄓ ㄒㄧㄤ ㄏㄜ ㄑㄧˊ ㄕㄨㄟˋ 。

ㄨˊ ㄉㄜˊ ： ㄑㄧㄡˋ ㄗㄞˊ ㄗㄞˊ ㄋㄚˋ ㄦ ㄋㄜˊ ？ㄨㄛˊ ㄧㄝ ㄏㄠˊ ㄎㄜˊ 。

ㄞˋ ㄇㄟˇ ： ㄨㄟˊ ㄗㄨㄟˋ ㄗㄞˊ ㄖㄨㄟˋ ㄎㄠ ㄆㄤˊ ㄅㄧㄢˊ 。ㄨˊ ㄉㄜˊ ，ㄋㄧˊ ㄧㄝ ㄤˋ ㄓㄣ ㄓㄣ ㄋㄚˊ ㄧˊ ㄍㄨㄢˋ 。

ㄨˊ ㄉㄜˊ ： ㄏㄠˊ 。ㄓㄣ ㄓㄣ ，ㄓㄨ ㄍㄨㄟ ㄑㄧˊ ㄖㄨˋ ，ㄨㄛˊ ㄆㄤ ㄋㄧˊ ㄎㄞ ㄎㄞ ㄉㄜˊ ，ㄋㄚˊ ㄑㄩ 。

ㄓㄣ ㄓㄣ ： ㄨㄛˊ˙ㄅㄚㄒㄧㄝˊ˙ㄋㄧ 。

ㄨˊ ㄉㄜˊ ： ㄨㄛˊ˙ㄇㄣ ㄒㄧㄡˊ ㄒㄧ ㄧˊ ㄏㄨㄟˋ ㄦ ，ㄧˊ ㄑㄧˋ ㄍㄜ ㄑㄩ ㄍㄨㄢˊ ㄦ˙ㄅㄚ 。

Dì Jiǒu Kè　　Jhèige hézih Jhuāngdesià Ma?

Ⅰ

Wúndé　: Jhēnjhēn, Àiměi, nǐmen zài máng shénme? Jhǔnbèi míngtiān yěcānde dōngsī ma?

Àiměi　: Shìh a, wǒmen zài zuò shālā.

Wúndé　: Syūyào wǒ bāngmáng ma?

Àiměi　: Hǎo a, cǐng nǐ cóng wǎnguèilǐ ná liǎngge hézih gěi wǒ, wǒ yào jhuāng shālā gēn jhájī.

Wúndé : Nǐ kàn yòng jhè liǎngge hézih, jhuāngdesià ma?

Àiměi : Wǒ siǎng jhuāngdesià. Jhēnjhēn, wǒmen shàngcìh mǎide jhǐhbēi, jhǐhpán, nǐ fàngzài nǎr le?

Jhēnjhēn : Wǒ wàngle. Òu, wǒ siǎngcǐláile, zài nèige guèizihlǐ, wǒ cyù náchūlái.

Àiměi : Siān bǎ jhèisiē dōngsī fàngzài dàizihlǐ ba. Bié wàngle dài dāochā.

Wúndé : Míngtiān yě yào kǎoròu ma?

Àiměi : Duèi a, ròu zài bīngsiānglǐ fàngjhe ne.

Wúndé : Wǒmen jhèicìh háishìh dào gōngyuán cyù yěcān ma?

Jhēnjhēn : Shìh a, nǐ siǎngdechū gèng hǎode dìfāng lái ma?

Wúndé : Wèishénme búcyù hǎibiān ne?

Jhēnjhēn : Siànzài hǎibiān dàgài hái tài lěng, fōng yě tài dà.

Àiměi : Wúndé, bùzǎole, nǐ kuài huéicyù shuèijiào ba, yàobùrán, nǐ míngtiān zǎoshàng cǐbùlái, wǒmen jiòu bùděng nǐ le.

Wúndé : Hǎo, hǎo, hǎo. Jhēnjhēn, Àiměi, wǎnān. Míngtiān jiàn.

Jhēnjhēn & Àiměi : Míngtiān jiàn.

II

(zài gōngyuánlǐ)

Àiměi : Ròu kǎohǎole, Wúndé ne?

Jhēnjhēn : Tā gēn nèisiē háizih wánrcǐláile.

Àiměi : Tāmen hǎosiàng wánrde hǎo gāosìng a.

Àiměi : Wúndé, nǐ yào búyào guòlái chīh yípiàn kǎoròu?

Wúndé : Hǎo, wǒ láile. Jhèige ròu kǎode hǎo siāng a!

Àiměi : Nà nǐ jiòu duō chīh jǐpiàn ba. Jhēnjhēn, nǐ yě zài lái yípiàn ba.

Jhēnjhēn : Wǒ chīhbúsiàle, wǒ jhǐh siǎng hē cìshuěi.

Wúndé : Cìshuěi zài nǎr ne? Wǒ yě hǎo kě.

Àiměi : Cìshuěi zài miànbāo pángbiān. Wúndé, nǐ yě bāng Jhēnjhēn ná yíguàn ba.

Wúndé : Hǎo. Jhēnjhēn, jhèiguàn cìshuěi, wǒ bāng nǐ kāikāile, nácyù ba.

Jhēnjhēn : Sièsie.

Wúndé　 : Wǒmen siōusí yìhuěir, yìcǐ guòcyù wánr ba.

Dì Jiǔ Kè　　Zhèige hézi Zhuāngdexià Ma?

I

Wéndé　　 : Zhēnzhēn, Àiměi, nǐmen zài máng shénme? Zhǔnbèi míngtiān yěcānde dōngxī ma?

Àiměi　　 : Shì a, wǒmen zài zuò shālā.

Wéndé　　 : Xūyào wǒ bāngmáng ma?

Àiměi　　 : Hǎo a, qǐng nǐ cóng wǎnguìlǐ ná liǎngge hézi gěi wǒ, wǒ yào zhuāng shālā gēn zhájī.

Wéndé　　 : Nǐ kàn yòng zhè liǎngge hézi, zhuāngdexià ma?

Àiměi　　 : Wǒ xiǎng zhuāngdexià. Zhēnzhēn, wǒmen shàngcì mǎide zhǐbēi, zhǐpán, nǐ fàngzài nǎr le?

Zhēnzhēn : Wǒ wàngle. Òu, wǒ xiǎngqǐláile, zài nèige guìzilǐ, wǒ qù náchūlái.

Àiměi　　 : Xiān bǎ zhèixiē dōngxī fàngzài dàizilǐ ba. Bié wàngle dài dāochā.

Wéndé　　 : Míngtiān yě yào kǎoròu ma?

Àiměi　　 : Duì a, ròu zài bīngxiānglǐ fàngzhe ne.

Wéndé　　 : Wǒmen zhèicì háishì dào gōngyuán qù yěcān ma?

Zhēnzhēn : Shì a, nǐ xiǎngdechū gèng hǎode dìfāng lái ma?

Wéndé　　 : Wèishénme búqù hǎibiān ne?

Zhēnzhēn : Xiànzài hǎibiān dàgài hái tài lěng, fēng yě tài dà.

Àiměi　　 : Wéndé, bùzǎole, nǐ kuài huíqù shuìjiào ba, yàobùrán, nǐ míngtiān zǎoshàng qǐbùlái, wǒmen jiù bùděng nǐ le.

Wéndé　　 : Hǎo, hǎo, hǎo. Zhēnzhēn, Àiměi, wǎnān. Míngtiān jiàn.

Zhēnzhēn & Àiměi : Míngtiān jiàn.

II

(zài gōngyuánlǐ)

Àiměi : Ròu kǎohǎole, Wéndé ne?

Zhēnzhēn : Tā gēn nèixiē háizi wánrqǐláile.

Àiměi : Tāmen hǎoxiàng wánrde hǎo gāoxìng a.

Àiměi : Wéndé, nǐ yào búyào guòlái chī yípiàn kǎoròu?

Wéndé : Hǎo, wǒ láile. Zhèige ròu kǎode hǎo xiāng a!

Àiměi : Nà nǐ jiù duō chī jǐpiàn ba. Zhēnzhēn, nǐ yě zài lái yípiàn ba.

Zhēnzhēn : Wǒ chībúxiàle, wǒ zhǐ xiǎng hē qìshuǐ.

Wéndé : Qìshuǐ zài nǎr ne? Wǒ yě hǎo kě.

Àiměi : Qìshuǐ zài miànbāo pángbiān. Wéndé, nǐ yě bāng Zhēnzhēn ná yíguàn ba.

Wéndé : Hǎo. Zhēnzhēn, zhèiguàn qìshuǐ, wǒ bāng nǐ kāikāile, náqù ba.

Zhēnzhēn : Xièxie.

Wéndé : Wǒmen xiūxí yìhuǐr, yìqǐ guòqù wánr ba.

LESSON 9

IS THIS BOX BIG ENOUGH?

I

Wende : Zhenzhen, Amy, what are you busy doing? Are you getting the things ready for tomorrow's picnic?

Amy : Yes, we are making salad.

Wende : Do you need my help?

Amy : OK, please get two containers from the cabinet and give them to me. I want to fill them with salad and fried chicken.

Wende : Do you think these two boxes are big enough?

Amy : I think they will hold enough. Zhenzhen, where did you put the paper cups and plates we bought last time?

Zhenzhen : I forgot. Oh, I remember, in that cabinet. I will get them.

Amy　　　: First put these things in a bag. Don't forget to bring knives and forks.

Wende　　: Tomorrow, do you also want to B.B.Q.?

Amy　　　: Yes, the meat is in the refrigerator.

Wende　　: Are we going to have the picnic in the park this time too?

Zhenzhen : That's right. Can you think of a better place?

Wende　　: Why not go to the beach?

Zhenzhen : The beach is probably too cold and windy now.

Amy　　　: Wende, it's late. You hurry home and go to bed; otherwise, you will not wake up tomorrow and we will not wait for you.

Wende　　: OK, OK. Zhenzhen, Amy, good night. See you tomorrow.

Amy & Zhenzhen : See you tomorrow.

II

(In the park)

Amy　　　: The B.B.Q. is ready. Where is Wende?

Zhenzhen : He started playing with the children.

Amy　　　: They look like they are enjoying themselves.

Amy　　　: Wende, do you want to come over and have a piece of B.B.Q.?

Wende　　: OK, I'm coming. This B.B.Q. smells good!

Amy　　　: So, have some more. Zhenzhen, you come to have a piece too.

Zhenzhen : I can't eat any more. I just want to drink some soda.

Wende　　: Where is the soda? I'm also thirsty.

Amy　　　: The soda is next to the bread. Wende, will you help Zhenzhen get a can?

Wende　　: OK. Zhenzhen, I've opened this can of soda for you. Here, take it.

Zhenzhen : Thank you.

Wende　　: Let's rest a while, and then go play together.

2 NARRATION

弟弟的日記[20]

五月十八日　星期日

　　今天天氣很好，有一點兒風，不冷也不熱，爸媽決定帶哥哥跟我一塊兒到山上去野餐。我們準備了很多好吃的東西，有炸雞、麵包、水果、沙拉、汽水……，因為一個大袋子裝不下，所以我們每人都拿一個袋子。

　　那個山很高，我們怕上不去，先把車開到一半的地方，然後下車，走上去。中午到了山上，每個人都已經餓了，把袋子放下，我們就開始野餐[21]。可是東西太多，我們吃了一半，就吃不下了。吃過飯，我們休息了一會兒，就下山了。到家的時候，天已經黑了。

　　今天玩兒得真高興，可是有一點兒累。晚上我要早一點兒睡覺，要不然明天早上我一定起不來。

ㄉㄧˋ ㄉㄧ˙ ㄉㄜ ㄖˋ ㄐㄧˋ

ㄨˇ ㄩㄝˋ ㄕˊ ㄅㄚ ㄖˋ　ㄒㄧㄥ ㄑㄧˊ ㄖˋ

Dìdide Rìhjì

Wǔyuè Shíhbārìh Sīngcírìh

Jīntiān tiāncì hěn hǎo, yǒu yìdiǎnr fōng, bùlěng yě búrè, bàmā jyuédìng dài gēge gēn wǒ yíkuàir dào shānshàng cyù yěcān. Wǒmen jhǔnbèile hěn duō hǎochīhde dōngsī, yǒu jhájī, miànbāo, shuěiguǒ, shālā,

211

cìshuěi ......, yīnwèi yíge dà dàizih jhuāngbúsià, suǒyǐ wǒmen měirén dōu ná yíge dàizih.

Nèige shān hěn gāo, wǒmen pà shàngbúcyù, siān bǎ chē kāidào yíbànde dìfāng, ránhòu sià chē, zǒushàngcyù. Jhōngwǔ dàole shānshàng, měige rén dōu yǐjīng èle, bǎ dàizih fàngsià, wǒmen jiòu kāishǐh yěcān. Kěshìh dōngsī tài duō, wǒmen chīhle yíbàn, jiòu chīhbúsiàle. Chīhguò fàn, wǒmen siōusíle yìhuěir, jiòu siàshān le. Dào jiā de shíhhòu, tiān yǐjīng hēile.

Jīntiān wánrde jhēn gāosìng, kěshìh yǒu yìdiǎnr lèi. Wǎnshàng wǒ yào zǎo yìdiǎnr shuèijiào, yàobùrán míngtiān zǎoshàng wǒ yídìng cǐbùlái.

Dìdide Rìjì

Wǔyuè Shíbārì Xīngqírì

Jīntiān tiānqì hěn hǎo, yǒu yìdiǎnr fēng, bùlěng yě búrè, bàmā juédìng dài gēge gēn wǒ yíkuàir dào shānshàng qù yěcān. Wǒmen zhǔnbèile hěn duō hǎochīde dōngxī, yǒu zhájī, miànbāo, shuǐguǒ, shālā, qìshuǐ......, yīnwèi yíge dà dàizi zhuāngbúxià, suǒyǐ wǒmen měirén dōu ná yíge dàizi.

Nèige shān hěn gāo, wǒmen pà shàngbúqù, xiān bǎ chē kāidào yíbànde dìfāng, ránhòu xià chē, zǒushàngqù. Zhōngwǔ dàole shānshàng, měige rén dōu yǐjīng èle, bǎ dàizi fàngxià, wǒmen jiù kāishǐ yěcān. Kěshì dōngxī tài duō, wǒmen chīle yíbàn, jiù chībúxiàle. Chīguò fàn, wǒmen xiūxíle yìhuǐr, jiù xiàshān le. Dào jiā de shíhòu, tiān yǐjīng hēile.

Jīntiān wánrde zhēn gāoxìng, kěshì yǒu yìdiǎnr lèi. Wǎnshàng wǒ yào zǎo yìdiǎnr shuìjiào, yàobùrán míngtiān zǎoshàng wǒ yídìng qǐbùlái.

MY YOUNG BROTHER'S DIARY

May 18, Sunday

The weather was very nice today. There was a little wind, and it wasn't too hot or too cold. Mom and Dad took my older brother and I to the mountains for a picnic. We prepared a lot of good things to eat, including fried chicken, bread, fruit, salad, sodas, etc. Because it wouldn't all fit into one big bag, we each took a bag.

The mountain was very high. We were afraid that we wouldn't be able to make it to the top, so we first drove the car halfway up, then got out and climbed up. We arrived at the top of the mountain at noon, and everyone was hungry, so we put our bags down and began to eat. But we had brought so many things to eat that after eating only half, we couldn't eat any more. After we ate, we rested for a little while, and then went back down the mountain. It was already dark when we got home.

I really enjoyed myself today, but I'm a little tired. Tonight I think I'll go to bed a little earlier. Otherwise, I won't be able to get up tomorrow morning.

3 VOCABULARY

1 盒子 (hézih / hézi)　N：box, case

盒 (hé)　M：box of

2 裝 (jhuāng / zhuāng)　V：to fill, to load

這個盒子要裝什麼東西？

Jhèige hézih yào jhuāng shénme dōngsī?
Zhèige hézi yào zhuāng shénme dōngxī?
What do you want to fill this box with?

3 準備 (jhǔnbèi / zhǔnbèi)

V/N：to prepare, to intend; preparations

旅行以前應該準備一點兒藥。

Lyǔsíng yǐcián yīnggāi jhǔnbèi yìdiǎnr yào.
Lǚxíng yǐqián yīnggāi zhǔnbèi yìdiǎnr yào.
Before traveling you should prepare some medication.

4 野餐 (yěcān)　V/N：to picnic; picnic

我很喜歡去野餐。

Wǒ hěn sǐhuān cyù yěcān.
Wǒ hěn xǐhuān qù yěcān.
I love going on picnics.

餐 (cān)　M/BF：measure word for meal; food, meal

西餐 (sīcān / xīcān)　N：western (style) food

5 炸雞 (jhájī / zhájī)　N：fried chicken

炸 (jhá / zhá)　V：to deep fry

6　紙ᵇ (jhǐh / zhǐ)　N：paper（M：張ᵇ jhāng / zhāng）

7　袋ᵇ子ᵖ (dàizih / dàizi)　N：bag, sack

袋ᵇ (dài)　M：bag of

口ᵇ袋ᵇ (kǒudài)　N：pocket, bag, sack

8　烤ᵇ肉ᵇ (kǎoròu)　N：barbecue (lit. roast meat)

烤ᵇ (kǎo)　V：to roast, to toast, to bake

9　冰ᵇ箱ᵇ (bīngsiāng / bīngxiāng)　N：refrigerator

冰ᵇ (bīng)　N/SV：ice; to be frozen

箱ᵇ (siāng / xiāng)　M：box of, trunk of

箱ᵇ子ᵖ (siāngzih / xiāngzi)　N：box, trunk, case

10　公ᵇ園ᵇ (gōngyuán)　N：(public) park

我ᵇ們ᵇ去ᵇ公ᵇ園ᵇ走ᵇ走ᵇ吧ᵇ！

Wǒmen cyù gōngyuán zǒuzǒu ba!
Wǒmen qù gōngyuán zǒuzǒu ba!
Let's go for a walk in the park!

11　風ᵇ (fōng / fēng)　N：wind

別ᵇ出ᵇ去ᵇ，外ᵇ面ᵇ風ᵇ很ᵇ大ᵇ。

Bié chūcyù, wàimiàn fōng hěn dà.
Bié chūqù, wàimiàn fēng hěn dà.
Don't go out. It's very windy outside.

12　要ᵇ不ᵇ然ᵇ (yàobùrán)　MA：otherwise

你ᵇ得ᵇ用ᵇ功ᵇ，要ᵇ不ᵇ然ᵇ老ᵇ師ᵇ會ᵇ不ᵇ高ᵇ興ᵇ。

Nǐ děi yònggōng, yàobùrán lǎoshīh huèi bùgāosìng.
Nǐ děi yònggōng, yàobùrán lǎoshī huì bùgāoxìng.
You must be studious; otherwise the teacher will be unhappy.

215

13 晚安 (wǎnān)　IE：good night

14 片 (piàn)

M：piece of (usually of something thin and flat), slice of

15 香 (siāng / xiāng)　SV：to be scented, to be fragrant

這個炸雞好香啊！
Jhèige jhájī hǎo siāng a!
Zhèige zhájī hǎo xiāng a!
This fried chicken smells so good.

16 汽水 (cìshuěi / qìshuǐ)　N：soda pop, carbonated drink

17 渴 (kě)　SV：to be thirsty

請給我一杯汽水，我渴得不得了。
Cǐng gěi wǒ yìbēi cìshuěi, wǒ kěde bùdéliǎo.
Qǐng gěi wǒ yìbēi qìshuǐ, wǒ kěde bùdéliǎo.
Please give me a glass of soda pop. I'm extremely thirsty.

18 麵包 (miànbāo)　N：bread

麵 (miàn)　N：flour, dough, noodle

包 (bāo)　V/M：to wrap, to contain; package of, parcel of

我把這件衣服包起來，再裝在盒子裡吧！
Wǒ bǎ jhèijiàn yīfú bāocǐlái, zài jhuāngzài hézihlǐ ba!
Wǒ bǎ zhèijiàn yīfú bāoqǐlái, zài zhuāngzài hézilǐ ba!
Let me wrap up this outfit and then put it in the box!

19 罐 (guàn)　M：jar of or can of

罐子 (guànzih / guànzi)　N：jar, canister, tin

SUPPLEMENTARY VOCABULARY

20 日記 (rìhjì / rìjì)　N：diary

21 開始 (kāishǐh / kāishǐ)　V：to start, to begin

你是什麼時候開始學中文的？
Nǐ shìh shénme shíhhòu kāishǐh syué Jhōngwún de?
Nǐ shì shénme shíhòu kāishǐ xué Zhōngwén de?
When did you begin studying Chinese?

22 糖 (táng)　N：candy, sugar

23 大人 (dàrén)　N：adult

24 聲音 (shēngyīn)　N：sound, voice

這是什麼聲音？
Jhè shìh shénme shēngyīn?
Zhè shì shénme shēngyīn?
What's this sound?

25 怎麼 (zěnme)　MA(QW)：how is it that, why

昨天你怎麼沒來？
Zuótiān nǐ zěnme méilái?
Why didn't you come yesterday?

4 | SYNTAX PRACTICE

I. Resultative Compounds (RC)

(I) Actual Form

Actual resultative compounds indicate that the result has been attained. Resultative Endings (RE) can be directional compounds, stative verbs or functive verbs.

Positive:

V -RE- 了
關 上 了 be shut, be closed (up)

Negative:

沒 - V - RE
沒 關 上 didn't shut, isn't / wasn't closed (up)

(II) Potential Form

This pattern indicates the result of the action can or can not be attained. Sentences using the 把 construction cannot use this form.

Positive:

V - 得 -RE
關 得 上 can be closed (up)

Negative:

V - 不 -RE
關　不　上
can't be closed (up)

II. Directional Endings Used as Resultative Endings

Directional complements 來，去，上來，進去，etc. can be used as resultative complements, and their original meanings will not change. In addition, in the potential form, the ending 來 or 去 is not pronounced neutral tone.

上下進出過回	得 / 不	來 去	can / can't	come go	up down in out over back
起	得 / 不	來	can / can't	get	up
走跑拿搬開etc.	得 / 不	上來 / 上去 下來 / 下去 進來 / 進去 出來 / 出去 過來 / 過去 回來 / 回去	can / can't	walk run take move drive etc.	up here / up there down here / down there in here / in there out here / out there over here / over there back here / back there
站拿搬	得 / 不	起來	can / can't	stand pick move	up

拿 搬 帶 開 etc.	得 / 不	走	can / can't	take move carry drive etc.	away
關 包	得 / 不	上	can / can't	close wrap	up
掛	得 / 不	上	can / can't	hang	up
穿 戴 寫	得 / 不	上	can / can't	put put write	on
開	得 / 不	開	can / can't	open	

1. 路上車太多，小孩子一個人過不去。

2. 門關著呢，我們進不去。

3. 你到南部去，三天回得來嗎？
   回得來。

4. 那個山很高，汽車開得上去開不上去？
   開不上去。

5. 門太小，桌子恐怕搬不進來吧？
   搬得進來。

6. 我太累，要是坐下，就一定站不起來了。

7. 我已經帶了很多東西，這些東西這次我帶不走了。

8. 沒有鑰匙，別人開不走我的汽車。

9. 紙太小，東西太大，我包不上。

10. 我戴不上這個錶，請你幫我戴上。

11. 這張紙不好，寫不上字。

12. 那個窗戶壞了，開不開了。

> # Rewrite the underlined parts of the following sentences using resultative compounds

1. 那個山很高，他們<u>沒辦法上去</u>。

2. 那個大櫃子，她一個人<u>沒辦法搬上來</u>。

3. 車子壞了，<u>沒辦法開走</u>，所以停在路上。

4. 那張畫兒很大，你一個人<u>能掛上</u>嗎？

5. 她家很遠，<u>沒辦法走回去</u>。

6. 風太大，小孩子<u>沒辦法關上</u>窗戶。

7. 雨下得不大，我們<u>能回去</u>。

8. 五點鐘太早，我<u>沒辦法起來</u>。

9. 沒有鑰匙，我<u>沒辦法開開</u>這個門。

10. 那個東西，要是<u>沒辦法包上</u>，就裝在袋子裡吧。

▼ III. Some Extended Uses of Directional Complements as Resultative Complements

（I）-下 indicates either downward motion of the action or the
capacity of the topic.

  1. 我吃飽了，吃不下了。

  2. 天氣太熱，我吃不下飯。

  3. 孩子吃了很多糖，所以現在吃不下
     飯了。

  4. 這所房子住不下八個人。

5. 要是一張紙寫不下，可以用兩張紙寫。

6. 四個大人，兩個孩子，一輛車坐得下嗎？

   坐得下。

(II) - 起

  a. be able to afford to

    1. 這種照像機不貴，我買得起。

    2. 那所大學很有名，可是有的學生念不起。

    3. 我們坐不起飛機，所以自己開車去。

    4. 這家飯館兒的菜好吃，可是太貴，我吃不起。

    5. 在這兒看醫生太貴，我看不起。

  b. 看得起 (to have high opinion of)

    看不起 (to despise, to look down upon)

    1. 別看不起沒錢的人。

    2. 你看得起那些對父母不好的人嗎？

  c. 對得起 (to have a clear conscience toward)

    對不起 (to have a guilty conscience toward)

    1. 別做對不起朋友的事。

    2. 你覺得你對得起你的父母嗎？

(III) - 出來

  a. to make out by seeing, hearing, eating, smelling, etc.

    1. 我看不出來她幾歲。

    2. 這是什麼聲音，你聽得出來嗎？

      我聽得出來，這是飛機起飛的聲音。

    3. 我吃不出來這是什麼肉。

b. 想出來 (to think up, to think of an idea)

    1. 這是誰想出來的辦法？

       是我想出來的。

    2. 我想了半天，可是想不出好辦法來。

(IV) - 起來

a. to start to

    1. 你看，外面下起雨來了。

    2. 那兩個孩子玩兒著玩兒著，打起來了。

    3. 你本來不是學法文嗎？怎麼又學起中文來了？

       法文太難了，我不想學了。

b. 想起來 (to recall, to call to mind)

    1. 他叫什麼名字？我想不起來了。

    2. 噢，我想起來了，他姓謝。

    3. 他看見這些孩子，就想起小時候的朋友來了。

Answer the following questions

1. 這個屋子住得下四個人嗎？

2. 三碗飯，你吃得下嗎？

3. 你看得出來他是哪國人嗎？

4. 要是你想不起來朋友的電話號碼了，你怎麼辦？

5. 你為什麼學起中文來了？

6. 這個辦法是誰想出來的？

7. 為什麼你今天吃不下飯？

8. 在電話裡，朋友聽得出你的聲音來嗎？

9. 一張紙寫不下這麼多字，怎麼辦？

10. 新車比較好，你為什麼要買舊車？

5 APPLICATION ACTIVITIES

▼ I. Answer the following questions.

1. 為什麼有的時候你早上起不來？

2. 那所房子，為什麼他們進不去？

3. 他為什麼回不來？

4. 我們為什麼有的時候吃不下飯？

5. 你怎麼知道那個人是日本人？

6. 哪些事你想不起來了？

7. 你看不起什麼樣的人？

▼ II. Talk about your point of view and experience.

1. 你喜歡野餐嗎？為什麼？

2. 你覺得一年裡頭，什麼時候去野餐最好？

3. 你覺得到什麼地方去野餐最有意思？

4. 你覺得跟誰一塊兒去野餐最有意思？

5. 去野餐以前應該準備什麼？

6. 野餐的時候，你喜歡吃什麼？

III. Situation

Student A invites student B to go on a picnic.

第十課 我跑不了那麼遠①

1 DIALOGUE

I

A：你怎麼了？不舒服啊？臉色②不太好。

B：我昨天夜裡沒睡好，今天有一點兒頭疼③。

A：你常常睡不好嗎？

B：是啊，有的時候在床上躺了一、兩個鐘頭④還睡不著⑤。

A：我想是因為你白天念書太緊張⑥了；再說⑧，你大概也不常運動⑨。

B：你現在到哪兒去？

A：我要去運動場⑩打網球⑪，你去不去？

B：我不能去。我明天要考試，還沒準備好呢。
我要去圖書館看書。

A：打完了球，再去吧⑫。

B：不行，我怕我念不完。

A：那麼，後天星期六⑬你有沒有事？我們一塊兒打打球，怎麼樣？

B：好，後天早上我去找你。

227

Ⅱ

A：好熱啊！要不要休息一會兒？

B：好啊，昨天下了一天的雨，沒想到今天天氣這麼好。

A：是啊，空氣好像也特別乾淨⑭⑮。

B：你的網球打得真不錯，常練習⑯嗎？

A：不常練習。大家功課都忙，總是找不著人跟我一塊兒打。

B：那你平常都做什麼運動呢？

A：冬天我每天慢跑⑰或是打籃球⑱⑲，夏天就去游泳⑳。

B：慢跑是一種很好的運動。你每天跑多少公里？

A：我每天差不多跑三公里。

B：我有的時候也慢跑，可是我跑不了那麼遠。

A：你渴不渴？要不要去喝點兒什麼？

B：好，走吧！

ㄉ一ˋ　ㄕˊ　ㄎㄜˋ　　ㄨㄛˇ　ㄆㄠˇ　ㄅㄨˋ　ㄌ一ㄠˇ　ㄋㄚˋ　˙ㄇㄜ　ㄩㄢˇ

Ⅰ

A： ㄋ一ˇ　ㄗㄣˇ　˙ㄇㄜ　˙ㄌㄜ？ㄎㄢˋ　ㄨㄟˋ　ㄈㄨˊ　˙ㄚ？ㄌ一ㄢˇ　ㄙㄜˋ　ㄅㄨˋ　ㄊㄞˋ　ㄏㄠˇ。

B： ㄨㄛˇ　ㄗㄨㄛˊ　ㄊ一ㄢ　一ㄝˇ　ㄕˋ　ㄌ一ˇ　ㄇ一ㄥ　ㄨㄟˋ　ㄏㄠˇ，ㄐ一ㄣ　ㄊ一ㄢ　一ㄡˋ　一ㄢˇ　ㄦ　ㄊㄡˋ　ㄊㄥˊ。

A： ㄋ一ˇ　ㄔㄤˊ　ㄔㄤˊ　ㄗㄨㄟˋ　ㄅㄨˋ　ㄍㄨˋ　˙ㄇㄚ？

B： ㄕˋ　˙ㄚ，一ㄡˇ　˙ㄌㄜ　ㄕˋ　ㄕㄡˋ　ㄞˊ　ㄊㄤ　ㄊㄤ　˙ㄉㄜ　一ˋ、ㄌ一ㄤˊ　ㄍㄜˋ　ㄓㄨㄥ　ㄊㄡˊ　ㄏㄞˊ　ㄨㄟˋ　ㄅㄨˋ　ㄓㄠˊ。

A： ㄨㄛˇ　ㄒ一ㄤˇ　ㄕˋ　一ㄣ　ㄨㄟˋ　ㄋ一ˇ　ㄅㄨˋ　ㄊ一ㄢ　ㄋㄢ　ㄕㄨ　ㄞˋ　ㄐ一ㄣ　ㄓㄤ　˙ㄌㄜ；ㄞˋ　ㄨㄛˇ，ㄋ一ˇ　ㄅㄚ　ㄍㄞ　一ㄝˇ　ㄆㄨˇ　ㄈㄤˊ　ㄩㄣˊ　一ˋ　ㄅㄨˋ　ㄒ一ㄥˊ。

B： ㄋ一ˇ　ㄒ一ㄤˇ　ㄗㄞˇ　ㄉㄠˋ　ㄋㄚˇ　ㄦˊ　ㄑㄩˋ？

A： ㄨㄛˇ　一ㄠˋ　ㄑㄩˋ　ㄐㄩㄣˊ　ㄍㄨㄥ　ㄔㄤˊ　ㄅㄚˊ　ㄨㄤˇ　ㄑㄠˋ，一ˋ　ㄑㄩˋ　ㄅㄨˋ　ㄑㄩˋ？

B： ㄨㄛˇ　ㄅㄨˋ　ㄋㄥˊ　ㄑㄩˋ。ㄨㄛˇ　ㄊ一ㄢˊ　ㄊ一ㄢ　一ㄠˋ　ㄕˋ，ㄏㄞˊ　ㄇㄟˊ　ㄓㄨㄣˇ　ㄅㄟˋ　ㄏㄠˇ　˙ㄋㄜ。ㄨㄛˇ　一ㄠˋ　ㄑㄩˋ　ㄊㄨˊ　ㄕㄨˊ　ㄍㄨㄢˇ　ㄎㄢˋ　ㄕㄨ。

A： ㄅㄚˊ　ㄨㄢˋ　ㄅㄠˋ　˙ㄌㄜ　ㄑ一ㄡˋ，ㄞˋ　ㄑㄩˋ　ㄅㄚ　ㄅㄨˋ　ㄅㄚ。

B： ㄅㄨˋ　ㄒ一ㄥˊ，ㄨㄛˇ　ㄆㄠˇ　ㄨㄛˇ　ㄋㄚˋ　ㄇ˙ㄜ　ㄩㄢˇ。

A： ㄋㄚˋ　ㄋ一ˇ　˙ㄇㄚ　ㄅㄨˇ，ㄏㄡˇ　ㄊ一ㄢˇ　ㄇ˙ㄜ　一ㄤˊ？ㄨㄛˇ　˙ㄇㄣ　一ˋ　ㄎㄨㄞˋ　ㄦˊ　ㄑㄩˋ　ㄐㄡˋ　ㄋ一ˇ。

B： ㄏㄠˇ，ㄏㄡˇ　ㄊ一ㄢˇ　ㄗㄠˋ　ㄕˋ　ㄨㄛˇ　ㄑㄩˋ　ㄓㄠˇ　ㄋ一ˇ。

Ⅱ

A： ㄏㄠˇ　ㄖˋ　˙ㄚ！一ㄠˊ　ㄎㄜ　一ㄠˋ　ㄒ一ㄡ　一ˊ　ㄨㄟˋ　ㄦˊ？

B： ㄏㄠˇ　˙ㄚ，ㄗㄨㄛˊ　一ㄠˊ　ㄒ一ㄚ　一ˊ　ㄊ一ㄢˊ　ㄩˊ，ㄇㄟˊ　ㄒ一ㄤˇ　ㄅㄠˇ　ㄐ一ㄣ　ㄊ一ㄢ　ㄊ一ㄢ　ㄑ一　ㄓㄜˋ　ㄇˊ　ㄏㄠˇ。

A： ㄕˋ　˙ㄚ，ㄗㄨㄛˊ　ㄑ一　ㄏㄠˇ　ㄒ一ㄤˇ　一ㄝˇ　ㄊㄜˋ　ㄅㄟˋ　ㄍㄢˇ　ㄐㄩㄣˋ　ㄌ一ㄤˊ。

B： ㄋ一ˇ　˙ㄉㄜ　ㄨㄤˇ　ㄑ一ㄡˇ　ㄅㄚˊ　˙ㄉㄜ　ㄅㄣ　ㄅㄨˋ　ㄔㄤˊ　ㄅㄞˇ，ㄑ一ㄡˇ　ㄎㄞˇ　ㄒ一ˋ　˙ㄇㄚ？

A： 一ˊ　ㄅㄟˊ　ㄔㄤˊ　ㄉ一ㄢ　ㄇˇ一。ㄋㄚˋ　ㄐ一ˇ　ㄍㄜˊ　ㄎㄞˇ　ㄅㄞˇ　ㄇㄡ，ㄗㄨˊ　ㄕˋ　ㄓㄠˇ　ㄅㄨˋ　ㄓㄠ　ㄖˋ　ㄍㄜ　ㄨㄛˇ。ㄅㄨˋ　ㄔㄤˊ　ㄊㄨㄞˊ　ㄎㄨㄞˋ　一ˊ　ㄦˊ　ㄅㄚˋ。

B： ㄋㄚˇ ㄋㄧˇ ㄆㄥˊ ㄔㄤˊ ㄅㄡˋ ㄗㄜˊ ·ㄇㄜ ㄩㄣ ㄅㄨㄥˋ ·ㄅㄜ ？

A： ㄅㄨㄥˋ ㄊㄧㄢ ㄨㄛˇ ㄇㄟ ㄇㄧㄢˋ ㄊㄠ ㄆㄠˋ ㄏㄠˇ ㄕˋ ㄐㄧㄚ ㄅㄧㄢˋ ㄑㄧㄡ ， ㄒㄧㄚˋ ㄊㄧㄢ ㄐㄧㄡˋ ㄑㄩˋ ㄧㄡˊ
ㄩㄥˋ 。

B： ㄇㄢˋ ㄆㄠˋ ㄕˋ ㄧˋ ㄓㄨㄥˋ ㄏㄣˇ ㄏㄠˇ ·ㄉㄜ ㄐㄩㄣ ㄅㄨˋ 。 ㄋㄧˇ ㄇㄟˇ ㄊㄧㄢ ㄆㄠˋ ㄅㄨㄛˋ ㄍㄨㄥ
ㄌㄧ ？

A： ㄨㄛˇ ㄇㄟˇ ㄊㄧㄢ ㄔㄚ ㄅㄨˋ ㄆㄨㄛˋ ㄆㄠˋ ㄙㄢ ㄍㄨㄥ ㄌㄧˇ 。

B： ㄨㄛˇ ㄧㄡˋ ·ㄊㄜ ㄕˊ ㄏㄡˋ ㄧㄝˇ ㄇㄢˇ ㄆㄠˋ ， ㄎㄜˇ ㄕˋ ㄨㄛˇ ㄆㄠˋ ㄅㄨˋ ㄌㄧㄠˇ ㄋㄚˋ ·ㄇㄜ ㄩㄢˇ 。

A： ㄋㄧˇ ㄎㄜˇ ㄅㄨ ㄎㄜˇ ？ ㄧˇ ㄅㄣ ㄒㄧㄥ ㄑㄧ ㄏㄠˇ ㄅㄨㄢˋ ㄦˊ ㄗˋ ·ㄇㄜ ？

B： ㄏㄠˇ ， ㄗㄡˇ ㄅㄚ 。

Dì Shíh Kè Wǒ Pǎobùliǎo Nàme Yuǎn

I

A： Nǐ zěnmele? Bùshūfú a? Liǎnsè bútài hǎo.

B： Wǒ zuótiān yèlǐ méi shuèihǎo, jīntiān yǒuyìdiǎr tóuténg.

A： Nǐ chángcháng shuèibùhǎo ma?

B： Shìh a, yǒude shíhhòu zài chuángshàng tǎngle yì, liǎngge jhōngtóu hái shuèibùjháo.

A： Wǒ siǎng shìh yīnwèi nǐ báitiān niànshū tài jǐnjhāngle; zàishuō, nǐ dàgài yě bùcháng yùndòng.

B： Nǐ siànzài dào nǎr cyù?

A： Wǒ yào cyù yùndòngchǎng dǎ wǎngcióu, nǐ cyù búcyù?

B： Wǒ bùnéng cyù. Wǒ míngtiān yào kǎoshìh, hái méi jhǔnbèihǎo ne. Wǒ yào cyù túshūguǎn kànshū.

A： Dǎwánle cióu, zài cyù ba.

B： Bù síng, wǒ pà wǒ niànbùwán.

A： Nàme, hòutiān sīngcíliòu nǐ yǒu méiyǒu shìh? Wǒmen yíkuàr dǎdǎcióu zěnmeyàng?

B： Hǎo, hòutiān zǎoshàng wǒ cyù jhǎo nǐ.

II

A : Hǎo rè a! Yào búyào siōusí yìhuěir?

B : Hǎo a, zuótiān siàle yìtiānde yǔ, méisiǎngdào jīntiān tiāncì jhème hǎo.

A : Shìh a, kōngcì hǎosiàng yě tèbié gānjìng.

B : Nǐde wǎngcióu dǎde jhēn búcuò, cháng liànsí ma?

A : Bùcháng liànsí. Dàjiā gōngkè dōu máng, zǒngshìh jhǎobùjháo rén gēn wǒ yíkuàr dǎ.

B : Nà nǐ píngcháng dōu zuò shénme yùndòng ne?

A : Dōngtiān wǒ měitiān mànpǎo huòshìh dǎ láncióu, siàtiān jiòu cyù yóuyǒng.

B : Mànpǎo shìh yìjhǒng hěn hǎode yùndòng. Nǐ měitiān pǎo duóshǎo gōnglǐ?

A : Wǒ měitiān chàbùduō pǎo sāngōnglǐ.

B : Wǒ yǒude shíhhòu yě mànpǎo, kěshìh wǒ pǎobùliǎo nàme yuǎn.

A : Nǐ kě bùkě? Yào búyào cyù hē diǎr shénme?

B : Hǎo, zǒu ba.

Dì Shí Kè — Wǒ Pǎobùliǎo Nàme Yuǎn

I

A : Nǐ zěnmele? Bùshūfú a? Liǎnsè bútài hǎo.

B : Wǒ zuótiān yèlǐ méi shuìhǎo, jīntiān yǒuyìdiǎr tóuténg.

A : Nǐ chángcháng shuìbùhǎo ma?

B : Shì a, yǒude shíhòu zài chuángshàng tǎngle yì, liǎngge zhōngtóu hái shuìbùzháo.

A : Wǒ xiǎng shì yīnwèi nǐ báitiān niànshū tài jǐnzhāngle; zàishuō, nǐ dàgài yě bùcháng yùndòng.

B : Nǐ xiànzài dào nǎr qù?

A : Wǒ yào qù yùndòngchǎng dǎ wǎngqíu, nǐ qù búqù?

B : Wǒ bùnéng qù. Wǒ míngtiān yào kǎoshì, hái méi zhǔnbèihǎo ne. Wǒ yào qù túshūguǎn kànshū.

A : Dǎwánle qīú, zài qù ba.

B : Bù xíng, wǒ pà wǒ niànbùwán.

A : Nàme, hòutiān xīngqíliù nǐ yǒu méiyǒu shì? Wǒmen yíkuàr dǎdǎqíú zěnmeyàng?

B : Hǎo, hòutiān zǎoshàng wǒ qù zhǎo nǐ.

II

A : Hǎo rè a! Yào búyào xīúxí yìhuǐr?

B : Hǎo a, zuótiān xiàle yìtiānde yǔ, méixiǎngdào jīntiān tiānqì zhème hǎo.

A : Shì a, kōngqì hǎoxiàng yě tèbié gānjìng.

B : Nǐde wǎngqíú dǎde zhēn búcuò, cháng liànxí ma?

A : Bùcháng liànxí. Dàjiā gōngkè dōu máng, zǒngshì zhǎobùzháo rén gēn wǒ yíkuàr dǎ.

B : Nà nǐ píngcháng dōu zuò shénme yùndòng ne?

A : Dōngtiān wǒ měitiān mànpǎo huòshì dǎ lánqíú, xiàtiān jiù qù yóuyǒng.

B : Mànpǎo shì yìzhǒng hěn hǎode yùndòng. Nǐ měitiān pǎo duoshǎo gōnglǐ?

A : Wǒ měitiān chàbùduō pǎo sāngōnglǐ.

B : Wǒ yǒude shíhòu yě mànpǎo, kěshì wǒ pǎobùliǎo nàme yuǎn.

A : Nǐ kě bùkě? Yào búyào qù hē diǎr shénme?

B : Hǎo, zǒu ba.

LESSON 10   I CAN'T RUN THAT FAR

I

A : What's the matter with you? Aren't you feeling well? You don't look very well. (lit. The color of your face doesn't look well.)

B : Last night I didn't sleep very well. Today I have a slight headache.

A : Do you often not sleep well?

B : Yes, sometimes I lie awake on the bed for one or two hours and still can't sleep.

A : I think it's because during the day you get all worked up from studying. What's more, you probably don't exercise very often.

B : Where are you going now?

A : I'm going to the courts (lit. sports area) to play tennis. Do you want to go?

B : I can't go. I have a test tomorrow and I still haven't prepared well enough. I'm going to the library to study.

A : Go study after you play tennis.

B : No way, I'm afraid I can't get finished.

A : In that case, the day after tomorrow is Saturday. Do you have any plans? We could play tennis together. How about that?

B : All right. I'll see you in the morning the day after tomorrow.

II

A : Boy! It is hot! Do you want to rest for a bit?

B : OK. Yesterday it rained the whole day. I didn't think today's weather would be so nice.

A : Yes, it also seems like the air is especially clean.

B : You play tennis quite well. Do you practice often?

A : Not very often. Everyone has a lot of homework. I can hardly ever find anyone to play with.

B : Well, what sport do you normally do?

A : In the winter I jog or play basketball every day; in the summer I go swimming.

B : Jogging is a very good sport. How many kilometers do you run every day?

A : I run about three kilometers every day.

B : I also go jogging sometimes, but I can't run that far.

A : Are you thirsty? Want to go drink something?

B : OK, let's go.

2 | NARRATION

　　我非常喜歡運動，天天慢跑兩公里，每星期打一次網球，夏天常游泳，所以我身體[21]不錯，很少感冒，夜裡也睡得著。

　　我的朋友知明跟我不一樣，他很少運動，所以常常頭疼、感冒，也容易緊張。每次我要他跟我一塊兒去慢跑，他總是說，他的功課太多，做不完，或是找不著運動衣、運動鞋。要是我找他一塊兒去游泳，他就說他太胖，學不會游泳。我真是對他沒辦法。

ㄨㄛˇ ㄈㄟ ㄔㄤˊ ㄒㄧˇ ㄏㄨㄢ ㄩㄣˋ ㄉㄨㄥˋ，ㄊㄧㄢ ㄊㄧㄢ ㄇㄢˋ ㄆㄠˇ ㄌㄧㄤˇ ㄍㄨㄥ ㄌㄧˇ，ㄇㄟˇ ㄒㄧㄥ ㄑㄧˊ ㄉㄚˇ ㄧˊ ㄘˋ ㄨㄤˇ ㄑㄧㄡˊ，ㄒㄧㄚˋ ㄊㄧㄢ ㄔㄤˊ ㄧㄡˊ ㄩㄥˇ，ㄙㄨㄛˇ ㄧˇ ㄕㄣ ㄊㄧˇ ㄅㄨˊ ㄘㄨㄛˋ，ㄏㄣˇ ㄕㄠˇ ㄍㄢˇ ㄇㄠˋ，ㄧㄝˋ ㄌㄧˇ ㄧㄝˇ ㄕㄨㄟˋ ·ㄉㄜ ㄏㄠˇ。

ㄨㄛˇ ·ㄉㄜ ㄆㄥˊ ㄧㄡˇ ㄓˋ ㄇㄧㄥˊ ㄍㄣ ㄨㄛˇ ㄅㄨˋ ㄧˊ ㄧㄤˋ，ㄊㄚ ㄏㄣˇ ㄕㄠˇ ㄩㄣˋ ㄉㄨㄥˋ，ㄙㄨㄛˇ ㄧˇ ㄔㄤˊ ㄔㄤˊ ㄊㄡˊ ㄊㄥˊ、ㄍㄢˇ ㄇㄠˋ，ㄧㄝˇ ㄖㄨㄥˊ ㄧˋ ㄐㄧㄣˇ ㄓㄤ。ㄇㄟˇ ㄘˋ ㄨㄛˇ ㄧㄠˋ ㄊㄚ ㄍㄣ ㄨㄛˇ ㄧˊ ㄎㄨㄞˋ ㄦ ㄑㄩˋ ㄇㄢˋ ㄆㄠˇ，ㄊㄚ ㄗㄨㄥˇ ㄕˋ ㄕㄨㄛ，ㄊㄚ ·ㄉㄜ ㄍㄨㄥ ㄎㄜˋ ㄊㄞˋ ㄉㄨㄛ，ㄗㄨㄛˋ ㄅㄨˋ ㄨㄢˊ，ㄏㄨㄛˋ ㄕˋ ㄓㄠˇ ㄅㄨˋ ㄓㄠˊ ㄩㄣˋ ㄉㄨㄥˋ ㄧ、ㄩㄣˋ ㄉㄨㄥˋ ㄒㄧㄝˊ。ㄧㄠˋ ㄕˋ ㄨㄛˇ ㄓㄠˇ ㄊㄚ ㄧˊ ㄎㄨㄞˋ ㄦ ㄑㄩˋ ㄧㄡˊ ㄩㄥˇ，ㄊㄚ ㄐㄧㄡˋ ㄕㄨㄛ ㄊㄚ ㄊㄞˋ ㄆㄤˋ，ㄒㄩㄝˊ ㄅㄨˊ ㄏㄨㄟˋ ㄧㄡˊ ㄩㄥˇ。ㄨㄛˇ ㄓㄣ ㄕˋ ㄉㄨㄟˋ ㄊㄚ ㄇㄟˊ ㄅㄢˋ ㄈㄚˇ。

Wǒ fēicháng sǐhuān yùndòng, tiāntiān mànpǎo liǎng gōnglǐ, měi sīngcí dǎ yícìh wǎngcióu, siàtiān cháng yóuyǒng, suǒyǐ shēntǐ búcuò , hěn shǎo gǎnmào, yèlǐ yě shuèidejháo.

Wǒde péngyǒu Jhīhmíng gēn wǒ bùyíyàng, tā hěn shǎo yùndòng, suǒyǐ chángcháng tóuténg, gǎnmào, yě róngyì jǐnjhāng. Měicìh wǒ yào tā gēn wǒ yíkuàir cyù mànpǎo, tā zǒngshìh shuō, tāde gōngkè tài duō, zuòbùwán, huòshìh jhǎobùjháo yùndòngyī, yùndòngsié. Yàoshìh wǒ jhǎo tā yíkuàir cyù yóuyǒng, tā jiòu shuō tā tài pàng, syué búhuèi yóuyǒng. Wǒ jhēnshìh duèi tā méibànfǎ.

Wǒ fēicháng xǐhuān yùndòng, tiāntiān mànpǎo liǎng gōnglǐ, měi xīngqí dǎ yícì wǎngqiú, xiàtiān cháng yóuyǒng, suǒyǐ shēntǐ búcuò , hěn shǎo gǎnmào, yèlǐ yě shuìdezháo.

Wǒde péngyǒu Zhīmíng gēn wǒ bùyíyàng, tā hěn shǎo yùndòng, suǒyǐ chángcháng tóuténg, gǎnmào, yě róngyì jǐnzhāng. Měicì wǒ yào tā gēn wǒ yíkuàir qù mànpǎo, tā zǒngshì shuō, tāde gōngkè tài duō, zuòbùwán, huòshì zhǎobùzháo yùndòngyī, yùndòngxié. Yàoshì wǒ zhǎo tā yíkuàir qù yóuyǒng, tā jiù shuō tā tài pàng, xué búhuì yóuyǒng. Wǒ zhēnshì duì tā méibànfǎ.

I really love sports. I jog two kilometers every day. Once every week I play tennis, and in the summer I often go swimming. So, I am in good shape, and I seldom catch colds, and sleep well at night.

My friend Zhiming is different from me. He seldom does sports, so he often has headaches, colds and gets nervous easily. Every time I want him to go running with me, he always says he has too much homework, and he hasn't finished it, or he can't find his exercise clothes or his sports shoes. If I look for him to go swimming, he says he's too fat and he can't learn to swim. I really can't do anything about him.

3 VOCABULARY

1 了ㄌㄠˇ (liǎo)

RE：used at the end of a verb to indicate ability or completion

我ㄨㄛˇ吃ㄔ不ㄅㄨˋ了ㄌㄠˇ這ㄓㄜˋ麼ㄇㄜ多ㄉㄨㄛ飯ㄈㄢˋ。

Wǒ chīhbùliǎo jhème duō fàn.
Wǒ chībùliǎo zhème duō fàn.
I can't eat so much rice.

2 臉ㄌㄧㄢˇ色ㄙㄜˋ (liǎnsè)　N：color (of face), facial expression

他ㄊㄚ的ㄉㄜ臉ㄌㄧㄢˇ色ㄙㄜˋ不ㄅㄨˋ太ㄊㄞˋ好ㄏㄠˇ，大ㄉㄚˋ概ㄍㄞˋ生ㄕㄥ病ㄅㄧㄥˋ了ㄌㄜ。

Tāde liǎnsè bútài hǎo, dàgài shēngbìngle.
He looks pale. He's probably sick.

臉ㄌㄧㄢˇ (liǎn)　N：face

3 疼ㄊㄥˊ (téng)　SV：to be ache, to be pain, to be sore

我ㄨㄛˇ感ㄍㄢˇ冒ㄇㄠˋ了ㄌㄜ，頭ㄊㄡˊ疼ㄊㄥˊ得ㄉㄜ不ㄅㄨˋ得ㄉㄜ了ㄌㄠˇ。

Wǒ gǎnmàole, tóu téngde bùdéliǎo.
I have a cold and a terrible headache.

4 躺ㄊㄤˇ (tǎng)　V：to lie down, to recline

他ㄊㄚ喜ㄒㄧˇ歡ㄏㄨㄢ躺ㄊㄤˇ著ㄓㄜ看ㄎㄢˋ書ㄕㄨ。

Tā sǐhuān tǎngjhe kànshū.
Tā xǐhuān tǎngzhe kànshū.
He likes to read lying down.

5 著ㄓㄠˊ (jháo / zháo)

RE：used at the end of a verb to indicate success or attainment

我ㄨㄛˇ晚ㄨㄢˇ上ㄕㄤˋ喝ㄏㄜ了ㄌㄜ很ㄏㄣˇ多ㄉㄨㄛ茶ㄔㄚˊ，所ㄙㄨㄛˇ以ㄧˇ睡ㄕㄨㄟˋ不ㄅㄨˋ著ㄓㄠˊ。

Wǒ wǎnshàng hēle hěn duō chá, suǒyǐ shuèibùjháo.
Wǒ wǎnshàng hēle hěn duō chá, suǒyǐ shuìbùzháo.
I drank a lot of tea in the evening, so I couldn't sleep.

6 白天 (báitiān)　N：daytime

7 緊張 (jǐnjhāng / jǐnzhāng)　SV：to be nervous, to be tense

他是一個很容易緊張的人。

Tā shìh yíge hěn róngyì jǐnjhāngde rén.
Tā shì yíge hěn róngyì jǐnzhāngde rén.
He's a person who gets nervous very easily.

緊 (jǐn)　SV：to be tight

8 再說 (zàishuō)　A：moreover, what's more, besides

他很聰明，再說他也很用功，所以功課很好。

Tā hěn cōngmíng, zàishuō tā yě hěn yònggōng, suǒyǐ
gōngkè hěn hǎo.
**He is very intelligent and what's more he's very industrious,
so his school work is good.**

9 運動 (yùndòng)　N/V：sport, exercise; to exercise

你常做什麼運動？

Nǐ cháng zuò shénme yùndòng?
What sport do you usually play?

我每天運動一個鐘頭。

Wǒ měitiān yùndòng yíge jhōngtóu.
Wǒ měitiān yùndòng yíge zhōngtóu.
I exercise for an hour every day.

動 (dòng)　V/RE：to move; to be moved

別動我的東西。

Bié dòng wǒde dōngsī.
Bié dòng wǒde dōngxī.
Don't move my things.

我好累，走不動了。

Wǒ hǎo lèi, zǒubúdòngle.
I'm very tired. I can't walk (more).

10 打球 (dǎcióu / dǎqiú)

VO：to play or hit a ball, to play ball (basketball, tennis etc.), games

運動場上有很多人在打球。

Yùndòngchǎngshàng yǒu hěn duō rén zài dǎcióu.
Yùndòngchǎngshàng yǒu hěn duō rén zài dǎqiú.
At the sports field there are many people playing ball games.

球(cióu / qiú)　N：ball

11 網球 (wǎngcióu / wǎngqiú)　N：tennis

網 (wǎng)　N：net

12 完 (wán)　RE：to finish, to complete (something)

今天的功課，我已經做完了。

Jīntiānde gōngkè, wǒ yǐjīng zuòwánle.
I already finished today's homework.

13 後天 (hòutiān)　MA/N(TW)：the day after tomorrow

14 空氣 (kōngcì / kōngqì)　N：air

郊區的空氣比市區好。

Jiāocyūde kōngcì bǐ shìhcyū hǎo.
Jiāoqūde kōngqì bǐ shìqū hǎo.
The air in the suburbs is better than the air in the city.

239

15 乾淨 (gānjìng) SV：to be clean

這件衣服太髒了，洗不乾淨了。

Jhèijiān yīfú tài zāngle, sǐbùgānjìngle.
Zhèijiān yīfú tài zāngle, xǐbùgānjìngle.
This outfit is too dirty to be cleaned properly.

乾 (gān) SV：to be dry

16 練習 (liànsí / liànxí)

V/N：to practice, to drill / practice, exercise

我不常練習打網球。

Wǒ bùcháng liànsí dǎ wǎngcióu.
Wǒ bùcháng liànxí dǎ wǎngqiú.
I don't practice playing tennis very often.

這課的練習很難。

Jhèikède liànsí hěn nán.
Zhèikède liànxí hěn nán.
The exercises in this chapter are very difficult.

17 慢跑 (mànpǎo) N/V：jogging; to jog

18 或是 (huòshìh / huòshì) CONJ：or, either ...... or

烤肉或是炸雞，我都喜歡。

Kǎoròu huòshìh jhájī, wǒ dōu sǐhuān.
Kǎoròu huòshì zhájī, wǒ dōu xǐhuān.
Whether it's roast meat or fried chicken, I like them both.

19 籃球 (láncióu / lánqiú) N：basketball

20 游泳 (yóuyǒng) VO/N：to swim; swimming

他游泳游得很好。

Tā yóuyǒng yóude hěn hǎo.

He swims very well.

游ㄧㄡˊ (yóu)　V：to swim

SUPPLEMENTARY VOCABULARY

21 身ㄕㄣ體ㄊㄧˇ (shēntǐ)　N：body, health

最ㄗㄨㄟˋ近ㄐㄧㄣˋ他ㄊㄚ的ㄉㄜ身ㄕㄣ體ㄊㄧˇ一ㄧ直ㄓˊ不ㄅㄨˊ太ㄊㄞˋ好ㄏㄠˇ。

Zuèijìn tāde shēntǐ yìjhíh bútài hǎo.
Zuìjìn tāde shēntǐ yìzhí bútài hǎo.
Recently his health has been continuously poor.

22 清ㄑㄧㄥ楚ㄔㄨˇ (cīngchǔ / qīngchǔ)　SV：to be clear

黑ㄏㄟ板ㄅㄢˇ上ㄕㄤˋ的ㄉㄜ字ㄗˋ，我ㄨㄛˇ看ㄎㄢˋ不ㄅㄨˋ清ㄑㄧㄥ楚ㄔㄨˇ。

Hēibǎnshàngde zìh, wǒ kànbùcīngchǔ.
Hēibǎnshàngde zì, wǒ kànbùqīngchǔ.
I can't see the characters on the blackboard clearly.

23 長ㄓㄤˇ (jhǎng / zhǎng)　V：to grow (up)

因ㄧㄣ為ㄨㄟˋ他ㄊㄚ常ㄔㄤˊ運ㄩㄣˋ動ㄉㄨㄥˋ，所ㄙㄨㄛˇ以ㄧˇ他ㄊㄚ長ㄓㄤˇ得ㄉㄜ很ㄏㄣˇ高ㄍㄠ。

Yīnwèi tā cháng yùndòng, suǒyǐ tā jhǎngde hěn gāo.
Yīnwèi tā cháng yùndòng, suǒyǐ tā zhǎngde hěn gāo.
Because he often exercises, he is very tall.

24 瓶ㄆㄧㄥˊ (píng)　M/BF：bottle of, jar of, vase of

瓶ㄆㄧㄥˊ子ㄗ (píngzih / píngzi)　N：bottle

4 SYNTAX PRACTICE

I. Stative Verbs Used as Resultative Endings

（I）-清楚，-乾淨，-大，-高，-快，-對，-錯，etc.

1. 她說話聲音太小，我常常聽不清楚。

2. 這件衣服這麼髒，洗得乾淨嗎？

   也許洗得乾淨，我試試看。

3. 他的孩子都已經長大了。

4. 母親對孩子說：「要是你不吃青菜，就長不高。」

5. 他那麼胖，一定跑不快。

6. 這個字，我總是念不對。

7. 你又說錯了，請你再說一次。

（II）-好 indicates satisfaction or completion.

1. 這件事，我想小孩子做不好。

2. 後天的考試，你準備好了沒有？

   我還沒準備好呢。

3. 在那兒，他吃不好也睡不好，所以瘦了。

4. 我已經把功課做好了。

（III）-飽 indicates satisfaction of appetite.

1. 你吃飽了沒有？

   我吃飽了，您慢吃。

2. 只吃青菜，你吃得飽嗎？

   我吃不飽。

Complete the following sentences

1. 幾年不見，他長＿＿＿＿＿＿＿了。

2. 報上的字太小，我看＿＿＿＿＿＿＿。

3. 用毛筆寫字，我寫＿＿＿＿＿＿＿。

4. 對不起，我寫＿＿＿＿＿＿＿了你的名字。

5. 你先把手洗＿＿＿＿＿＿＿，再吃飯。

6. 我老了，學中文學＿＿＿＿＿＿＿。

7. 昨天夜裡太熱，我沒睡＿＿＿＿＿＿＿，所以今天很累。

8. 一碗飯太少，我吃＿＿＿＿＿＿＿。

9. 野餐的東西，我都準備＿＿＿＿＿＿＿了。

10. 這個字，你沒寫＿＿＿＿＿＿＿，請你再寫一次。

II. Action Verbs Used as Resultative Endings

(Ⅰ) -見 indicates perception of what is seen, heard and smelled.

　　1. 請你把燈開開，要不然我什麼都看不見。

　　2. 對不起，我沒聽見你叫我。

(Ⅱ) -懂　indicates comprehension of what is seen, read or heard.

　　1. 那個電影，我看了，可是沒看懂。

　　2. 這封信，我看不懂。

　　3. 你聽得懂聽不懂日本話？

　　　　我一句也聽不懂。

(III) -到 indicates arrival or attainment.

1. 我太矮，要是站在後面，什麼都看不到（or 看不見）。

2. 從我家到學校，十分鐘走不到。

3. 別把藥放在孩子拿得到的地方。

4. 我知道我應該多運動，可是做不到。

5. 我沒想到你的中文說得這麼好。

(IV) -著 indicates success or attainment.

　　1. 因為我喝了很多茶，所以睡不著。

　　2. 這件事，我自己能做，用不著請別人幫忙。

　　3. 我很久沒見著（or 見到）他了。

　　4. 在市區，常常找不著（or 找不到）地方停車。

　　5. 早一點兒去吧！要不然恐怕買不著（or 買不到）票。

(V) -完 indicates completion.

　　1. 這本書，一年念得完念不完？

　　　　我想念得完。

　　2. 我每天有做不完的事，忙得不得了。

　　3. 那本書，我還沒看完呢。

　　4. 你喝得完這瓶酒嗎？

　　　　我一個人喝不完。

(VI) -了 indicates ability or completion.

　　1. 明天我有事，恐怕去不了。

　　2. 你開車去，半個鐘頭到得了嗎？

　　　　半個鐘頭一定到得了。

　　3. 他忘不了他的第一個女朋友。

4. 菜太多，我們吃不了（or 吃不完）。

5. 我一個人拿不了這些東西，請你幫我拿一點兒，好嗎？

(VII) -動 indicates movement.

1. 我走不動了，休息一會兒吧！

2. 這個東西很重，小孩子拿不動。

3. 這個櫃子，你一個人大概搬不動。

III. Auxiliary Verb Used as Resultative Endings

學會 (master, learned)

1. 每個人都學得會開車嗎？

聽說有的人學不會。

2. 我學過游泳，可是我太緊張，所以沒學會。

Complete the following sentences

1. 那本書太難了，我看＿＿＿＿＿＿＿。
2. 那兒人太多，我沒看＿＿＿＿＿＿他。
3. 聽說那個電影很好，恐怕買＿＿＿＿＿＿票。
4. 一百個字，五分鐘寫＿＿＿＿＿＿。
5. 我家離學校很近，用＿＿＿＿＿＿開車去。
6. 這課，今天念＿＿＿＿＿＿。
7. 他們說話的聲音很大，我睡＿＿＿＿＿＿。
8. 我一個人搬＿＿＿＿＿＿那個大桌子。
9. 我找＿＿＿＿＿＿我的書了，怎麼辦？
10. 學中文以前，我沒想＿＿＿＿＿＿中文這麼有意思。
11. 要是你不用功，你就學＿＿＿＿＿＿。
12. 孩子太多，媽媽哪兒也去＿＿＿＿＿＿。
13. 兩個人吃＿＿＿＿＿＿五個菜。
14. 他很忙，我不常見＿＿＿＿＿＿他。
15. 坐飛機從美國到臺灣去，一天到＿＿＿＿＿＿。
16. 他要我每天早上慢跑一個鐘頭，我做＿＿＿＿＿＿。
17. 他說英文說得太快，我聽＿＿＿＿＿＿。
18. 東西太多，我想你一個人拿＿＿＿＿＿＿。
19. 我忘＿＿＿＿＿＿他說的那些話。
20. 已經走了兩個鐘頭了，我真走＿＿＿＿＿＿了。

5 APPLICATION ACTIVITIES

I. Answer the following questions

1. 你為什麼要我再說一次？

2. 他為什麼跑不快？

3. 你為什麼睡不著？

4. 小孩子為什麼不能自己洗衣服？

5. 我要你寫「一」，你為什麼寫「七」？

6. 那本書，你為什麼沒看完？

7. 他為什麼買不著衣服？

8. 明天你為什麼來不了？

9. 為什麼有的人學不好外國話？

10. 還有很多菜，你為什麼不吃了？

11. 你昨天為什麼沒睡好？

12. 你為什麼要自己告訴他那件事？

13. 他為什麼用不著自己做飯？

14. 你為什麼戴著眼鏡 (yǎnjing)*看電視？

15. 你為什麼要開燈？

16. 你為什麼要我說英文？

17. 你為什麼不能一個人搬那個冰箱？

18. 你去停車，為什麼去了這麼久？

19. 為什麼有的人學不會開車？

* 眼鏡 (yǎnjing)：glasses

20. 今天考試，你為什麼沒準備好？

21. 你為什麼要我幫你拿一部分？

22. 下課以後，為什麼他半個鐘頭到不了家？

II . Talk about the sport you like.

籃球　　　　　網球　　　　　足(zú)球*　　　　棒(bàng) 球*

排(pái)球*　　　　　慢跑　　　　　　游泳

---

* 足球 (zúcióu / zúqiú)：soccer, foot ball （V：踢 tī）
* 棒球 (bàngcióu / bàngqiú)：baseball （V：打 dǎ）
* 排球 (páicióu / páiqiú)：volley ball （V：打 dǎ）

▼ III. Situation

Two students meet at the gym or athletic field and talk about exercise.

第十一課 | 我們好好兒地慶祝慶祝①②

I

A：下個月五號是你二十一歲的生日③，我們應該好好兒地慶祝慶祝。

B：我想開④一個舞會⑤，請朋友們到我家來玩兒。我正想問你⑥能不能幫我忙呢？

A：當然可以，你打算請多少人呢？

B：二十幾個人。不知道我應該準備多少吃的東西。

A：我想你可以準備一個大一點兒的蛋糕，再買些水果跟點心⑦。⑧

B：都是甜⑨的恐怕不太好吧？我可以請我媽媽做一點兒鹹的中國點心⑩。

A：那就更好了。包子、春ㄔㄨㄣ捲ㄐㄩㄢˇ兒⑪

(chūnjyuǎnr / chūnjuǎnr)＊都不錯。

B：水果呢？買什麼最好？

A：買葡萄⑫跟西瓜⑬吧。橘子⑭現在還有一點兒酸⑮。

B：準備什麼飲料⑯呢？

A：我想想看。對了，有一種水果酒，味道酸酸甜甜的⑰，加一點兒冰塊兒⑱，大家一定都喜歡。⑲

B：好，就這麼決定吧。

＊春ㄔㄨㄣ捲ㄐㄩㄢˇ兒ㄦ (chūnjyuǎnr / chūnjuǎnr)：spring roll

Ⅱ

C：前天的舞會，你們玩兒得怎麼樣？

D：噢，好玩兒極了。

C：參加的人多不多？

D：不少。那天的女孩子，個個都漂亮。

C：小王也去了嗎？

D：他當然去了，還帶著女朋友呢。

C：他女朋友是不是瘦瘦高高的，臉圓圓的？

D：對啊，眼睛大大的。

C：噢，那我以前看見過一次。小李、小張也都去了嗎？

D：都去了。我們大家在一塊兒又唱又跳，好有意思。可惜你沒去。

C：是啊，這次我有事去不了，下次我一定參加。

ㄉㄧˋ　ㄕˊ　ㄧ　ㄎㄜˋ　　　ㄨㄛˇ ㄇㄣ˙ ㄏㄠˇ ㄏㄠˇ ㄦ ㄉㄜ˙ ㄑㄧㄥˋ ㄓㄨˋ ㄑㄧㄥˋ ㄓㄨˋ

I

A：ㄒㄧㄚˋ ㄍㄜ˙ ㄒㄧㄥ ㄑㄧ ㄏㄠˇ ㄍㄜ˙ ㄏㄠˇ ㄏㄠˇ ㄒㄧㄥ ㄑㄧ ㄕˋ ㄋㄧˇ ㄦ ㄗ˙ ㄧ ㄙㄨㄟˋ ㄉㄜ˙ ㄕㄥ ㄖˋ，ㄨㄛˇ ㄇㄣ˙ ㄧ ㄍㄞ ㄏㄠˇ ㄏㄠˇ ㄦ ㄉㄜ˙ ㄑㄧㄥˋ ㄓㄨˋ ㄑㄧㄥˋ ㄓㄨˋ。

B：ㄨㄛˇ ㄒㄧㄤˇ ㄒㄧㄤˋ ㄌㄞˊ ㄒㄧㄤˇ ㄑㄩˋ，ㄑㄧㄥˋ ㄆㄥˊ ㄧㄡˇ ㄇㄣ˙ ㄉㄠˋ ㄨㄛˇ ㄐㄧㄚ ㄌㄞˊ ㄨㄢˊ ㄦ。ㄨㄛˇ ㄐㄧㄥ ㄒㄧㄣ ㄒㄧㄤˋ ㄋㄧˇ ㄋㄧˇ ㄅㄧㄢˋ ㄅㄧㄤ ㄅㄤ ㄇㄤˊ ㄧㄤˊ ㄅㄤˋ。

A：ㄉㄤˋ ㄖㄢˊ ㄎㄜˇ ㄧˇ，ㄋㄧˇ ㄅㄚˇ ㄇㄨˋ ㄑㄧㄥˋ ㄉㄨㄛˋ ㄖㄢˊ ㄋㄜ˙？

B：ㄦˊ ㄕˋ ㄐㄧˋ ㄍㄜ˙ ㄖㄢˊ。ㄅㄣˇ ㄓˋ ㄉㄠˋ ㄨㄛˇ ㄧˋ ㄍㄜ˙ ㄓㄨㄥ ㄅㄟˇ ㄉㄨㄛˇ ㄖㄠˇ ㄔˊ ㄉㄨㄥˇ ㄒㄧ。

A：ㄨㄛˇ ㄒㄧㄤˋ ㄕㄨㄟˋ ㄋㄧˇ ㄎㄜˇ ㄧˇ ㄓㄨㄢˇ ㄅㄟˋ ㄧˊ ㄍㄜ˙ ㄅㄚˋ ㄧˊ ㄉㄧㄢˇ ㄦ ㄉㄜ˙ ㄅㄢˋ ㄍㄠ，ㄗㄞˋ ㄍㄞˇ

B：ㄒㄧㄤˋ ㄍㄨˋ ㄍㄨㄛ˙ ㄅㄧㄢˇ ㄇㄧㄢˊ ㄅㄚˋ ㄉㄜ˙ ㄆㄨˊ ㄍㄨˋ ㄍㄨㄛˇ ㄊㄞˋ ㄏㄠˇ ㄅㄣˇ？ㄨㄛˇ ㄎㄜˇ ㄧˋ ㄑㄧㄥˋ ㄨㄛˇ ㄇㄚ ㄇㄚˇ ㄒㄧㄤ ㄒㄧㄣ ㄑㄧㄣ ㄓㄨˋ。

A：ㄋㄚˇ ㄗㄨㄟˋ ㄍㄨㄛˇ ㄍㄜ˙ ㄍㄠˋ。ㄍㄠ ㄕˋ、ㄐㄩㄢ ㄦ ㄌㄡˇ ㄅㄨˋ ㄎㄨㄛˋ。

B：ㄇㄞˇ ㄍㄜ˙？ㄇㄣ ㄕˋ ㄇㄜ˙ ㄌㄜ˙ ㄨ ㄍㄜˇ？

A：ㄇㄞˇ ㄍㄜ˙ ㄉㄨˋ ㄍㄜ˙ ㄍㄢ ㄒㄧ ㄒㄩㄝˊ ㄉㄢˋ ㄋㄚˋ。ㄐㄧˋ ㄕˋ ㄒㄧ ㄗㄞˋ ㄎㄞˇ ㄟˇ ㄧ ㄅㄧㄢˇ ㄦ ㄙㄨㄢˇ。

B：ㄓㄨㄣ ㄟˇ ㄒㄧㄤ ㄒㄧㄤ ㄉㄜ˙。ㄅㄨㄟˋ ㄇㄧㄢˊ ㄦ ㄔˇ？

A：ㄨㄛˇ ㄒㄧㄤ ㄒㄧㄤ ㄉㄢˋ，ㄐㄧㄚ ㄧˊ ㄅㄧㄢˇ ㄅㄟˇ，ㄧㄡˇ ㄧ ㄓㄨㄟˋ ㄍㄨㄟˋ ㄐㄧㄡˇ，ㄟˇ ㄉㄜ˙ ㄙㄨㄢ ㄙㄨㄢˇ ㄊㄢˇ。ㄆㄨㄟˇ ㄇㄢˋ ㄦ ㄌㄧㄥˊ ㄅㄣˇ ㄧˊ ㄐㄩ ㄌㄡˊ ㄌㄧㄥˋ ㄅㄧㄢ ㄌㄜ˙ ㄟˇ ㄉㄢˋ ㄧ ㄓㄨˇ ㄍㄨㄟˇ ㄐㄧㄡˇ，ㄟˇ ㄉㄜ˙ ㄙㄨㄢ ㄙㄨㄢˇ ㄊㄢˇ ㄏㄢˊ。

B：ㄏㄠˇ，ㄐㄧㄡˋ ㄓㄜˋ ㄇㄜ˙

II

C：ㄑㄧㄢˊ ㄊㄧㄢ ㄉㄜ˙ ㄨˇ ㄏㄨㄟˋ，ㄋㄧˇ ㄇㄣ˙ ㄨㄢˊ ㄦ ㄉㄜ˙ ㄗㄣˇ ㄇㄜ˙ ㄧㄤˋ？

D：ㄡˋ，ㄏㄠˇ ㄨㄢˊ ㄦ ㄐㄧˊ ㄌㄜ˙。

C：ㄘㄞ ㄐㄧㄚ ㄉㄜ˙ ㄖㄣˊ ㄉㄨㄛ ㄅㄨˋ ㄉㄨㄛ？

D：ㄅㄨˊ ㄕㄠˇ。ㄋㄧˇ ㄊㄧㄢ ㄉㄜ˙ ㄋㄩˇ ㄏㄞˊ ㄗˇ，ㄍㄜ˙ ㄍㄜ˙ ㄉㄡ ㄆㄧㄠˋ ㄌㄧㄤˋ。

C：ㄒㄧ ㄨˇ ㄜˊ ㄑㄧˋ ㄉㄜ˙ ㄇㄚ˙？

253

D： ㄊㄚ ㄅㄤ ㄖㄨㄢˊ ㄑㄩㄝ˙ㄉ ， ㄏㄞˊ ㄅㄞˇ ㄓㄜ ㄋㄩㄥˊ ㄆㄧㄡˇ ˙ㄋ ！

C： ㄊㄚ ㄋㄩㄥˊ ㄆㄧㄡ ㄧˇ ㄐㄧㄥ ㄧˇ ㄗˇ ㄗˇ ㄍㄨ ㄍㄨ ˙ㄉ ， ㄅㄢ ㄅㄢ ㄅㄢ˙ㄉ ？

D： ㄨˋ ㄚˋ ， ㄧˇ ㄐㄧˊ ㄅㄟˋ ㄅㄟˋ ˙ㄉ 。

C： ㄡˋ ， ㄋㄚˇ ㄨㄛˇ ㄧˇ ㄑㄧㄢˊ ㄎㄢ ㄐㄩㄢˋ ㄍㄨㄛˊ ㄧ ㄅㄣ 。 ㄒㄧㄠˇ ㄌㄧˇ 、 ㄒㄧㄠˇ ㄓㄤ ㄧㄝˇ ㄅㄡ ㄑㄩˋ ㄌㄜ˙ ㄇㄚˊ ？

D： ㄅㄡˋ ㄑㄩˋ ˙ㄉ 。 ㄨㄛˇ ㄇㄣˊ ㄅㄚˇ ㄐㄧㄚ ㄗㄞ ㄧ ㄎㄨㄞˋ ㄦ ㄧㄡˋ ㄔㄤ ㄧㄡˋ ㄊㄧㄠˊ ， ㄏㄠˇ ㄧㄡˇ ㄧ ㄥˋ 。 ㄎㄜˇ ㄒㄧ ㄋㄧˇ ㄇㄟˊ ㄑㄩˋ 。

C： ㄕˋ ㄚˋ ， ㄓㄜˋ ㄘˋ ㄨㄛˇ ㄧˇ ㄗˇ ㄑㄧㄢˊ ㄅㄢˋ ㄌㄜ˙ ， ㄒㄧㄚˋ ㄘˋ ㄨㄛˇ ㄧˊ ㄉㄧㄥˋ ㄘㄢ ㄐㄧㄚ 。

Dì Shíhyī Kè Wǒmen Hǎohǎorde Cìngjhù Cìngjhù

I

A： Siàge yuè wǔhào shìh nǐ èrshíhyī suèide shēngrìh, wǒmen yīnggāi hǎohǎorde cìngjhù cìngjhù.

B： Wǒ siǎng kāi yíge wǔhuèi, cǐng péngyǒumen dào wǒ jiā lái wánr. Wǒ jhèng siǎng wùn nǐ néng bùnéng bāng wǒ máng ne.

A： Dāngrán kěyǐ, nǐ dǎsuàn cǐng duōshǎo rén ne?

B： Èrshíhjǐge rén. Bùjhīhdào wǒ yīnggāi jhǔnbèi duōshǎo chīhde dōngsī.

A： Wǒ siǎng nǐ kěyǐ jhǔnbèi yíge dà yìdiǎnrde dàngāo, zài mǎi siē shuěiguǒ gēn diǎnsīn.

B： Dōu shìh tiánde kǒngpà bútài hǎo ba? Wǒ kěyǐ cǐng wǒ māma zuò yìdiǎnr siánde Jhōngguó diǎnsīn.

A： Nà jiòu gèng hǎole. Bāozih, chūnjyuǎnr dōu búcuò.

B： Shuěiguǒ ne? Mǎi shénme zuèi hǎo?

A： Mǎi pútáo gēn sīguā ba. Jyúzih siànzài hái yǒu yìdiǎnr suān.

B： Jhǔnbèi shénme yǐnliào ne?

A： Wǒ siǎngsiǎng kàn. Duèile, yǒu yìjhǒng shuěiguǒjiǒu, wèidào suānsuān tiántiánde, jiā yìdiǎnr bīngkuàir, dàjiā yídìng dōu sǐhuān.

B： Hǎo, jiòu jhème jyuédìng ba.

II

C : Ciántiānde wǔhuèi, nǐmen wánrde zěnmeyàng?

D : Òu, hǎowánjíle.

C : Cānjiāde rén duō bùduō?

D : Bùshǎo. Nèitiānde nyǔháizih, gègè dōu piàoliàng.

C : Siǎo Wáng yě cyùle ma?

D : Tā dāngrán cyùle, hái dàijhe nyǔpéngyǒu ne.

C : Tā nyǔpéngyǒu shìh búshìh shòushòu gāogāode, liǎn yuányuánde?

D : Duèi a, yǎnjīng dàdàde.

C : Òu, nà wǒ yǐcián jiànguò yícìh. Siǎo Lǐ, Siǎo Jhāng yě dōu cyùle ma?

D : Dōu cyùle. Wǒmen dàjiā zài yíkuàir yòu chàng yòu tiào, hǎo yǒuyìsīh. Kěsí nǐ méicyù.

C : Shìh a, jhèicìh wǒ yǒu shìh cyùbùliǎo, siàcìh wǒ yídìng cānjiā.

Dì Shíyī Kè　Wǒmen Hǎohǎorde Qìngzhù Qìngzhù

I

A : Xiàge yuè wǔhào shì nǐ èrshíyī suìde shēngrì, wǒmen yīnggāi hǎohǎorde qìngzhù qìngzhù.

B : Wǒ xiǎng kāi yíge wǔhuì, qǐng péngyǒumen dào wǒ jiā lái wánr. Wǒ zhèng xiǎng wèn nǐ néng bùnéng bāng wǒ máng ne.

A : Dāngrán kěyǐ, nǐ dǎsuàn qǐng duōshǎo rén ne?

B : Èrshíjǐge rén. Bùzhīdào wǒ yīnggāi zhǔnbèi duōshǎo chīde dōngxī.

A : Wǒ xiǎng nǐ kěyǐ zhǔnbèi yíge dà yìdiǎnrde dàngāo, zài mǎi xiē shuǐguǒ gēn diǎnxīn.

B : Dōu shì tiánde kǒngpà bútài hǎo ba? Wǒ kěyǐ qǐng wǒ māma zuò yìdiǎnr xiánde Zhōngguó diǎnxīn.

A : Nà jiù gèng hǎole. Bāozi, chūnjuǎnr dōu búcuò.

B : Shuǐguǒ ne? Mǎi shénme zuì hǎo?

A : Mǎi pútáo gēn xīguā ba. Júzi xiànzài hái yǒu yìdiǎnr suān.

B : Zhǔnbèi shénme yǐnliào ne?

A : Wǒ xiǎngxiǎng kàn. Duìle, yǒu yìzhǒng shuǐguǒjiǔ, wèidào suānsuān tiántiánde, jiā yìdiǎnr bīngkuàir, dàjiā yídìng dōu xǐhuān.

B : Hǎo, jiù zhème juédìng ba.

II

C : Qiántiānde wǔhuì, nǐmen wánrde zěnmeyàng?

D : Òu, hǎowánjíle.

C : Cānjiāde rén duō bùduō?

D : Bùshǎo. Nèitiānde nǚháizi, gègè dōu piàoliàng.

C : Xiǎo Wáng yě qùle ma?

D : Tā dāngrán qùle, hái dàizhe nǚpéngyǒu ne.

C : Tā nǚpéngyǒu shì búshì shòushòu gāogāode, liǎn yuányuánde?

D : Duì a, yǎnjīng dàdàde.

C : Òu, nà wǒ yǐqián jiànguò yícì. Xiǎo Lǐ, Xiǎo Zhāng yě dōu qùle ma?

D : Dōu qùle. Wǒmen dàjiā zài yíkuàir yòu chàng yòu tiào, hǎo yǒuyìsī. Kěxí nǐ méiqù.

C : Shì a, zhèicì wǒ yǒu shì qùbùliǎo, xiàcì wǒ yídìng cānjiā.

LESSON 11 — LET'S HAVE A NICE CELEBRATION

I

A : The fifth of next month is your twenty-first birthday. We should have a nice celebration.

B : I want to have a dancing party, and invite friends over to my house. I was just thinking of asking you if you could help me.

A : Of course I can. How many people were you thinking of inviting?

B : Over twenty people. I don't know how much food I should prepare.

A : I think you can prepare a larger cake, and buy some fruit and snacks.

B : Those are all sweet. Perhaps that's not very good. I could ask my mother to make some salty Chinese snacks.

A : That's even better. Pork buns and spring rolls are both pretty good.

B : What about fruit? What kinds would be the best to buy?

A : Buy some grapes and watermelon. Right now tangerines are still a little sour.

B : What drinks should be prepared?

A : Let me think. Right, there's a type of fruit wine that tastes sweet and sour. If we add a little ice cubes to it, everyone will surely like it.

B : Good, then it's settled.

II

C : How was the dancing party you went to the day before yesterday?

D : Oh, it was great.

C : Were there a lot of people there?

D : Quite a few. That day every one of the girls was pretty.

C : Did Little Wang also go?

D : Of course he went, and he brought a girlfriend.

C : Was his girlfriend tall and slender with a round face?

D : Right, her eyes were very big.

C : Oh, I've already seen her once before. Did Little Li and Little Zhang also go?

D : Yes. They all went. We all sang and danced together. It was a lot of fun. It's a pity you didn't go.

C : Yes. This time I had something I had to do, so I couldn't go. Next time I'll come along for sure.

2 NARRATION

　　我男朋友高高瘦瘦的，又聰明又用功，籃球也打得很好。我們認識了兩年了，他一直對我很好。下星期六是他二十二歲的生日，我打算給他好好兒地慶祝慶祝，開一個生日舞會，請朋友們都來參加。

　　我要自己做一個大大的蛋糕，還要買西瓜、葡萄、橘子跟蘋果㉗，做一大盤酸酸甜甜的水果沙拉，當然也要準備很多飲料。

　　我沒告訴我男朋友開舞會的事，所以他一點兒也不知道。我想，到了下星期六的晚上，他一定特別高興。

Wǒ nánpéngyǒu gāogāo shòushòude, yòu cōngmíng yòu yònggōng, láncióu yě dǎde hěn hǎo. Wǒmen rènshìhle liǎngnián le, tā yìjhíh duèi wǒ hěn hǎo. Sià sīngcíliòu shìh tā èrshíhèr suèide shēngrìh, wǒ dǎsuàn gěi tā hǎohǎorde cìngjhù cìngjhù, kāi yíge shēngrìh wǔhuèi, cǐng péngyǒumen dōu lái cānjiā.

Wǒ yào zìhjǐ zuò yíge dàdàde dàngāo, hái yào mǎi sīguā, pútáo, jyúzih gēn píngguǒ, zuò yídàpán suānsuān tiántiánde shuěiguǒ shālā, dāngrán yě yào jhǔnbèi hěn duō yǐnliào.

Wǒ méigàosù wǒ nánpéngyǒu kāi wǔhuèide shìh, suǒyǐ tā yìdiǎnr yě bùjhīhdào. Wǒ siǎng, dàole sià sīngcíliòude wǎnshàng, tā yídìng tèbié gāosìng.

Wǒ nánpéngyǒu gāogāo shòushòude, yòu cōngmíng yòu yònggōng, lánqiú yě dǎde hěn hǎo. Wǒmen rènshìle liǎngniánle, tā yìzhí duì wǒ hěn hǎo. Xià xīngqíliù shì tā èrshíèr suìde shēngrì, wǒ dǎsuàn gěi tā hǎohǎorde qìngzhù qìngzhù, kāi yíge shēngrì wǔhuì, qǐng péngyǒumen dōu lái cānjiā.

Wǒ yào zìjǐ zuò yíge dàdàde dàngāo, hái yào mǎi xīguā, pútáo, júzi gēn píngguǒ, zuò yídàpán suānsuān tiántiánde shuǐguǒ shālā, dāngrán yě yào zhǔnbèi hěn duō yǐnliào.

Wǒ méigàosù wǒ nánpéngyǒu kāi wǔhuìde shì, suǒyǐ tā yìdiǎnr yě bùzhīdào. Wǒ xiǎng, dàole xià xīngqíliùde wǎnshàng, tā yídìng tèbié gāoxìng.

My boyfriend is tall and skinny, intelligent and hard working, and plays basketball very well. We've known each other for two years and he's always been very good to me. Next Saturday is his twenty-second birthday. I'm planning to give him a nice celebration by having a dancing party and inviting all his friends over.

I want to make a big birthday cake myself and buy some watermelons, grapes, tangerines, and apples to make a big plate of sweet and sour fruit salad. Of course I'm also going to prepare a lot of drinks.

I haven't told my boyfriend that there is going to be a dancing party, so he doesn't know a thing about it. I think that when next Saturday night comes, he'll be especially happy.

3　VOCABULARY

1　好好/好兒地 (hǎohǎorde) (haǒhāorde)

A：in a proper way, to the best of one's ability, seriously, carefully, nicely

學生應該好好兒地念書。

Syuéshēng yīnggāi hǎohǎorde niànshū.
Xuéshēng yīnggāi hǎohǎorde niànshū.
Students should study hard.

地 (de)

P：a particle usually added to the end of an adjective to form an adverbial phrase

時間不夠，我很快地看了一次。

Shíhjiān búgòu, wǒ hěn kuàide kànle yícìh.
Shíjiān búgòu, wǒ hěn kuàide kànle yícì.
There wasn't enough time, so I glanced over it quickly.

2　慶祝 (cìngjhù / qìngzhù)　V：to celebrate

祝 (jhù / zhù)

V：to wish (someone good health, good luck, etc.), to offer good wishes

祝你考試考得好。

Jhù nǐ kǎoshìh kǎode hǎo.
Zhù nǐ kǎoshì kǎode hǎo.
Good luck on your test.

3　生日 (shēngrìh / shēngrì)　N：birthday

4　開 (kāi)　V：to hold an event

5　舞會 (wǔhuèi / wǔhuì)　N：dancing party

昨天他開了一個舞會。

261

Zuótiān tā kāile yíge wǔhuèi.
Zuótiān tā kāile yíge wǔhuì.
Yesterday he had a dancing party.

會ㄏㄨㄟˋ (huèi / huì)　N：meeting, party

開ㄎㄞ會ㄏㄨㄟˋ (kāihuèi / kāihuì)　VO：to have a meeting

他ㄊㄚ們ㄇㄣ˙公ㄍㄨㄥ司ㄙ常ㄔㄤˊ開ㄎㄞ會ㄏㄨㄟˋ。

Tāmen gōngsīh cháng kāihuèi.
Tāmen gōngsī cháng kāihuì.
Their office often has meetings.

茶ㄔㄚˊ會ㄏㄨㄟˋ (cháhuèi / cháhuì)　N：a tea party

6　正ㄓㄥˋ (jhèng / zhèng)　A：just (now), right (now)

我ㄨㄛˇ正ㄓㄥˋ想ㄒㄧㄤˇ出ㄔㄨ門ㄇㄣˊ，沒ㄇㄟˊ想ㄒㄧㄤˇ到ㄉㄠˋ下ㄒㄧㄚˋ起ㄑㄧˇ雨ㄩˇ來ㄌㄞˊ了ㄌㄜ˙。

Wǒ jhèng siǎng chūmén, méisiǎngdào siàcǐyǔ lái le.
Wǒ zhèng xiǎng chūmén, méixiǎngdào xiàqǐyǔ lái le.
I was just about to go out without knowing it would suddenly start raining.

7　蛋ㄉㄢˋ糕ㄍㄠ (dàngāo)　N：cake

蛋ㄉㄢˋ (dàn)　N：egg

8　點ㄉㄧㄢˇ心ㄒㄧㄣ (diǎnsīn / diǎnxīn)　N：a snack, light refreshment

9　甜ㄊㄧㄢˊ (tián)　SV：to be sweet

這ㄓㄜˋ個ㄍㄜ˙蛋ㄉㄢˋ糕ㄍㄠ太ㄊㄞˋ甜ㄊㄧㄢˊ了ㄌㄜ˙。

Jhèige dàngāo tài tián le.
Zhèige dàngāo tài tián le.
This cake is too sweet.

10　鹹ㄒㄧㄢˊ (sián / xián)　SV：to be salty

我ㄨㄛˇ喜ㄒㄧˇ歡ㄏㄨㄢ吃ㄔ鹹ㄒㄧㄢˊ的ㄉㄜ˙點ㄉㄧㄢˇ心ㄒㄧㄣ。

Wǒ sǐhuān chīh siánde diǎnsīn.
Wǒ xǐhuān chī xiánde diǎnxīn.
I like to eat salty snacks.

11 包ㄅㄠ子ㄗ (bāozih / bāozi)　N：steamed pork bun

12 葡ㄆㄨ萄ㄊㄠ (pútáo)　N：grape

13 西ㄒㄧ瓜ㄍㄨㄚ (sīguā / xīguā)　N：watermelon

14 橘ㄐㄩ子ㄗ (jyúzih / júzi)　N：orange, tangerine

15 酸ㄙㄨㄢ (suān)　SV：to be sour

她ㄊㄚ不ㄅㄨ太ㄊㄞ愛ㄞ吃ㄔ酸ㄙㄨㄢ的ㄉㄜ東ㄉㄨㄥ西ㄒㄧ。

Tā bútài ài chīh suānde dōngsī.
Tā bútài ài chī suānde dōngxī.
She doesn't like to eat sour things very much.

16 飲ㄧㄣ料ㄌㄠ (yǐnliào)　N：soft drink, beverage

17 味ㄨㄟ道ㄉㄠ (wèidào)　N：taste, flavor, smell, odor

她ㄊㄚ做ㄗㄨㄛ的ㄉㄜ菜ㄘㄞ，味ㄨㄟ道ㄉㄠ都ㄉㄡ很ㄏㄣ好ㄏㄠ。

Tā zuòde cài, wèidào dōu hěn hǎo.
All the food she makes tastes very good.

味ㄨㄟ兒ㄦ (wèir)　N：taste, flavor, smell, odor

你ㄋㄧ聞ㄨㄣ，屋ㄨ子ㄗ裡ㄌㄧ有ㄧㄡ什ㄕ麼ㄇㄜ味ㄨㄟ兒ㄦ？

Nǐ wún, wūzihlǐ yǒu shénme wèir?
Nǐ wén, wūzilǐ yǒu shénme wèir?
Smell, what odor does this room have?

18 加ㄐㄧㄚ (jiā)　V：to add to

天ㄊㄧㄢ氣ㄑㄧ冷ㄌㄥ了ㄌㄜ，加ㄐㄧㄚ件ㄐㄧㄢ衣ㄧ服ㄈㄨ吧ㄅㄚ！

Tiāncì lěngle, jiā jiàn yīfú ba!
Tiānqì lěngle, jiā jiàn yīfú ba!
The weather is getting cold. Wear something extra!

19 冰塊兒 (bīngkuàir)　N：ice cube

20 前天 (ciántiān / qiántiān)

MA/N(TW)：the day before yesterday

21 好玩兒 (hǎowánr)　SV：to be interesting, to be full of fun

那個海邊很好玩兒。

Nèige hǎibiān hěn hǎowánr.
That beach is fun.

22 參加 (cānjiā)　V：to attend, to participate

明天的茶會，你參不參加？

Míngtiānde cháhuèi, nǐ cān bùcānjiā?
Míngtiānde cháhuì, nǐ cān bùcānjiā?
Are you going to attend tomorrow's tea party?

23 圓 (yuán)　SV：to be round, to be circular

臉圓圓的那位小姐是誰？

Liǎn yuányuánde nèiwèi siǎojiě shìh shéi?
Liǎn yuányuánde nèiwèi xiǎojiě shì shéi?
Who's that young woman with the round face?

24 眼睛 (yǎnjīng)　N：eye（M：隻 jhīh / zhī，雙 shuāng）

25 又 (yòu)　A：moreover, furthermore, more, again (past)

那種點心很好吃，所以我又吃了幾個。

Nèijhǒng diǎnsīn hěn hǎochīh, suǒyǐ wǒ yòu chīhle jǐge.
Nèizhǒng diǎnxīn hěn hǎochī, suǒyǐ wǒ yòu chīle jǐge.
That kind of dessert is really good, so I ate a few more.

她ㄊㄚ唱ㄔㄤ了ㄌㄜ兩ㄌㄧㄤ個ㄍㄜ歌ㄍㄜ兒ㄦ，又ㄧㄡ跳ㄊㄧㄠ了ㄌㄜ一ㄧ會ㄏㄨㄟ兒ㄦ舞ㄨ，玩ㄨㄢ兒ㄦ得ㄉㄜ真ㄓㄣ高ㄍㄠ興ㄒㄧㄥ。

Tā chàngle liǎngge gēr, yòu tiàole yìhuěir wǔ, wánrde jhēn gāosìng.

Tā chàngle liǎngge gēr, yòu tiàole yìhuǐr wǔ, wánrde zhēn gāoxìng.

She sang two songs, and danced a while. She really had a good time.

26 可ㄎㄜ惜ㄒㄧ (kěsí / kěxí)　SV/A：to be a pity; too bad

那ㄋㄟ個ㄍㄜ地ㄉㄧ方ㄈㄤ很ㄏㄣ美ㄇㄟ，可ㄎㄜ惜ㄒㄧ天ㄊㄧㄢ氣ㄑㄧ常ㄔㄤ常ㄔㄤ不ㄅㄨ好ㄏㄠ。

Nèige dìfāng hěn měi, kěsí tiāncì chángcháng bùhǎo.

Nèige dìfāng hěn měi, kěxí tiānqì chángcháng bùhǎo.

That place is very beautiful. It's a pity the weather is often bad.

SUPPLEMENTARY VOCABULARY

27 蘋ㄆㄧㄥ果ㄍㄨㄛ (píngguǒ)　N：apple

28 鼻ㄅㄧ子ㄗ (bízih / bízi)　N：nose

29 嘴ㄗㄨㄟ (zuěi / zuǐ)　N：mouth（M：張ㄓㄤ jhāng / zhāng）

30 李ㄌㄧ子ㄗ (lǐzih / lǐzi)　N：plum

31 笑ㄒㄧㄠ (siào / xiào)　V：to smile, to laugh, to laugh at

他ㄊㄚ很ㄏㄣ客ㄎㄜ氣ㄑㄧ，總ㄗㄨㄥ是ㄕ笑ㄒㄧㄠ著ㄓㄜ說ㄕㄨㄛ話ㄏㄨㄚ。

Tā hěn kècì, zǒngshìh siàojhe shuōhuà.

Tā hěn kèqì, zǒngshì xiàozhe shuōhuà.

He's very polity. He always smiles when he speaks.

我ㄨㄛ說ㄕㄨㄛ中ㄓㄨㄥ國ㄍㄨㄛ話ㄏㄨㄚ的ㄉㄜ時ㄕ候ㄏㄡ，請ㄑㄧㄥ別ㄅㄧㄝ笑ㄒㄧㄠ我ㄨㄛ。

265

Wǒ shuō Jhōngguó huà de shíhhòu, cǐng bié siào wǒ.
Wǒ shuō Zhōngguó huà de shíhòu, qǐng bié xiào wǒ.
Please don't laugh at me when I speak Chinese.

笑ㄒㄧㄠˋ話ㄏㄨㄚˋ (siàohuà / xiàohuà)　N：joke

4 | SYNTAX PRACTICE

▼ I. Reduplication of Stative Verbs

a. Monosyllabic SVs

When a reduplicated stative verb still retains the characteristics of a stative verb, than a 的 must be added after it. When this reduplicated form is an adverb modifying a verb, 地 can be inserted between the adverb and the verb. 兒 can be added to the reduplicated stative verb, and the second syllable of the reduplicated stative verb is usually changed to the first tone.

大大的眼睛	big eyes
好好兒地做	do well, carefully do something

b. Disyllabic SVs (XY→XXYY)

When a reduplicated form of this type still retains the characteristics of a stative verb, a 的 should be added after it. When this reduplicated form is an adverb modifying verb, 地 can be inserted between the adverb and the verb.

乾乾淨淨的衣服	spotless clothing
高高興興地玩兒	play happily

(I) As Predicates

1. 他的鼻子高高的，嘴小小的。

2. 西瓜外面綠綠的，裡面紅紅的。

3. 這個點心甜甜的，很好吃。

4. 那些孩子每天都高高興興的。

5. 他的東西都乾乾淨淨的。

(II) As Modifiers of a Noun

1. 那個大大的蘋果是日本蘋果。

2. 我喜歡胖胖的孩子。

3. 那個紅紅圓圓的水果叫李子。

4. 誰都喜歡漂漂亮亮的衣服。

5. 好好兒的鞋，為什麼不穿了？
   因為太小了。

(III) As Predicate Complements

1. 她每天都穿得漂漂亮亮的。

2. 他站得遠遠的，不願意過來。

3. 他在信上寫得清清楚楚的。

4. 孩子們本來玩兒得好好兒的，後來打起來了。

5. 你學得好好兒的，怎麼不學了？
   時間不夠了。

(IV) As Predicate Complements

1. 好好兒（地）走，別跑！

2. 我要跟他好好兒（地）談談。

3. 還早呢，你可以慢慢兒（地）做。

4. 你應該客客氣氣地跟他說。

5. 我已經清清楚楚地告訴他了。

Change the stative verb into a reduplicated form

1. 小杯子
2. 熱湯
3. 漂亮的小姐
4. 鼻子高
5. 很香的炸雞
6. 掛得很高
7. 很客氣地說
8. 穿得很乾淨
9. 快走
10. 慢吃

II. Reduplication of Verbs

a. Monosyllabic Verbs

看（一）看	have a look, take a look
看了（一）看	took a look

b. Disyllabic Verbs (XY→XYXY)

休息休息	take a rest, take a break

1. 我們出去走走吧。
2. 他想了想，就買了。
3. 吃晚飯以後，我喜歡喝喝茶，看看書。
4. 你可以問問你的朋友。
5. 請你給我們介紹介紹。

Change the verb into a reduplicated form

1. 我要坐一會兒。

2. 請你等我。

3. 我們得好好兒地打算。

4. 請你們幫忙。

5. 他想學德文。

6. 我想跟你談話。

7. 你應該休息。

8. 明天要考試，今天晚上得準備。

9. 我游泳游得不好，應該練習。

10. 下個禮拜三是你的生日，我們一塊兒慶祝吧！

III. Reduplication of Measure Words

The reduplication of measure words conveys the meaning of the English word "each".

1. 我買的蘋果，個個都甜。

2. 現在家家都有電視。

3. 那些菜，盤盤都好吃。

4. 她的衣服，件件都漂亮。

5. 他年年都到美國來。

Complete the following sentences with reduplicated measure words

1. 他畫的畫兒，＿＿＿＿＿＿＿ ＿＿＿＿＿＿＿ 都美。

269

2. 我的朋友，＿＿＿＿＿＿＿＿ ＿＿＿＿＿＿＿ 都會打網球。

3. 你的鞋，＿＿＿＿＿＿＿＿ ＿＿＿＿＿＿＿ 都很乾淨。

4. 他們家的屋子，＿＿＿＿＿＿＿＿ ＿＿＿＿＿＿＿ 都大。

5. 上個禮拜，＿＿＿＿＿＿＿＿ ＿＿＿＿＿＿＿ 都下雨。

6. 你賣的東西，＿＿＿＿＿＿＿＿ ＿＿＿＿＿＿＿ 都便宜。

7. 那裡的飯館兒，＿＿＿＿＿＿＿＿ ＿＿＿＿＿＿＿ 都好。

8. 那個國家的河，＿＿＿＿＿＿＿＿ ＿＿＿＿＿＿＿ 都不長。

Ⅳ. Sentences with Adverb 又 and 也 Used as Correlative Conjunctions

"N 又 SV 又 SV" and "N 也 SV 也 SV" both have the same meaning of "both……and". However, of the two patterns, "N 也 SV 也 SV" is used much less often. N 又 (AV) V_1 O_1, 又 (AV) V_2 O_2" and "N 也 (AV) V_1 O_1, 也 (AV) V_2 O_2" have the same meaning. However, when 又 is used, the mood is stronger than when 也 is used. Also, when 又 is used, the subject of V_1 and V_2 is the same person or thing, whereas when 也 is used the subject may not be the same.

（Ⅰ） 又……又 (both……and)

a.

N	又	SV_1	又	SV_2
她	又	聰明	又	漂亮。
She is both intelligent and beautiful.				

1. 這家飯館兒的菜又便宜又好吃。

2. 老師的字又大又清楚。

3. 那個地方又遠又不方便。

4. 這個葡萄又酸又不好吃。

5. 他的孩子又白又胖。

b.

S	又	(AV)	V₁(O₁)	又	(AV)	V₂(O₂)
她	又	得	做飯	又	得	洗衣服。

She must both cook and do laundry. (She is really busy.)

1. 他們又說又笑，高興極了。

2. 你又跑又跳，當然覺得熱。

3. 他們又吃又喝，忘了時間了。

4. 我又教書又念書，累得不得了。

5. 他又有汽車又有房子，一定很有錢。

(II) 也⋯⋯也 (both⋯⋯and)

a.

S	也	(AV)	V₁(O₁)	也	(AV)	V₂(O₂)
你	也	可以	走路，	也	可以	坐車。

You could walk, or ride in a bus.

1. 你喜歡甜的還是鹹的？

　我也喜歡甜的，也喜歡鹹的。

2. 新的跟舊的，你要哪個？

　我也要新的，也要舊的。

3. 你想學什麼？

　我也想學法文，也想學德文。

4. 你們學說話還是學寫字？

　我們也學說話，也學寫字。

5. 那所中學都是男學生嗎？

　那所中學也有男學生，也有女學生。

b.

N₁ 也 SV/AV-V-O, N₂ 也 SV/AV-V-O
你　也　忙，　　　我　也　忙。 Both you and I are busy. 她　也　愛唱歌兒，我　也　愛唱歌兒。 Both she and I like to sing.

1. 西瓜也甜，葡萄也甜。

2. 男孩子也好，女孩子也好。

3. 他也不喜歡喝酒，我也不喜歡喝酒。

4. 小張也看不懂，小李也看不懂。

5. 父親也不在家，母親也不在家。

Make sentences with 又……又 pattern

1. 他、高、瘦

2. 蛋糕、香、甜

3. 飛機、快、舒服

4. 小孩子、跑、跳

5. 她、唱歌兒、跳舞

6. 他有電視、錄影機

Make sentences with 也……也 pattern

1. 他要吃魚、吃肉。

2. 我喜歡看電影，她喜歡看電影。

3. 哥哥會游泳，妹妹會游泳。

4. 我們學說話、學寫字。

5. 他有兒子、女兒。

6. 老師不舒服，學生不舒服。

5 APPLICATION ACTIVITIES

I. Please describe what the child looks like.

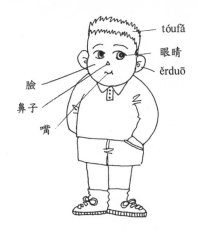

tóufǎ

眼睛

ěrduō

臉

鼻子

嘴

II. If someone does not know what "watermelon" or "apple" is, how would you describe them?

III. Situations

1. Two students discuss how to have a dancing party.

2. A conversation between two people who meet at a dancing party.
3. A person returning from a party describes the party to someone who did not attend.

第十二課 錶讓我給弄丟了①②③

1 DIALOGUE

I

大明：小愛，你怎麼了？
　　　出了什麼事④了？

小愛：我爸媽送我的新錶
　　　讓我給弄丟了。

大明：是怎麼弄丟的？你是不是摘下來放在哪兒了？

小愛：我下了課去洗手的時候⑤摘下來的，可是忘了放在哪
　　　兒了。

大明：你到洗手間⑥去看過了嗎？

小愛：看過了，可是不在那兒。

大明：別著急，慢慢兒找。

小愛：我已經找了半天了，
　　　還找不著，怎麼辦呢？

（小愛說著說著，哭起來了。⑦）

大明：別哭，別哭，再好好兒想想。是不是放在書包裡了⑧？
　　　再找找吧。你口袋兒裡的東西是什麼？是不是錶？

小愛：啊！就是我的錶。奇怪，我怎麼沒想到呢⑨？

大明：你真是太胡塗⑩了。快戴上吧，別再弄丟了。

小愛：下次我要小心一點兒了。

Ⅱ

王先生：警察先生，我的汽車被偷了。

警　察：是在哪兒被偷的？

王先生：一個鐘頭以前我把車停在路邊，到銀行去辦事，出來的時候就發現汽車不見了。

警　察：車上有什麼重要的東西嗎？

王先生：有一個照像機，我下車的時候忘了帶下來。

警　察：請您把您的姓名、地址、電話跟汽車的顏色、號碼什麼的寫在這張紙上，我們想辦法給您找。

王先生：希望很快就能找著。沒有汽車真不方便。

警　察：是啊，我們一有消息，馬上就給您打電話。

王先生：好的，謝謝。

ㄉㄧˋ　ㄕˊ　ㄦˋ　ㄎㄜˋ　　ㄅㄧㄠˇ　ㄖㄤˋ　ㄨㄛˇ　ㄍㄟˇ　ㄋㄨㄥˋ　ㄉㄧㄡ　˙ㄌㄜ

I

ㄅㄚˋㄒㄧㄠˇㄇㄧㄥˊ：ㄒㄧㄠˇ ㄞˊ，ㄋㄧˇ ㄕㄣˊ ˙ㄇㄜ ˙ㄉㄜ？ㄔㄡˊ ˙ㄉㄜ ㄗˋ ˙ㄜ ㄕˊ ˙ㄉㄜ ㄋㄨㄥˋㄉㄧㄡ ˙ㄌㄜ。

ㄞˊ ㄇㄚ：ㄨㄛˇ ㄋㄚˊ ㄇㄚ˙ㄇㄜ ㄒㄧㄣ ˙ㄉㄜ ㄖㄤˋ ㄨㄛˇ ㄍㄟˇ ㄋㄨㄥˋ ˙ㄉㄜ。

ㄅㄚˋ ㄇㄚ：ㄕˋ ㄕㄣˊ ˙ㄇㄜ？ㄋㄚˇ ㄕˋ ㄕㄡˇ ㄕˊ ㄓㄞ ㄒㄧㄚˊ ㄌㄞˊ ㄈㄤˋ ㄗㄞˋ ㄋㄚˇ ㄦˊ ？

ㄒㄧㄠˇ ㄞˊ：ㄨㄛˇ ㄒㄧㄚˋ ˙ㄉㄜ ㄎㄣˊ ㄑㄩˋ ㄒㄧˋ ㄗㄠˇ ˙ㄉㄜ ㄕˊ ㄏㄡˊ ㄓㄞ ㄒㄧㄚˊ ㄌㄞˊ ˙ㄉㄜ，˙ㄜ ㄕˋ ㄨㄤˋ ˙ㄌㄜ ㄈㄤˋ ㄗㄞˋ ㄋㄚˇ ㄦˊ ˙ㄌㄜ。

ㄅㄚˋㄒㄧㄠˇㄇㄧㄥˊ：ㄋㄧˇ ㄉㄧㄠˋ ㄒㄧˊ ㄗㄠˇ ㄐㄧㄡ ㄑㄧㄢ ㄍㄡˇ ˙ㄉㄜ ˙ㄇㄚˊ？

ㄅㄚˋㄒㄧㄠˇㄇㄧㄥˊ：ㄎㄣˊㄎㄢˇㄐㄧㄠˋ ˙ㄉㄜ，ㄎㄜˇ ㄕˋ ㄕㄡˊ ㄗㄞˋ ㄋㄚˇ ㄦˊ。

ㄅㄚˋㄒㄧㄠˇㄇㄧㄥˊ：ㄇㄛˊ ㄧˊ ㄐㄧㄣㄐㄧㄥˇ ˙ㄉㄜ ㄓㄠˇ ㄗㄨㄛˇ ㄓㄠˇ ㄗㄨㄛˇ ㄓㄡˊ，ㄏㄞˊ ㄓㄠˇ ㄅㄨˊ ㄓㄠˋ，ㄗㄣˊ ˙ㄇㄜ ㄅㄢˋ ˙ㄋㄜ？
（ㄒㄧㄠˇ ㄞˊ ㄓㄠˇㄗㄨㄛˇ ㄓㄠˇ ㄗㄨㄛˇㄓㄠˋ，ㄎㄨˋ ㄑㄧˊ ㄌㄞˊ ˙ㄌㄜ。）

ㄅㄚˋ：ㄅㄟˊ ㄎㄡˇ，ㄅㄟˊ ㄎㄡˇ，ㄗㄞˋ ㄏㄠˇ ㄏㄠˇ ㄦˊ ㄒㄧㄤˊ ㄒㄧㄤˊ。ㄕˋ ㄅㄨˊ ㄕˋ ㄈㄤˋ ㄗㄞˋ ㄕㄨˊ ㄅㄠ ㄌㄧˇ ˙ㄉㄜ？ㄉㄠˋ ㄅㄢˋ ㄅㄛ ㄌㄧˇ ˙ㄉㄜ？ㄋㄚˇ ㄋㄞˊ ㄓㄠˇ ˙ㄌㄜ ㄦˊ ㄌㄧˇ ˙ㄉㄜ ㄉㄡㄥ ㄒㄧ ？ㄗˋ ㄗㄜˇ？

ㄒㄧㄠˇㄅㄚˋㄒㄧㄠˇ：ㄚ！ㄐㄧㄡˋ ㄗㄞˋ ㄒㄧㄢˊ ㄒㄧㄤ ˙ㄉㄜ ㄅㄟˊ ㄎㄡˇ。ㄑㄧˇ ㄍㄨㄞˋ，ㄨㄛˇ ㄗㄣˊ ˙ㄇㄜ ㄒㄧㄤˊㄅㄨ ㄑㄧˇ ㄌㄞˊ ˙ㄋㄜ？

ㄞˊ ㄇㄚ：ㄋㄧˇ ㄓㄣ ㄕˋ ㄊㄞˊ ㄏㄨˊ ㄊㄨˊ ㄒㄧㄣ ˙ㄌㄜ。ㄎㄨㄞˋ ㄉㄞ ㄕㄤˋ ㄅㄚˊ，ㄅㄟˊ ㄗㄞˋ ㄅㄨˊ ㄋㄨㄥˋ ㄉㄧㄡ ˙ㄌㄜ。

ㄒㄧㄠˇㄇㄧㄥˊ ㄞˊ：ㄒㄧㄚˋ ㄘˋ ㄨㄛˇ ㄧˊ ㄉㄧㄥˋ ㄒㄧㄠˇ ㄒㄧㄣ ˙ㄉㄜ。

II

ㄨㄤˊㄐㄧㄥㄨㄤ ㄒㄧㄢ：ㄐㄧㄝˊ ㄔㄧㄢ ㄒㄧㄢ ㄕㄥ，ㄨㄛˇ ˙ㄉㄜ ㄑㄧ ㄔㄜˇ ㄅㄟˇ ㄊㄡ ˙ㄌㄜ。

ㄒㄧㄢ ㄔㄚˊ：ㄕˋ ㄗㄞˋ ㄋㄚˇ ㄦˊ ㄅㄟˇ ㄊㄡ ˙ㄉㄜ？

ㄨㄤ ㄒㄧㄢ：ㄧˊ ˙ㄍㄜ ㄓㄨㄥˋ ㄊㄡˊ ㄧˇ ㄑㄧㄢ ㄇㄛˋ ㄅㄨˊ ㄕˋ ㄊㄞˊ ㄉㄞ ㄅㄧㄢ，ㄉㄠˇ ㄒㄧㄢˋㄐㄧㄣ ㄏㄨㄛˊㄌㄞˊ ㄑㄩˊ ㄔㄢˇ ㄕㄡˊ ㄗㄞˋ ㄏㄡˋ ㄐㄧㄡˊ ㄈㄡˊ ㄒㄧㄢˋ ㄑㄧˊ ㄔㄜˋ。

ㄐㄧㄥˇ　ㄔㄚˊ：ㄔㄜˋ ㄗㄞˋ ㄧㄡˊ ㄗㄜˇ ˙ㄇㄜ ㄧˊ ˙ㄌㄜ ㄌㄨㄥˊ ㄒㄧ ˙ㄇㄚˊ？

ㄉㄚˋ ㄇㄧㄥˊ ： 一ㄡ ㄒㄧㄢˋ ㄕㄥˊ ： 一ㄡˇ 一ˊ ㄍㄜ˙ ㄒ一ㄤ ㄐㄧ ， ㄨㄛ ㄒ一ㄚ ㄔㄜ˙ ㄉ˙ ㄕˇ ㄏㄡˋ ㄨㄤ ㄉ˙ ㄅ一ㄚ ㄌㄞˇ ㄌㄞ 。

ㄐㄧㄥˇ ㄔㄚ ： ㄑㄧㄥˇ ㄋ一ㄢˊ ㄅㄢˇ ㄋ一ㄢˊ ㄉㄧㄥˇ ㄇ一ㄥ ， ㄉ一ˇ ㄓㄨ ， ㄅㄞ ㄏㄨㄣ ㄑ一 ㄔㄜ˙ ㄉ˙ 一ㄢˊ ㄇㄚˊ ， ㄏㄨㄛ ㄇㄚˊ ㄉㄜ˙ ㄉㄜ˙ ㄒ一ㄝ ㄞˇ ㄓㄟ ㄨㄤ ㄓㄤ ㄕˋ ， ㄨㄛ ㄉㄟㄣ ㄒ一ㄤ ㄉㄞ ㄍㄟ ㄋㄠˇ 。

ㄨㄤˋ ㄒ一ㄢˋ ㄕㄥˊ ： ㄒ一 ㄨㄤˋ ㄅㄣˇ ㄅㄨㄛˋ ㄐ一ˋ ㄋㄢˊ ㄓㄠˋ ㄓㄠˋ 。 ㄇㄟˇ 一ㄡˇ 一ˊ ㄔㄜˇ ㄓㄨˋ ㄈㄤˊ ㄅㄢˊ 。

ㄨㄤˋ ㄔㄚ ： ㄕˋ ㄉ˙ ， ㄨㄛ ㄇㄣ 一 一ㄡˇ ㄒ一ㄠˋ 一ˊ ， ㄇㄚˊ ㄕㄤ ㄐ一ㄡˋ ㄍㄟ ㄋㄚˊ 一ㄢˊ ㄋ一ㄢˊ 。 ㄏㄨㄚˋ 。

ㄨㄤˋ ㄒ一ㄢ ㄕㄥ ： ㄏㄠ ㄉㄜ˙ ， ㄒ一ㄝ˙ ㄒ一ㄝ˙ 。

Dì Shíhèr Kè   Biǎo Ràng Wǒ Gěi Nòngdiōule

I

Dàmíng : Siǎo Ài, nǐ zěnmele? Chūle shénme shìh le?

Siǎo Ài : Wǒ bàmā sòng wǒde sīn biǎo ràng wǒ gěi nòngdiōule.

Dàmíng : Shìh zěnme nòngdiōu de? Nǐ shìh búshìh jhāisiàlái fàngzài nǎnr le?

Siǎo Ài : Wǒ siàle kè cyù sǐ shǒu de shíhhòu jhāisiàlái de, kěshìh wàngle fàngzài nǎr le.

Dàmíng : Nǐ dào sǐshǒujiān cyù kànguòle ma?

Siǎo Ài : Kànguòle, kěshìh búzài nàr.

Dàmíng : Bié jhāojí, mànmànr jhǎo.

Siǎo Ài : Wǒ yǐjīng jhǎole bàntiān le, hái jhǎobùjháo, zěnmebàn ne?

(Siǎo Ài shuōjhe shuōjhe, kūcǐláile.)

Dàmíng : Biékū, biékū. Zài hǎohǎor siǎngsiǎng. Shìh búshìh fàng zài shūbāolǐ le? Zài jhǎojhǎo ba. Nǐ kǒudàirlǐde dōngsī shìh shénme? Shìh búshìh biǎo?

Siǎo Ài : A! Jiòu shìh wǒde biǎo. Cíguài, wǒ zěnme méisiǎngdào ne?

Dàmíng : Nǐ jhēnshìh tài hútú le. Kuài dàishàng ba, bié zài nòngdiōule.

Siǎo Ài　: Siàcìh wǒ yào siǎosīn yìdiǎnr le.

II

Wáng Siānshēng : Jǐngchá Siānshēng, wǒde cìchē bèi tōule.

Jǐngchá　　　　: Shìh zài nǎr bèi tōu de?

Wáng Siānshēng : Yíge jhōngtóu yǐcián wǒ bǎ chē tíng zài lùbiān, dào yínháng cyù bàn shìh, chūlái de shíhhòu jiòu fāsiàn cìchē bújiànle.

Jǐngchá　　　　: Chēshàng yǒu shénme jhòngyàode dōngsī ma?

Wáng Siānshēng : Yǒu yíge jhàosiàngjī, wǒ siàchē de shíhhòu wàngle dài siàlái.

Jǐngchá　　　　: Cǐng bǎ nínde sìngmíng, dìjhǐh, diànhuà gēn cìchēde yánsè, hàomǎ shénmede siě zài jhèijhāng jhǐh shàng, wǒmen siǎng bànfǎ gěi nǐ jhǎo.

Wáng Siānshēng : Sīwàng hěn kuài jiòu néng jhǎojháo. Méiyǒu cìchē jhēn bùfāngbiàn.

Jǐngchá　　　　: Shìh a, wǒmen yì yǒu siāosí, mǎshàng jiòu gěi nín dǎ diànhuà.

Wáng Siānshēng : Hǎode, sièsie.

Dì Shíér Kè　Biǎo Ràng Wǒ Gěi Nòngdiūle

I

Dàmíng : Xiǎo Ài, nǐ zěnmele? Chūle shénme shì le?

Xiǎo Ài　: Wǒ bàmā sòng wǒde xīn biǎo ràng wǒ gěi nòngdiūle.

Dàmíng : Shì zěnme nòngdiū de? Nǐ shì búshì zhāixiàlái fàngzài nǎnr le?

Xiǎo Ài　: Wǒ xiàle kè qù xǐ shǒu de shíhòu zhāixiàlái de, kěshì wàngle fàngzài nǎr le.

Dàmíng : Nǐ dào xǐshǒujiān qù kànguòle ma?

Xiǎo Ài : Kànguòle, kěshì búzài nàr.

Dàmíng : Bié zhāojí, mànmànr zhǎo.

Xiǎo Ài : Wǒ yǐjīng zhǎole bàntiān le, hái zhǎobùzháo, zěnmebàn ne?

(Xiǎo Ài shuōzhe shuōzhe, kūqǐláile.)

Dàmíng : Biékū, biékū. Zài hǎohǎor xiǎngxiǎng. Shì búshì fàng zài
          shūbāolǐ le? Zài zhǎozhǎo ba. Nǐ kǒudàirlǐde dōngxī shì shénme?
          Shì búshì biǎo?

Xiǎo Ài : A! Jiù shì wǒde biǎo. Qíguài, wǒ zěnme méixiǎngdào ne?

Dàmíng : Nǐ zhēnshì tài hútú le. Kuài dàishàng ba, bié zài nòngdiūle.

Xiǎo Ài : Xiàcì wǒ yào xiǎoxīn yìdiǎnr le.

II

Wáng Xiānshēng : Jǐngchá Xiānshēng, wǒde qìchē bèi tōule.

Jǐngchá : Shì zài nǎr bèi tōu de?

Wáng Xiānshēng : Yíge zhōngtóu yǐqián wǒ bǎ chē tíngzài lùbiān, dào
          yínháng qù bàn shì, chūlái de shíhòu jiù fāxiàn qìchē
          bújiànle.

Jǐngchá : Chēshàng yǒu shénme zhòngyàode dōngxī ma?

Wáng Xiānshēng : Yǒu yíge zhàoxiàngjī, wǒ xiàchē de shíhòu wàngle dài
          xiàlái.

Jǐngchá : Qǐng bǎ nínde xìngmíng, dìzhǐ, diànhuà gēn qìchēde
          yánsè, hàomǎ shénmede xiězài zhèizhāng zhǐ shàng,
          wǒmen xiǎng bànfǎ gěi nǐ zhǎo.

Wáng Xiānshēng : Xīwàng hěn kuài jiù néng zhǎozháo. Méiyǒu qìchē zhēn
          bùfāngbiàn.

Jǐngchá : Shì a, wǒmen yì yǒu xiāoxí, mǎshàng jiù gěi nín dǎ
          diànhuà.

Wáng Xiānshēng : Hǎode, xièxie.

LESSON 12

I GOT MY WATCH LOST

I

Daming : Little Ai, what's wrong? What's going on?

Little Ai : I lost the new watch my parents gave me.

Daming : How did you lose it? Did you take it off and put it somewhere?

Little Ai : After class I went to wash my hands, and I took it off, but I can't remember where I put it.

Daming : Did you go look in the washroom?

Little Ai : I did, but it's not there.

Daming : Don't get upset. Take your time when looking for it.

Little Ai : I've already looked for it for a long time and still haven't found it. What can I do?

(As she talks, she starts to cry.)

Daming : Don't cry, don't cry. Think carefully again. Did you put it in your school-bag? Look again. What's that thing in your pocket? Is it a watch?

Little Ai : Hey, it's my watch. Funny, why didn't I think of that?

Daming : Your're really too mixed up. Hurry up and put it on. Don't lose it again.

Little Ai : Next time I'll be a little more careful.

II

Mr. Wang : Officer, my car has been stolen.

Police Officer : Where was it stolen?

Mr. Wang : An hour ago I parked my car on the side of the road, and went to the bank to take care of some business. When I came out, I discovered my car was gone.

Police Officer : Was there anything important in the car?

Mr. Wang : There was a camera. When I got out of the car I forgot to take it with me.

Police Officer : Please write your name, address, telephone number and the color of your car, license plate number and anything else on this paper. We'll do our best to find it for you.

Mr. Wang : I hope it will be found very soon. Not having a car is really a hassle.

Police Officer : Yes, as soon as we hear anything, we'll give you a call.

Mr. Wang : OK. Thank you.

2 NARRATION

　　小王家被偷了。昨天白天他家裡的人都去上班、上學的時候，小偷把他家的門弄壞了，偷走了電視、照像機、畫兒，還有一些錢什麼的。小王回家一發現就馬上打電話報警了。

　　我聽到這個消息以後，打電話到小王家，是小王媽媽接的電話。她說家裡讓小偷弄得又亂又髒[22]，還有一些東西被打破[23]了，說著說著就哭起來了。我真希望警察快一點兒幫他們找到丟了的東西。

ㄒㄧㄠˇ ㄨㄤˊ ㄐㄧㄚ ㄅㄟˋ ㄊㄡ ˙ㄌㄜ 。ㄗㄨㄛˊ ㄊㄧㄢ ㄅㄞˊ ㄊㄧㄢ ㄊㄚ ㄐㄧㄚ˙ㄉㄜ ㄖㄣˊ ㄉㄡ ㄑㄩˋ ㄕㄤˋ ㄅㄢ
、 ㄕㄤˋ ㄒㄩㄝˊ ˙ㄉㄜ ㄕˊ ㄏㄡˋ ， ㄒㄧㄠˇ ㄊㄡ ㄅㄚˇ ㄊㄚ ㄐㄧㄚ˙ㄉㄜ ㄇㄣˊ ㄋㄨㄥˋ ㄏㄨㄞˋ ˙ㄌㄜ ，
ㄅㄢˋ ㄉㄧㄢˋ ㄐㄧㄚ 、 ㄕ ㄒㄩㄝˊ ˙ㄉㄜ ㄒㄧㄤ ㄐㄧ 、 ㄏㄨㄚˋㄦ ， ㄏㄞˊ ㄧㄡˇ ㄧˋ ㄒㄧㄝ ㄑㄧㄢˊ ㄕㄣˊ ˙ㄇㄜ ˙ㄉㄜ 。ㄒㄧㄠˇ
ㄨㄤˊ ㄏㄨㄟˊ ㄐㄧㄚ ㄧˋ ㄈㄚ ㄒㄧㄢˋ ㄐㄧㄡˋ ㄇㄚˇ ㄕㄤˋ ㄉㄚˇ ㄉㄧㄢˋ ㄏㄨㄚˋ ㄅㄠˋ ㄐㄧㄥˇ ˙ㄌㄜ 。

ㄒㄧㄠˇ ㄨㄤˊ ㄐㄧㄚ ㄅㄟˋ ㄊㄡ ˙ㄌㄜ 。

Siǎo Wáng jiā bèi tōule. Zuótiān báitiān tā jiāde rén dōu cyù shàngbān, shàngsyué de shíhhòu, siǎotōu bǎ tā jiāde mén nònghuàile, tōuzǒule diànshìh, jhàosiàngjī, huàr, háiyǒu yìsiē cián shénmede. Siǎo Wáng huéijiā yì fāsiàn jiòu mǎshàng dǎdiànhuà bàojǐngle.

Wǒ tīngdào jhèige siāosí yǐhòu, dǎ diànhuà dào Siǎo Wáng jiā, shìh Siǎo Wáng māma jiēde diànhuà. Tā shuō jiālǐ ràng siǎotōu nòngde yòu luàn yòu zāng, háiyǒu yìsiē dōngsī bèi dǎpòle, shuōjhe shuōjhe jiòu kūcǐláile. Wǒ jhēn sīwàng jǐngchá kuài yìdiǎnr bāng tāmen jhǎodào diōulede dōngsī.

Xiǎo Wáng jiā bèi tōule. Zuótiān báitiān tā jiāde rén dōu qù shàngbān, shàngxué de shíhòu, xiǎotōu bǎ tā jiāde mén nònghuàile, tōuzǒule diànshì, zhàoxiàngjī, huàr, háiyǒu yìxiē qián shénmede. Xiǎo Wáng huíjiā yì fāxiàn jiù mǎshàng dǎ diànhuà bàojǐngle.

Wǒ tīngdào zhèige xiāoxí yǐhòu, dǎ diànhuà dào Xiǎo Wáng jiā, shì Xiǎo Wáng māma jiēde diànhuà. Tā shuō jiālǐ ràng xiǎotōu nòngde yòu luàn yòu zāng, háiyǒu yìxiē dōngxī bèi dǎpòle, shuōzhe shuōzhe jiù kūqǐláile. Wǒ zhēn xīwàng jǐngchá kuài yìdiǎnr bāng tāmen zhǎodào diūlede dōngxī.

Little Wang's house was burglarized. Yesterday during the day when everyone had gone to work or school, a thief broke in the door of their house and stole their television, a camera, paintings, and some money, etc. As soon as Little Wang discovered this when he came home, he immediately called the police.

I called Little Wang's family after I heard the news. Little Wang's mother answered the phone. She said that the thief had made a big mess, and had even broken some things. She began to cry while she was speaking. I really hope the police can help them quickly locate the things that were stolen from them.

3 VOCABULARY

1 讓 (ràng)

CV/V：used in a passive sentence structure to introduce the agent; to let, to allow, to permit, to make

蛋糕讓妹妹吃完了。

Dàngāo ràng mèimei chīhwánle.
Dàngāo ràng mèimei chīwánle.
The cake was eaten by my little sister.

2 弄 (nòng)

V：a generalized verb of doing-make, get, fix, etc.

我的錶讓弟弟弄壞了。

Wǒde biǎo ràng dìdi nònghuàile.
My watch was broken by my little brother.

3 丢 (diōu / diū)

V：to lose (something), to throw, to cast, to dismiss, to put or lay aside

他的錢丢了。

Tāde cián diōule.
Tāde qián diūle.
He lost his money.

4 出事 (chūshìh / chūshì)

VO：to have an accident

昨天飛機又出事了。

Zuótiān fēijī yòu chūshìhle.
Zuótiān fēijī yòu chūshìle.
Yesterday there was another airplane accident.

5 摘ㄓㄞ (jhāi / zhāi)　V：to take off, to pick, to pluck

洗ㄒㄧ手ㄕㄡ的ㄉㄜ時ㄕ候ㄏㄡ，我ㄨㄛ一ㄧ定ㄉㄧㄥ把ㄅㄚ錶ㄅㄧㄠ摘ㄓㄞ下ㄒㄧㄚ來ㄌㄞ。

Sǐ shǒu de shíhhòu, wǒ yídìng bǎ biǎo jhāisiàlái.
Xǐ shǒu de shíhòu, wǒ yídìng bǎ biǎo zhāixiàlái.
When I wash my hands, I always take off my watch.

6 洗ㄒㄧ手ㄕㄡ間ㄐㄧㄢ (sǐshǒujiān / xǐshǒujiān)　N：washroom, restroom

7 哭ㄎㄨ (kū)　V：to cry

你ㄋㄧ好ㄏㄠ像ㄒㄧㄤ剛ㄍㄤ哭ㄎㄨ過ㄍㄨㄛ？

Nǐ hǎosiàng gāng kūguò?
Nǐ hǎoxiàng gāng kūguò?
You look as if you've just been crying?

8 書ㄕㄨ包ㄅㄠ (shūbāo)　N：school-bag

9 奇ㄑㄧ怪ㄍㄨㄞ (cíguài / qíguài)

SV：to be strange, to be queer, to be unusual

世ㄕ界ㄐㄧㄝ上ㄕㄤ有ㄧㄡ很ㄏㄣ多ㄉㄨㄛ奇ㄑㄧ怪ㄍㄨㄞ的ㄉㄜ事ㄕ。

Shìhjièshàng yǒu hěn duō cíguàide shìh.
Shìjièshàng yǒu hěn duō qíguàide shì.
There are a lot of strange things in this world.

怪ㄍㄨㄞ (guài)　SV：to be strange, to be odd, to be queer, to be unusual

10 胡ㄏㄨ／糊ㄏㄨ塗ㄊㄨ (hútú)

SV：to be bewildered, to be mixed up, to be confused

我ㄨㄛ真ㄓㄣ胡ㄏㄨ塗ㄊㄨ，忘ㄨㄤ了ㄌㄜ帶ㄉㄞ書ㄕ來ㄌㄞ學ㄒㄩㄝ校ㄒㄧㄠ。

Wǒ jhēn hútú, wàngle dài shū lái syuésiào.
Wǒ zhēn hútú, wàngle dài shū lái xuéxiào.
I'm really mixed up. I forgot to bring my books to school.

11 警察 (jǐngchá)   N：police officer

報警 (bàojǐng)   VO：to report something to the police

車丟了的時候，最好去報警。

Chē diōule de shíhhòu, zuèihǎo cyù bàojǐng.
Chē diūle de shíhòu, zuìhǎo qù bàojǐng.
If you can't find your car (lit. lose your car), it's best to report it to the police.

12 被 (bèi)   CV：a passive voice indicator

我的筆被他借走了。

Wǒde bǐ bèi tā jièzǒule.
My pen was borrowed by him.

13 偷 (tōu)   V：to steal, to burglarize

我想是他偷了我的錢。

Wǒ siǎng shìh tā tōule wǒde cián.
Wǒ xiǎng shì tā tōule wǒde qián.
I think he's the one who stole my money.

小偷 (siǎotōu / xiǎotōu)   N：thief, burglar

14 銀行 (yínháng)   N：bank（M：家 jiā）

15 發現 (fāsiàn / fāxiàn)   V：to discover

你是什麼時候發現你的錶丟了的？

Nǐ shìh shénme shíhhòu fāsiàn nǐde biǎo diōule de?
Nǐ shì shénme shíhòu fāxiàn nǐde biǎo diūle de?
When did you discover you had lost your watch?

16 不見了 (bújiànle)   IE：(something) is gone

17 重要 (jhòngyào / zhòngyào)　SV：to be important, to be vital

學好中國話，對我很重要。

Syuéhǎo Jhōngguó huà, duèi wǒ hěn jhòngyào.
Xuéhǎo Zhōngguó huà, duì wǒ hěn zhòngyào.
It's very important for me to learn Chinese well.

18 姓名 (sìngmíng / xìngmíng)　N：full name

19 什麼的 (shénmede)　N：etc., and so on

包子、春捲兒什麼的，我都愛吃。

Bāozih, chūnjyuǎnr shénmede, wǒ dōu ài chīh.
Bāozi, chūnjuǎnr shénmede, wǒ dōu ài chī.
Pork buns, spring rolls and the like, I like to eat all of them.

20 希望 (sīwàng / xīwàng)　V/N：to hope, to wish; hope

我希望他明天能來。

Wǒ sīwàng tā míngtiān néng lái.
Wǒ xīwàng tā míngtiān néng lái.
I hope he will be able to come tomorrow.

21 消息 (siāosí/xiāoxí) (siāosi/xiāoxi)　N：news, information

我一直沒有他的消息。

Wǒ yìjhíh méiyǒu tāde siāosí.
Wǒ yìzhí méiyǒu tāde xiāoxí.
I never heard anything about him.

SUPPLEMENTARY VOCABULARY

22 亂 (luàn) SV：to be messy

他的臥房總是很亂。

Tāde wòfáng zǒngshìh hěn luàn.
Tāde wòfáng zǒngshì hěn luàn.
His bedroom is always a mess.

23 打破 (dǎpò) RC：to break

這個窗戶是誰打破的？

Jhèige chuānghù shìh shéi dǎpò de?
Zhèige chuānghù shì shéi dǎpò de?
Who broke this window?

破 (pò) SV：to be broken

你的衣服怎麼破了？

Nǐde yīfú zěnme pòle?
Why were your clothes torn?

24 搶 (ciǎng / qiǎng) V：to rob, to snatch, to grab

他從銀行出來的時候，錢被搶了。

Tā cóng yínháng chūlái de shíhhòu, cián bèi ciǎngle.
Tā cóng yínháng chūlái de shíhòu, qián bèi qiǎngle.
When he came out of the bank, his money was grabbed from him.

25 生氣 (shēngcì / shēngqì) SV/VO：to be angry; to take offence

你說這些話，讓他很生氣。

Nǐ shuō jhèisiē huà, ràng tā hěn shēngcì.
Nǐ shuō zhèixiē huà, ràng tā hěn shēngqì.
You said these words, and made him very angry.

請你別生我的氣。

Cǐng nǐ bié shēng wǒde cì.
Qǐng nǐ bié shēng wǒde qì.
Please don't be angry with me.

4 SYNTAX PRACTICE

▼ I. Passive Voice Sentences with Coverbs 被，讓 or 叫

This type of sentence pattern begins with the thing being acted upon and the agent of the action occurs after 被 / 讓 / 叫. In Chinese the passive sentence carries a less general meaning than in English. It is often used to indicate a bad result.

（I）

Patient	被 / 讓 / 叫	Agent	（給）V + Complement
那枝筆	被	孩子	給 弄 壞了。

That pen was broken by the child.

1. 我的書被他帶回家去了。

2. 我讓你給弄胡塗了。

3. 那件衣服叫我給弄髒了。

4. 弟弟被哥哥打了，所以哭了。

5. 他偷東西的時候被別人看見了。

6. 媽媽放糖的地方被孩子發現了。

7. 那些點心都叫你們給吃完了。

8. 那個漂亮的杯子讓小妹妹給打破了。

(II) When 被 is used, the agent noun can be omitted.

Patient	被	V + Complement
我的車	被	偷　了。
My car was stolen.		

1. 昨天那家銀行被搶了。

2. 我不在家的時候，窗戶被打破了。

3. 那件衣服又便宜又好看，很快就被買走了。

Transform the following sentences into the passive voice

1. 壞人把我的照像機偷走了。

2. 哥哥把我的茶喝完了。

3. 林先生把你的東西拿走了。

4. 他把你的杯子打破了。

5. 他把我弄胡塗了。

6. 小貓把我的衣服弄髒了。

7. 我把電視弄壞了。

8. 她弟弟把她的汽車開走了。

II. Causative Sentences with Verbs 讓 or 叫

In causative sentences with verbs 讓 or 叫，the object of the first clause is the subject of the second clause.

In the sentence pattern "S₁ 讓／叫 O₁", S_2 is the doer of the V_2, not S_1.
                                                 |
                                              $S_2V_2O_2$

In the sentence pattern "S₁ 讓／叫 O₁",   the subject experiencing or
                                                 | feeling the state indicated by the
                                              $S_2(A)SV$ SV is S_2, not S_1 .

（I）

S₁ 讓／叫 O₁
| S₂ V₂ O₂
他 叫 我 回 家。 He let me go home.

1. 老師叫我們買這本書。

2. 有的父母不讓孩子看電視。

3. 請你讓我跟他說幾句話。

4. 你叫我買的東西，我都買好了。

5. 他叫你準備哪些東西？

　　他叫我準備衣服、鞋子什麼的。

（II）

S₁ 讓／叫 O₁
| S₂ (A) SV
這件事 讓 我 很 高興。 This affair made me happy.

1. 別讓父母生氣。

2. 他做事太慢，真叫人著急。

3. 這種天氣讓人覺得很舒服。

4. 考試常常讓學生緊張。

Change the following sentences using 叫 or 讓

1. 老師對學生說：「你們回家。」

2. 爸爸對孩子說：「你去拿那本書。」

3. 媽媽對小美說：「你寫功課。」

4. 老師對大明說：「別睡覺！」

Answer the following questions

1. 要是你很累，休息一會兒以後，讓你覺得怎麼樣？

2. 今天的天氣讓你覺得怎麼樣？

3. 坐飛機讓你覺得怎麼樣？

4. 跳舞讓你覺得怎麼樣？

5. 看電視讓你覺得怎麼樣？

III. Sentences with Correlative Conjunctions 一……就 (just as soon as, whenever)

In Chinese, if you want to indicate "just as soon as" or "whenever", then in front of the verb in a dependent clause you should add 一, and in front of the verb in the subsequent clause add the adverb 就 (note that this adverb must occur after the subject). When the subjects of these two clauses are the same, then often one subject is omitted.

		SV$_1$			SV$_2$	
S$_1$	一	V$_1$O$_1$,	S$_2$	就	V$_2$O$_2$	
他	一	高興，		就	唱歌兒。	
Whenever he felt happy, he started to sing.						
我	一	到家，	他	就	告訴我了。	
As soon as I came home, he told me.						

1. 孩子一看見媽媽，就哭起來了。

2. 我一到家，就接到他的電話了。

3. 她一看書，就忘了吃飯。

4. 他一上床，就睡著了。

5. 春天一到，花兒就開了。

6. 我一唱歌兒，他們就都走了。

7. 天氣一熱，我就覺得不舒服。

8. 孩子一生病，父母就著急。

> Complete the following sentences with the
> 一……就 pattern

1. 弟弟生氣；弟弟哭

2. 他考試；他緊張

3. 老師來；學生坐下

4. 警察來：小偷跑走了

5. 我感冒；我不舒服

6. 他說外國話；別人笑

7. 我上了火車；火車開了

8. 她不運動；她胖了

5　APPLICATION ACTIVITIES

I. Answer the following questions using 叫，讓 or 被.

(Try to give various answers.)

1. 那個小孩子為什麼哭？

2. 他的汽車怎麼了？

3. 那家商店出了什麼事了？

4. 你的照像機呢？

5. 他為什麼很生氣？

6. 什麼事讓你緊張？

7. 什麼事讓他覺得那麼高興？

8. 你小的時候，你父母不讓你做什麼？

9. 父母常常叫孩子做什麼？

10. 老師叫學生做什麼？

II. Situations

1. A student loses something and tells a classmate about it.

2. A conversation of a theft victim reporting the crime to the police.

第十三課 | 恭喜恭喜①

1 DIALOGUE

I

明遠：德風，生日快樂②！

德風：明遠，你來了！歡迎，歡迎！

明遠：對不起，我有點兒事情③，現在才④來。這是我送給你
　　　的一點兒小禮物⑤，希望你喜歡。

德風：謝謝，謝謝！來，來，來，先喝點兒飲料吧。

明遠：好，我自己來。祝你身體健康⑥，萬事如意⑦！

德風：謝謝！桌子上有蛋糕跟點心，請隨便吃，別客氣⑧！

明遠：好，我不會客氣。李新他們都來了嗎？

德風：他們早就來了，在後面院子裡烤肉⑨呢。

明遠：那一定很熱鬧⑩，我去看看。

II

李新：明遠，你也來了啊！

明遠：我剛剛才到。你們來了很久了吧？

李新：我們三點鐘就來了。好久沒看見你了，你在忙些什麼
　　　啊？

明遠：我忙著找工作啊！⑪

李新：找著了嗎？

明遠：我在電腦⑫公司找到了一份⑬工作。

李新：那真不錯！恭喜，恭喜！現在工作好像越來越⑭難找
　　　了。

明遠：是啊，我找了好久才找到。

李新：什麼時候開始上班呢？

明遠：他們昨天才通知⑮我的，下星期一就要上班了。你呢？
　　　畢業⑯以後打算做什麼？

李新：我打算先到國外去旅行，回來再念研究所⑰。

明遠：你出國以前，我們找個時間
　　　好好兒地聊聊⑱吧。

李新：沒問題，我最近
　　　都有空，隨時⑲都
　　　可以。

ㄉㄧˋ　ㄕˊ　ㄙㄢ　ㄎㄜˋ　　《ㄨㄥ　ㄒㄧˇ　《ㄨㄥ　ㄒㄧˇ

I

ㄇㄧㄥˊ
ㄩㄢˊ ： ㄉㄜˊ ㄇㄟˋ ㄇㄧㄥˊ ， ㄕㄥ ㄖˋ ㄎㄨㄞˋ ㄌㄜˋ ！

ㄉㄜˊ
ㄇㄟˋ
ㄇㄧㄥˊ ： ㄒㄧㄝˋ ㄒㄧㄝˋ ！ ㄏㄨㄢ ㄧㄥˊ ， ㄏㄨㄢ ㄧㄥˊ ！

ㄉㄜˊ
ㄇㄟˋ
ㄇㄧㄥˊ ： ㄇㄧㄥˊ ㄒㄧㄠˋ ㄅㄨˋ ㄑㄧˋ ， ㄨㄛˇ ㄧㄡˋ ㄉㄞˋ ㄦˊ ㄕˋ ㄑㄧㄥˊ ， ㄒㄧㄢ ㄌㄞˊ ㄌㄞˊ ㄌㄞˊ 。 ㄓㄜˋ ㄕˋ ㄨㄛˇ ㄍㄟˇ ㄋㄧˇ ㄉㄜˊ ㄧˊ ㄉㄧㄢˇ ㄦˊ ㄒㄧㄠˇ ㄧˋ ， ㄒㄧ ㄨㄤˋ ㄋㄧˇ ㄒㄧˇ ㄏㄨㄢ 。

ㄉㄜˊ
ㄇㄟˋ
ㄇㄧㄥˊ ： ㄒㄧㄝˋ ， ㄒㄧㄝˋ ！ ㄌㄞˊ ， ㄌㄞˊ ， ㄌㄞˊ ， ㄒㄧㄢ ㄏㄜ ㄌㄧㄢˇ ㄦˊ ㄧˇ ㄓㄠˋ ㄋㄚˊ 。

ㄉㄜˊ
ㄇㄟˋ
ㄎㄜˋ ： ㄏㄠˇ ㄒㄧㄝˋ ， ㄨㄛˇ ㄐㄧˊ ㄌㄞˊ 。 ㄓㄨ ㄋㄧˇ ㄕˋ ㄊㄧˋ ㄐㄧˊ ㄎㄞˋ ， ㄋㄢˊ ㄕˋ ㄖㄨˋ ㄧˋ ！

ㄉㄜˊ
ㄇㄟˋ ： ㄒㄧㄝˋ ！ ㄓㄨˋ ㄕˋ ㄧˊ ㄋㄢˊ ㄍㄠ ㄍㄞˋ ， ㄑㄧㄥ ㄙㄨㄟˋ ㄅㄧㄢˋ ㄔˊ ，

ㄇㄧㄥˊ
ㄩㄢˊ ： ㄏㄠˇ ， ㄨㄛˇ ㄅㄨˋ ㄎㄜˋ ㄑㄧˋ 。 ㄌㄧˇ ㄒㄧㄢ ㄊㄚ ˙ㄅㄣ ㄅㄡ ㄌㄞˊ ˙ㄌㄜ ˙ㄇㄚ ？

ㄉㄜˊ
ㄇㄟˋ ： ㄊㄚ ˙ㄅㄣ ㄗㄠˇ ㄌㄞˊ ˙ㄌㄜ ， ㄗㄞˋ ㄏㄡˋ ㄇㄧㄢˋ ㄩㄢˊ ˙ㄗ ㄐㄧ ㄎㄠ ㄖㄡˋ ˙ㄋㄜ 。

ㄇㄧㄥˊ
ㄩㄢˊ ： ㄋㄚˇ ㄧˊ ㄐㄧㄚ ， ㄨㄛˇ ㄑㄩˋ ㄎㄢˋ 。

II

ㄉㄧˋ
ㄒㄧ ： ㄇㄧㄢˋ ， ㄋㄧˇ ㄧㄝˇ ㄌㄞˊ ˙ㄌㄜ ˙ㄚ ！

ㄇㄧㄥˊ
ㄩㄢˊ
ㄒㄧㄣ ： ㄨㄛˇ ㄍㄤ ㄨㄛˇ ㄍㄤ ㄉㄞˋ ㄍㄠ ㄓㄨㄥ ㄐㄧˊ ㄌㄜˊ ˙ㄌㄜ 。 ㄋㄧˇ ˙ㄅㄣ ㄌㄞˊ ˙ㄌㄜ ㄏㄣˇ ㄐㄧㄡˇ ˙ㄌㄜ ˙ㄋㄚ ？ ㄋㄧˇ ˙ㄌㄜ ， ㄋㄧˇ ㄗㄞˋ

ㄇㄧㄥˊ
ㄩㄢˊ ： ㄍㄤ ㄇㄧㄢˋ ㄒㄧㄝˋ ˙ㄓㄜ ˙ㄓㄜ ˙ㄇㄚ ？ ㄗㄠˋ ˙ㄚ ！

ㄇㄧㄥˊ
ㄐㄧㄣ
ㄇㄧㄥˊ
ㄐㄧ ： ㄨㄛˇ ㄗㄞˋ ㄇㄢˇ ㄋㄢˊ ㄎㄨㄛˋ ˙ㄉㄜ 。 ㄙㄢ ㄓㄠˇ ㄌㄜˊ ㄧˊ ㄈㄣ 《ㄨㄥ ㄗㄨㄛˋ 。 《ㄨㄥ ㄒㄧˇ ， 《ㄨㄥ ㄒㄧˇ ！ ㄗㄞˋ 《ㄨㄥ ㄗㄨㄛˋ ㄏㄡˋ ㄒㄧㄤ ㄧㄝˇ ㄌㄞˊ

ㄇㄧㄥˊ
ㄩㄢˊ ： ㄕˋ ˙ㄚ ， ㄨㄛˇ ㄓㄠˇ ˙ㄌㄜ ㄏㄠˇ ㄐㄧ ㄎㄞˋ ㄓˋ ㄌㄞˊ 。

ㄇㄧㄥˊ
ㄩㄢˊ
ㄒㄧㄣ ： ㄕˋ ˙ㄇㄚ ， ㄕˊ ㄏㄡˋ ㄎㄞˋ ㄕˋ ㄕㄢ ˙ㄋㄜ ？

ㄇㄥˊ
ㄩㄢˇ ： ㄊㄚˊ ㄅㄣ ㄨㄛˊ ㄊㄞ ㄊㄡˋ ㄓ ㄨㄛˊ ㄉㄜ˙ ， ㄒㄧㄚˊ ㄒㄧㄥ ㄑㄧˋ ㄧ ㄐㄧㄡˋ ㄧㄠˋ ㄕㄤ ㄅㄢ
　　　 ㄌㄜ˙ 。 ㄋㄧˇ ㄋㄜ˙ ？ ㄅㄧ ㄧㄝˇ ㄧ ㄏㄡˋ ㄅㄧˋ ㄙㄨㄥˇ ㄨㄛˇ ㄏㄜˊ ㄇㄜ˙ ？

ㄉㄧˋ
ㄒㄧㄣ ： ㄨㄛˊ ㄅㄚˇ ㄙㄨㄥˊ ㄒㄧㄣ ㄅㄠˋ ㄍㄠˋ ㄙㄨㄣ ㄑㄧㄢˊ ㄌㄧㄥˊ ， ㄍㄨㄞ ㄇㄟˋ ㄋㄧㄢˊ ㄧㄢˊ ㄐㄩㄛˋ ㄌㄧˇ ㄉㄜ˙ 。

ㄇㄧㄥˊ
ㄩㄢˇ ： ㄋㄧˇ ㄔ ㄍㄨㄛˇ ㄧ ㄑㄧㄢˊ ， ㄨㄛˊ ㄅㄣ ㄓ ㄍㄜˊ ㄕˋ ㄐㄩㄢˋ ㄏㄜˊ ㄏㄠˋ ㄦˊ ㄧ ㄐㄩㄛˋ ㄌㄧㄠˋ 。
　　　　　　　　　　　　　　　　　　　　　ㄅㄠˋ
　　　　　　　　　　　　　　　　　　　　　ㄅㄚ 。

ㄌㄧˇ
ㄒㄧㄣ ： ㄇㄟˇ ㄨㄟˊ ㄊㄤ ， ㄨㄛˊ ㄗㄨㄟˋ ㄐㄧㄣˋ ㄅㄧˊ ㄧㄡˇ ㄨㄞˋ ㄊㄨㄥˇ ， ㄙㄨㄟˋ ㄕˊ ㄅㄟˇ ㄎㄞˋ ㄧˇ 。

Dì Shíhsān Kè　Gōngsǐ Gōngsǐ

I

Míngyuǎn : Défōng, shēngrìh kuàilè!

Défōng　　 : Míngyuǎn, nǐ láile? Huānyíng, huānyíng!

Míngyuǎn : Duèibùcǐ, wǒ yǒu diǎnr shìhcíng, siànzài cái lái. Jhèshìh wǒ sònggěi nǐ de yìdiǎnr siǎo lǐwù, sīwàng nǐ sǐhuān.

Défōng　　 : Sièsie, sièsie! Lái, lái, lái siān hē diǎnr yǐnliào ba.

Míngyuǎn : Hǎo, wǒ zìhjǐ lái. Jhù nǐ shēntǐ jiànkāng, wànshìhrúyì!

Défōng　　 : Sièsie! Jhuōzihshàng yǒu dàngāo gēn diǎnsīn, cǐng suéibiàn chīh, bié kècì!

Míngyuǎn : Hǎo, wǒ búhuèi kècì. Lǐ Sīn tāmen dōu láile ma?

Défōng　　 : Tāmen zǎo jiòu láile, zài hòumiàn yuànzihlǐ kǎoròu ne.

Míngyuǎn : Nà yídìng hěn rènào, wǒ cyù kànkàn.

II

Lǐ Sīn　　 : Míngyuǎn, nǐ yě láile a!

Míngyuǎn : Wǒ gānggāng cái dào. Nǐmen láile hěn jiǒule ba?

Lǐ Sīn　　 : Wǒmen sāndiǎnjhōng jiòu láile. Hǎo jiǒu méikànjiàn nǐ le, nǐ zài máng siē shénme a?

Míngyuǎn : Wǒ mángjhe jhǎo gōngzuò a!

Lǐ Sīn　　 : Jhǎojháole ma?

Míngyuǎn : Wǒ zài diànnǎo gōngsīh jhǎodàole yífèn gōngzuò.

Lǐ Sīn : Nà jhēn búcuò! Gōngsǐ, gōngsǐ! Siànzài gōngzuò hǎosiàng yuèláiyuè nánjhǎole.

Míngyuǎn : Shìh a, wǒ jhǎole hǎo jiǒu cái jhǎodào.

Lǐ Sīn : Shénme shíhhòu kāishǐh shàngbān ne?

Míngyuǎn : Tāmen zuótiān cái tōngjhīh wǒ de, sià sīngcíyī jiòu yào shàngbān le. Nǐ ne? Bìyè yǐhòu dǎsuàn zuò shénme?

Lǐ Sīn : Wǒ dǎsuàn siān dào wàiguó cyù lyǔsíng, huéilái zài niàn yánjiòusuǒ.

Míngyuǎn : Nǐ chūguó yǐcián, wǒmen jhǎoge shíhjiān hǎohǎorde liáoliáo ba.

Lǐ Sīn : Méiwùntí, wǒ zuèijìn dōu yǒukòng, suéishíh dōu kěyǐ.

Dì Shísān Kè　　Gōngxǐ Gōngxǐ

I

Míngyuǎn : Défēng, shēngrì kuàilè!

Défēng : Míngyuǎn, nǐ láile? Huānyíng, huānyíng!

Míngyuǎn : Duìbùqǐ, wǒ yǒu diǎnr shìqíng, xiànzài cái lái. Zhèshì wǒ sònggěi nǐ de yìdiǎnr xiǎo lǐwù, xīwàng nǐ xǐhuān.

Défēng : Xièxie, xièxie! Lái, lái, lái xiān hē diǎnr yǐnliào ba.

Míngyuǎn : Hǎo, wǒ zìjǐ lái. Zhù nǐ shēntǐ jiànkāng, wànshìrúyì!

Défēng : Xièxie! Zhuōzishàng yǒu dàngāo gēn diǎnxīn, qǐng suíbiàn chī, bié kèqì!

Míngyuǎn : Hǎo, wǒ búhuì kèqì. Lǐ Xīn tāmen dōu láile ma?

Défēng : Tāmen zǎo jiù láile, zài hòumiàn yuànzilǐ kǎoròu ne.

Míngyuǎn : Nà yídìng hěn rènào, wǒ qù kànkàn.

II

Lǐ Xīn : Míngyuǎn, nǐ yě láile a!

Míngyuǎn : Wǒ gānggāng cái dào. Nǐmen láile hěn jiǔle ba?

Lǐ Xīn : Wǒmen sāndiǎnzhōng jiù láile. Hǎo jiǔ méikànjiàn nǐ le, nǐ zài máng xiē shénme a?

Míngyuǎn : Wǒ mángzhe zhǎo gōngzuò a!

Lǐ Xīn : Zhǎozháole ma?

Míngyuǎn : Wǒ zài diànnǎo gōngsī zhǎodàole yífèn gōngzuò.

Lǐ Xīn : Nà zhēn búcuò! Gōngxǐ, gōngxǐ! Xiànzài gōngzuò hǎoxiàng yuèláiyuè nánzhǎole.

Míngyuǎn : Shì a, wǒ zhǎole hǎo jiǔ cái zhǎodào.

Lǐ Xīn : Shénme shíhòu kāishǐ shàngbān ne?

Míngyuǎn : Tāmen zuótiān cái tōngzhī wǒ de, xià xīngqíyī jiù yào shàngbān le. Nǐ ne? Bìyè yǐhòu dǎsuàn zuò shénme?

Lǐ Xīn : Wǒ dǎsuàn xiān dào wàiguó qù lǚxíng, huílái zài niàn yánjiùsuǒ.

Míngyuǎn : Nǐ chūguó yǐqián, wǒmen zhǎoge shíjiān hǎohǎorde liáoliáo ba.

Lǐ Xīn : Méiwèntí, wǒ zuìjìn dōu yǒukòng, suíshí dōu kěyǐ.

LESSON 13 CONGRATULATIONS

I

Mingyuan : Defeng, happy birthday!

Tefeng : Mingyuan, you've come. Welcome, welcome.

Mingyuan : Sorry, I had something to do, so I could only come now. Here is a little present I want to give to you. I hope you'll like it.

Tefeng : Thank you, thank you. Come, come, come. Have something to drink.

Mingyuan : Fine, I'll help myself. I wish you good health and that you get whatever your heart desires.

Tefeng : Thank you. There's cake and snacks on the table. Please eat whatever you want. Don't be polite.

Mingyuan : All right, I won't be polite. Have Xin Li and the others already arrived?

Tefeng : Yes, they've already been here quite a while. They are barbecuing in the back yard.

Mingyuan : Well, that sounds like fun. I'll go have a look.

II

Xin Li : Mingyuan, you came too?

Mingyuan : I only just arrived. Have you been here long?

Xin Li : We came at three o'clock. Long time no see. What have you been doing?

Mingyuan : I'm busy looking for job.

Xin Li : Have you found anything?

Mingyuan : I found a job at a computer company.

Xin Li : That's not bad at all. Congratulations! Nowadays it seems like jobs are harder and harder to find.

Mingyuan : Yes, I only found it after looking for a long time.

Xin Li : When do you start work?

Mingyuan : They informed me only yesterday, and next Monday I will start work. What about you? What are you planning to do after you graduate?

Xin Li : First I plan to travel abroad, and after I get back, I'll start graduate school.

Mingyuan : Before you leave, let's find time to sit down and have a good talk.

Xin Li : No problem. I have a lot of free time now, so any time is fine.

2 NARRATION

一封信

爸爸、媽媽：

　　您二位好！我來臺北上研究所已經半年多了，認識了不少新朋友，中文也越來越進步了[20]，請你們放心。下星期一是爸爸的生日，我買了一個生日禮物寄給爸爸，希望您這幾天就可以接到。要是禮物晚一、兩天才到，也請爸爸不要生氣。妹妹中學畢業了，請替我恭喜她。我原來打算七月回美國，可是現在想放暑假的時候打兩個月工[21][22]，所以決定寒假的時候再回去看你們。[23]

　　　祝
身體健康

女兒 心樂　上
六月十二日

ㄧˋ ㄈㄥ ㄒㄧㄣ

ㄅㄚˋ ㄅㄚˊ、ㄇㄚ ㄇㄚ˙：

　　ㄋㄧㄣˊ ㄦˋ ㄨㄟˋ ㄏㄠˇ！ㄨㄛˇ ㄌㄞˊ ㄊㄞˊ ㄅㄟˇ ㄕㄤˋ ㄧㄢˊ ㄐㄧㄡˋ ㄙㄨㄛˇ ㄧˇ ㄐㄧㄥ ㄅㄢˋ ㄋㄧㄢˊ ㄉㄨㄛ˙ ㄌㄜ˙，ㄖㄣˋ ㄕˋ ㄏㄨㄚˋ ㄒㄧㄣ˙ ㄅㄨˋ ㄕㄠˇ ㄒㄧㄣ ㄆㄥˊ ㄧㄡˇ，ㄓㄨㄥ ㄨㄣˊ ㄧㄝˇ ㄩㄝˋ ㄌㄞˊ ㄩㄝˋ ㄐㄧㄣˋ ㄅㄨˋ ㄌㄜ˙，ㄑㄧㄥˇ ㄋㄧˇ ㄇㄣ˙ ㄈㄤˋ ㄒㄧㄣ。ㄒㄧㄚˋ ㄒㄧㄥ ㄑㄧ ㄧ ㄕˋ ㄅㄚˋ ㄅㄚ˙ ㄉㄜ˙ ㄕㄥ ㄖˋ，ㄨㄛˇ ㄇㄞˇ ㄌㄜ˙ ㄧˊ ㄍㄜˋ ㄕㄥ ㄖˋ ㄌㄧˇ ㄨˋ ㄐㄧˇ ㄍㄟˇ ㄅㄚˋ ㄅㄚ˙，ㄒㄧ ㄨㄤˋ ㄋㄧㄣˊ ㄓㄜˋ ㄐㄧˇ ㄊㄧㄢ ㄐㄧㄡˋ ㄎㄜˇ ㄧˇ ㄐㄧㄝ ㄉㄠˋ。ㄧㄠˋ ㄕˋ ㄌㄧˇ ㄨˋ ㄨㄢˇ ㄧˋ

ㄋㄧˇ 　 ㄦˊ
ㄉㄧ　 ㄒㄧㄣ
ㄉㄡ 　 ㄌㄩˊ
　　　　ㄕˋ
　　　　ㄦˋ
　　　　ㄖˋ

Yì Fōngsìn

Bàba, Māma:

　　Nín èrwèi hǎo! Wǒ lái Táiběi shàng yánjiòusuǒ yǐjīng bànniánduō le, rènshìhle bùshǎo sīn péngyǒu, Jhōngwún yě yuèláiyuè jìnbùle, cǐng nǐmen fàngsīn. Sià sīngcíyī shìh bàbade shēngrìh, wǒ mǎile yíge shēngrìh lǐwù jìgěi bàba, sīwàng nín jhèjǐ tiān jiòu kěyǐ jiēdào. Yàoshìh lǐwù wǎn yì, liǎngtiān cái dào, yě cǐng Bàba búyào shēngcì. Mèimei jhōngsyué bìyèle, cǐng tì wǒ gōngsǐ tā. Wǒ yuánlái dǎsuàn cīyuè huéi Měiguó, kěshìh siànzài siǎng fàng shǔjià de shíhhòu dǎ liǎnggeyuègōng, suǒyǐ jyuédìng hánjià de shíhhòu zài huéicyù kàn nǐmén.

    jhù
Shēntǐ jiànkāng

Nyǔér/Sīnlè shàng
Liòuyuè-shíhèrrìh

Yì Fēngxìn

Bàba, Māma:

    Nín èrwèi hǎo! Wǒ lái Táiběi shàng yánjiùsuǒ yǐjīng bànniánduō le, rènshìle bùshǎo xīn péngyǒu, Zhōngwén yě yuèláiyuè jìnbùle, qǐng nǐmen fàngxīn. Xià xīngqíyī shì bàbade shēngrì, wǒ mǎile yíge shēngrì lǐwù jìgěi bàba, xīwàng nín zhèjǐ tiān jiù kěyǐ jiēdào. Yàoshì lǐwù wǎn yì, liǎngtiān cái dào, yě qǐng bàba búyào shēngqì. Mèimei zhōngxué bìyèle, qǐng tì wǒ gōngxǐ tā. Wǒ yuánlái dǎsuàn qīyuè huí Měiguó, kěshì xiànzài xiǎng fàng shǔjià de shíhòu dǎ liǎnggeyuègōng, suǒyǐ juédìng hánjià de shíhòu zài huíqù kàn nǐmén.

    zhù
Shēntǐ jiànkāng

Nǚér/Xīnlè shàng
Liùyuèshíèrrì

A LETTER

Mom and Dad,

How are you two! I've already been in graduate school in Taipei for more than half a year. I've made quite a few friends, and my Chinese is getting better and better, so please put your minds at ease. Next Monday is Dad's birthday. I bought a birthday present and sent it to Dad. I hope you will receive it in the next few days. If it arrives one or two days late, Dad, please don't be angry. Little sister graduated from high school. Please congratulate her for me. Originally I had planned to come home in July, but now I think I'll work for two months during summer vacation, so I decided to come home during winter vacation to see all of you. Wishing you all good health.

Your daughter,
Xinle
June 12th

3 VOCABULARY

1 恭喜 (gōngsǐ / gōngxǐ)　V：to congratulate

2 快樂 (kuàilè)　SV：to be happy

祝你生日快樂。

Jhù nǐ shēngrìh kuàilè.
Zhù nǐ shēngrì kuàilè.
Wishing you a Happy Birthday.

3 事情 (shìhcíng / shìqíng)

N：affair, something to do, a matter, event （M：件 jiàn）

他每天都有做不完的事情。

Tā měitiān dōu yǒu zuòbùwán de shìhcíng.
Tā měitiān dōu yǒu zuòbùwán de shìqíng.
Everyday he has tons of work to do.

4 才 (cái)　A：not until, only then, only, merely

我下個月才到日本去。

Wǒ siàge yuè cái dào Rìhběn cyù.
Wǒ xiàge yuè cái dào Rìběn qù.
I'll only go to Japan next month.

別著急，現在才七點鐘。

Bié jhāojí, siànzài cái cīdiǎnjhōng.
Bié zhāojí, xiànzài cái qīdiǎnzhōng.
No hurry. It's only seven o'clock.

5 禮物 (lǐwù) 　　N：present, gift

他把我送給他的生日禮物弄丟了。

Tā bǎ wǒ sònggěi tāde shēngrìh lǐwù nòngdiōule.
Tā bǎ wǒ sònggěi tāde shēngrì lǐwù nòngdiūle.
He lost the birthday present I gave to him.

6 健康 (jiànkāng)

SV/N：to be healthy, in good physical condition; health

他身體很健康。

Tā shēntǐ hěn jiànkāng.
He is very healthy.

7 萬事如意 (wànshìhrúyì / wànshìrúyì)

IE：get everything your heart desires

8 隨便 (suéibiàn / suíbiàn)

A/SV/IE：whatever, wherever, whenever, do as one please

請隨便坐。

Cǐng suéibiàn zuò.
Qǐng suíbiàn zuò.
Please sit wherever you like.

9 院子 (yuànzih / yuànzi) 　　N：yard

10 熱鬧 (rènào)

SV：to be lively, to be fun, to be bustling with noise

那兒很熱鬧，我們過去看看吧。

Nàr hěn rènào, wǒmen guòcyù kànkàn ba.
Nàr hěn rènào, wǒmen guòqù kànkàn ba.
It's very lively there. Let us go over and have a look.

11 工作 (gōngzuò)　N/V：work; to work（M：份 fèn）

現在找工作不太容易。

Siànzài jhǎo gōngzuò bútài róngyì.
Xiànzài zhǎo gōngzuò bútài róngyì.
It's not very easy to find a job now.

您在哪兒工作？

Nín zài nǎr gōngzuò?
Where do you work?

12 電腦 (diànnǎo)　N：computer

13 份 (fèn)

M：measure word for publications (newspapers, magazines), jobs, etc.

14 越來越…… (yuèláiyuè……)　PT：more and more

我越來越胖，怎麼辦？

Wǒ yuèláiyuè pàng, zěnmebàn?
I'm getting fatter and fatter. What can I do?

越……越…… (yuè……yuè……)
PT：the more……the more……

他越說越生氣。

Tā yuèshuōyuè shēngcì.
Tā yuèshuōyuè shēngqì.
The more he talks the angrier he gets.

15 通知 (tōngjhīh / tōngzhī)　V：to inform, to notify

一有消息，我們馬上通知你。

Yì yǒu siāosí, wǒmen mǎshàng tōngjhīh nǐ.
Yì yǒu xiāoxí, wǒmen mǎshàng tōngzhī nǐ.
As soon as we hear any news, we'll notify you immediately.

16 畢業 (bìyè)   VO：to graduate from a school

他大學還沒畢業呢。

Tā dàsyué háiméi bìyè ne.
Tā dàxué háiméi bìyè ne.
He still hasn't graduated from university.

17 研究所 (yánjiòusuǒ / yánjiùsuǒ)   N：the graduate school

研究 (yánjiòu / yánjiù)   V：to research, to study

這件事得好好兒地研究研究。

Jhèijiàn shìh děi hǎohǎorde yánjiòu yánjiòu.
Zhèijiàn shì děi hǎohǎorde yánjiù yánjiù.
This matter must be studied carefully.

18 聊 (liáo)   V：to talk, to chat

你們在聊什麼？

Nǐmen zài liáo shénme?
What are you talking about?

19 隨時 (suéishíh / suíshí)   A：at any time

要是有問題，隨時都可以來找我。

Yàoshìh yǒu wùntí, suéishíh dōu kěyǐ lái jhǎo wǒ.
Yàoshì yǒu wèntí, suíshí dōu kěyǐ lái zhǎo wǒ.
If you have any problems, you can come to see me at any time.

SUPPLEMENTARY VOCABULARY

20 進步 (jìnbù)   N/V：progress; to improve

你的書法有沒有進步？

Nǐde shūfǎ yǒu méiyǒu jìnbù?

Has your Calligraphy improved?

最近他的法文進步得很快。

Zuèijìn tāde Fǎwún jìnbùde hěn kuài.
Zuìjìn tāde Fǎwén jìnbùde hěn kuài.
Recently, his French has improved very quickly.

21 暑假 (shǔjià)　N：summer vacation

22 打工 (dǎgōng)　VO：to have a part time job

因為暑假很長，所以我常去打工。

Yīnwèi shǔjià hěn cháng, suǒyǐ wǒ cháng cyù dǎgōng.
Yīnwèi shǔjià hěn cháng, suǒyǐ wǒ cháng qù dǎgōng.
Because summer vacation is quite long, so I often go to work part time.

23 寒假 (hánjià)　N：winter vacation

4 | SYNTAX PRACTICE

▼ I. The Adverbs 再，才，and 就 Contrasted

我想（先）吃了飯，再去。	I think I'll eat first, then go.
我吃了飯，才去。	I won't go until I have eaten.
我吃了飯，就去。	After I eat, I'll go.

（I）再 is used only in connection with a contemplated action, expressing a plan, suggestion, request or command.

a. Means "(first) ...... then"

S₁ (先) V₁ (了) O₁，　S₂ 再 V₂ O₂ (吧)
你　先　看看　書，我　再　教　你。
Read the book first, then I'll teach you.

1. 我打算先吃飯，再做這件事。　　(plan)
2. 你先休息一會兒，再念書吧。　　(suggestion)
3. 我先做完功課，再跟你聊，好不好？　(request)
　好啊。
4. 你先洗了手，再吃飯。　　(command)

b. Means "not ...... until"

S　Time-expression 再 V O （吧）
你　　明天　　再寫信吧。
Don't write a letter until tomorrow.

1. 我想明年春天再去旅行。　　(plan)
2. 我們下課以後再談吧。　　(suggestion)
3. 我今天晚上再告訴你，好不好？　(request)
　好，沒問題。
4. 現在別吃，等一會兒再吃。　　(command)

(II) 才 is used in both contemplated and completed actions, expressing a plan, statement or imperative condition. In the 才 sentence, 是……的 pattern (not 了) can be used to indicate completed action, and particle 呢 can be used to indicate contemplated action.

a. Means "not ...... until", "then and only then"

S_1 V_1（了）O_1, S_2 才 V_2 O_2（呢／的）
他 下 了 班，　　才 回 家 的。
He went home only after he got off work.

1. 我吃了晚飯，才做功課。

2. 他畢了業，才要出國呢。

3. 我下了課，才去圖書館。

5. 他給了錢，才走的。

b. Means "not ...... until," indicating an action take or took place later than expected.

S　Time - expression　才　VO（呢／的）
我 昨天一點鐘　才 睡覺 的。
Yesterday I didn't go to bed until one o'clock in the morning.

1. 他六點鐘才下班呢。

2. 你怎麼現在才來？

　　對不起，我太忙了。

3. 我們十分鐘以前才決定的。

4. 他去年才大學畢業的。

c. Means "then and only then"

S_1（得）V_1　　　O_1,（S_2）才（可以／能）V_2 O_2
你 得 做完了功課，　　才　 可以　 玩兒。
You can go play only after you finish your homework.

1. 我得先買票，才可以進去。

2. 你到了二十歲才可以喝酒。

3. 我得給他錢，他才願意做。

4. 媽媽說孩子得吃了飯，才可以吃糖。

(III) 就 is used in both contemplated and completed actions, expressing a plan, request, command, statement or condition.

a. Indicates the immediacy of the next action (see L.11).

S_1 V_1 了 O_1, (S_2) 就 V_2O_2 (了／吧)
我 下 了 課，　　就 回家 了。
As soon as I got out of class, I went home.

1. 我到了家，就做功課。

2. 他吃了早飯，就去學校了。

3. 我吃了那個菜，馬上就不舒服了。

4. 她畢了業，就開始工作了。

b. Indicates an action takes or took place sooner or earlier than expected.

S　Time-expression　就　　VO(了)
我　今天五點鐘　就　起來了。
Today I go up at five o'clock.

1. 這件事，我昨天就知道了。

2. 他二十歲就大學畢業了。

3. 我們念大學以前就認識了。

4. 他半年以前就搬家了。

c. Means " (if) ...... then"

(要是)	S₁	V₁	O₁	,	(S₂)	就	V₂O₂
要是	我	有	時間	，	我	就	參加。

(If) I have time, then I will attend.

1. 要是你願意買，你就買。

2. 要是我有錢，我就去旅行。

3. 要是明天不下雨，我就去。

4. 要是你還不懂，我就再說一次。

Complete the following sentences with 再／才／就

1. 媽媽對小孩說：「你做完功課，_____ 看電視。」

2. 九點上班，我六點 _____ 起床了。

3. 現在我很累，等一會兒 _____ 做，好不好？

4. 他畢了業，_____ 去旅行呢。

5. 要是你不舒服，_____ 去休息吧。

6. 我今天很忙，我打算明天 _____ 去。

7. 他上星期 _____ 從英國回來的。

8. 你先洗手，_____ 吃水果。

9. 這件事很重要，我現在 _____ 給他打電話。

10. 她昨天晚上十二點 _____ 回家的。

Answer the following questions using 再／才／就

1. 你剛起床嗎？

2. 你今年大學畢業嗎？

3. 十二歲可以開車嗎?

4. 你現在要回家嗎?

5. 你朋友要回家,可是外面下雨呢,你說什麼?

6. 你們剛剛開始學中文吧?

7. 你什麼時候要到法國去旅行?

8. 今天你好像很累,為什麼?

9. 老師說明天考試,可是你希望下星期考,你對老師說什麼?

10. 你跟朋友打球,你打累了,想休息一會兒,你說什麼?

▼ II. Sentences with 越……越 as Correlative Conjunctions

越 is a fixed adverb, it must be placed after the subject.

(Ⅰ) 越來越 (getting more and more)

S	越來越 SV/AV-V-O (了)
天氣 越來越 熱 了。
The weather is getting hotter and hotter.

1. 孩子越來越高了。

2. 你的中文越來越好了。

3. 這件事越來越有意思了。

4. 我越來越喜歡學跳舞了。

(II) 越……越……(the more ...... the more)

S₁ 越 SV₁ / V₁, S₂ 越 SV₂ / V₂ (了)
他 越 說 越 快。
The more he speaks, the faster he gets.

1. 那個歌兒,我越聽越喜歡。

317

2. 你越說，我越不懂了。

3. 他們越談越高興了。

4. 我越吃越胖，我得少吃一點兒了。

> Transform the following sentences into
> 越來越 or 越……越 pattern

1. 天氣冷起來了。

2. 那個地方的房子比以前多了。

3. 你的身體比以前健康了。

4. 她比以前愛說笑話了。

5. 雨下得比剛剛大了。

6. 你寫字，寫得比以前好了。

7. 你跑得比以前快了。

8. 我看了很多次，更喜歡了。

5 APPLICATION ACTIVITIES

▼ I. Answer the following question.

1. 你學中文學了多久了？

2. 你覺得學中文有意思嗎？

3. 你為什麼要學中文？

4. 你學過別的外文嗎？

5. 你是什麼時候開始學中文的？

6. 你覺得說中國話跟寫中國字，哪個難？

7. 現在你會寫多少中國字？

8. 你有沒有臺灣朋友？你跟他們說什麼話？

9. 你到／來過臺灣嗎？

10. 明年你還打算學中文嗎？

II. Please discuss what you know about politeness and Chinese blessing.

III. Please talk about your country's birthday traditions.

IV. Situation

A conversation between guest and host at a birthday party.

INDEX I

語ㄩˇ法ㄈㄚˇ詞ㄘˊ類ㄌㄟˋ略ㄌㄩㄝˋ語ㄩˇ表ㄅㄧㄠˇ

GRAMMATICAL TERMS KEY TO ABBREVIATIONS

A	Adverb
AV	Auxiliary Verb
BF	(Unclassified) Bound Form
CONJ	Conjunction
CV	Coverb
DC	Directional Compound
DEM	Demonstrative Pronoun
INT	Interjection
IE	Idionmatic Expression
L	Localizer
M	Measure
MA	Movable Adverb
N	Noun
NU	Number
NP	Noun Phrase
O	Object
P	Particle
PN	Pronoun
PT	Pattern
PV	Post Verb
PW	Place Word
QW	Question Word
RC	Resultative Compound
RE	Resultative Ending
S	Subject
SV	Stative Verb
TW	Time Word
V	Verb
VO	Verb Object Compound
VP	Verb Phrase

INDEX II

A

| ǎi | 矮 (矮) | SV : to be short（opp. 高 gāo） | 5 |

B

bǎ	把 (把)	CV : "把" itself can not be translated directly into English. It is used to draw attention to the objiect, rather than the subject of a sentence.	7
bái	白 (白)	N/SV : white; to be white	8
bǎihuògōngsī	百貨公司 (百货公司)	N : dipartment store	2
báitiān	白天 (白天)	N : daytime	10
bān	搬 (搬)	V : to move	6
bànfǎ	辦法 (办法)	N : method, way of doing something	5
bāng	幫 (帮)	V : to help, to assist	2
bāngmáng	幫忙 (帮忙)	VO : to help someone do something	2
bānjiā	搬家 (搬家)	VO : to move (one's house)	6
bǎo	飽 (饱)	SV : to be full (after eating)	3
bāo	包 (包)	V/M : to wrap, th contain; package of, parcel of	9
bàojǐng	報警 (报警)	VO : to report something to the police	12
bāozih/bāozi	包子 (包子)	N : steamed pork bun	11
bèi	被 (被)	CV : a passive voice indicator	12
běi	北 (北)	N : north	2
bèn	笨 (笨)	SV : to be stupid	5
běnlái	本來 (本来)	MA : originally	4
bǐ	比 (比)	V/CV : to compare; compared to, than	5
bǐjiào	比較 (比较)	A/V : comparatively; to compate	5
bìng	病 (病)	N : illness, disease	1

bīng	冰ㄅㄥ （冰ㄅㄥ）	N/SV : ice; to be frozen	9
bīngkuàir	冰ㄅㄥ塊ㄎㄨㄞ兒ㄦ （冰ㄅㄥ块ㄎㄨㄞ兒ㄦ）	N : ice cube	11
bìngle	病ㄅㄥ了ㄌㄜ （病了ㄌㄜ）	V : to become ill	1
bīngsiāng/ bīngxiāng	冰ㄅㄥ箱ㄒㄧㄤ （冰ㄅㄥ箱ㄒㄧㄤ）	N : refrigerator	9
bìyè	畢ㄅㄧ業ㄧㄝ （毕ㄅㄧ业ㄧㄝ）	VO : to graduate from a school	13
bízi	鼻ㄅㄧ子ㄗ （鼻ㄅㄧ子ㄗ）	N : nose	11
bù	部ㄅㄨ （部ㄅㄨ）	BF : part, area; department	2
búbì	不ㄅㄨ必ㄅㄧ （不ㄅㄨ必ㄅㄧ）	A : don't have to, need not	1
bùdéliǎo	不ㄅㄨ得ㄉㄜ了ㄌㄧㄠ （不ㄅㄨ得ㄉㄜ了ㄌㄧㄠ）	SV : to be extremely, to be exceedingly (hot, cold, wet, etc)	5
bùfèn	部ㄅㄨ分ㄈㄣ （部ㄅㄨ分ㄈㄣ）	M/N : part, section	8
bújiànle	不ㄅㄨ見ㄐㄧㄢ了ㄌㄜ （不ㄅㄨ见ㄐㄧㄢ了ㄌㄜ）	IE : (something) is gone	12
búkèci/búkèqì	不ㄅㄨ客ㄎㄜ氣ㄑㄧ （不ㄅㄨ客ㄎㄜ气ㄑㄧ）	IE : you're welcome	2
búyòng	不ㄅㄨ用ㄩㄥ （不ㄅㄨ用ㄩㄥ）	AV/V : need not, don't have to	7

C

cái	才ㄘㄞ （才ㄘㄞ）	A : not until, only then, only, merely	13
cān	餐ㄘㄢ （餐ㄘㄢ）	M/BF : measure word for meal; food, meal	9
cānjiā	參ㄘㄢ加ㄐㄧㄚ （参ㄘㄢ加ㄐㄧㄚ）	V : to attend, to participate	11
cǎo	草ㄘㄠ （草ㄘㄠ）	N : grass	8
cǎodì	草ㄘㄠ地ㄉㄧ （草ㄘㄠ地ㄉㄧ）	N : lawn	8
chā	叉ㄔㄚ （叉ㄔㄚ）	BF : fork	3
cháhuèi/cháhuì	茶ㄔㄚ會ㄏㄨㄟ （茶ㄔㄚ会ㄏㄨㄟ）	N : a tea party	11
cháng	長ㄔㄤ （长ㄔㄤ）	SV : to be long	5
chǎng	場ㄔㄤ （场ㄔㄤ）	BF : site, spot, field	6
chāojíshìhchǎng/ chāojíshìchǎng	超ㄔㄠ級ㄐㄧ市ㄕ場ㄔㄤ （超ㄔㄠ级ㄐㄧ市ㄕ场ㄔㄤ）	N : supermarket	6
chāzih/chāzi	叉ㄔㄚ子ㄗ （叉ㄔㄚ子ㄗ）	BF : fork	3

chēfáng	車房(车房)	N : garage	7
Chén	陳(陈)	N : a common Chinese sruname	6
chéng	城(城)	N : city, city wall	2
chéngshìh/chéngshì	城市(城市)	N : city	2
chǐh/chǐ	尺(尺)	M/N : a unit for measuring length; a ruler	5
chū	出(出)	DV : to go or come out	6
chuānghù	窗戶(窗戶)	N : window	7
chúfáng	廚房(厨房)	N : kitchen	7
chūlái	出來(出来)	DC : to come out	6
chūmén	出門(出门)	VO : to go outside, to go out, to go out the door	6
chūqù	出去(出去)	DC : to go out, to leave	6
chūshìh/chūshì	出事(出事)	VO : to have an accident	12
cìh/cì	次(次)	M : measure word for action or affair's time	4
cōngmíng	聰明(聪明)	SV : to be intelligent	5
cóngqián	從前(从前)	MA (TW) : formerly, in the past, used to	4

D

dǎ	打(打)	V : to hit, to beat, to strike	1
dàbùfèn	大部分(大部分)	N : the most part	8
dǎdiànhuà	打電話(打电话)	VO : to make a phone call	4
dàgài	大概(大概)	MA : probably	4
dǎgōng	打工(打工)	VO : to have a part time job	13
dài	帶(带)	V : to bring	7
dài	戴(戴)	V : to wear (hat, watch, jewelry etc.)	8
dài	袋(袋)	M : bag of	9
dàizih/dàizi	袋子(袋子)	N : bag, sack	9
dàjiā	大家(大家)	N : everyone	3
dàn	蛋(蛋)	N : egg	11

duó(me)	多ㄉㄨㄛˊ(麼˙ㄇㄜ) 多ㄉㄨㄛˊ(么˙ㄜ)	A (QW) : how SV? (often used in an exclamatory sentence indicating a high degree, "How......" or "What a......")	5

E

è	餓ㄜˋ (饿˙ㄜ)	SV : to be hungry	7

F

fán	煩ㄈㄢˊ (烦ㄈㄢˊ)	SV/V : to be vexed, annoued; to annoy	4
fàng	放ㄈㄤˋ (放ㄈㄤˋ)	V : to put, to release	1
Fāng	方ㄈㄤ (方ㄈㄤ)	N : a Chinese surname	3
fàngjià	放ㄈㄤˋ假ㄐㄧㄚˋ (放ㄈㄤˋ假ㄐㄧㄚˋ)	VO : to have a holiday, vacation	1
fàngsīn/fàngxīn	放ㄈㄤˋ心ㄒㄧㄣ (放ㄈㄤˋ心ㄒㄧㄣ)	SV/VO : to be at ease, not worry	1
fāsiàn/fāxiàn	發ㄈㄚ現ㄒㄧㄢˋ (发ㄈㄚ现ㄒㄧㄢˋ)	V : to discover	12
Fǎyǔ	法ㄈㄚˇ語ㄩˇ (法ㄈㄚˇ语ㄩˇ)	N : France language	5
fēicháng	非ㄈㄟ常ㄔㄤˊ (非ㄈㄟ常ㄔㄤˊ)	A : very, extremely	3
fèn	份ㄈㄣˋ (份ㄈㄣˋ)	M : measure word for publications (newspapers, magazines), jobs, etc.	13
fōng/fēng	封ㄈㄥ (封ㄈㄥ)	M : measure word for letters	3
fōng/fēng	風ㄈㄥ (风ㄈㄥ)	N : wind	9

G

gǎi	改ㄍㄞˇ (改ㄍㄞˇ)	V : to change, to alter, to correct	6
gǎitiān	改ㄍㄞˇ天ㄊㄧㄢ (改ㄍㄞˇ天ㄊㄧㄢ)	MA (TW) : another day	6
gān	乾ㄍㄢ (乾ㄍㄢ)	SV : to be dry	10
gānjìng	乾ㄍㄢ淨ㄐㄧㄥˋ (乾ㄍㄢ净ㄐㄧㄥˋ)	SV : to be clean	10
gǎnmào	感ㄍㄢˇ冒ㄇㄠˋ (感ㄍㄢˇ冒ㄇㄠˋ)	V/N : to have a cold; cold, flu	1
gāo	高ㄍㄠ (高ㄍㄠ)	SV : to be tall, to be high	2
gàosù	告ㄍㄠˋ訴ㄙㄨˋ (告ㄍㄠˋ诉ㄙㄨˋ)	V : to tell, to inform	4

H

hǎohǎorde	好好兒地 (好好儿地)	A : in a proper way, to the best of one's ability, seriously, carefully, nicely	11
hǎole	好了 (好了)	SV : to be well again, recover	1
		SV : to be ready	8
hàomǎ	號碼 (号码)	N : number	4
hǎowánr	好玩兒 (好玩儿)	SV : to be interesting, to be full of fun	11
hǎosiàng/hǎoxiàng	好像 (好像)	MA/V : to seem, to be likely, to be like	5
hé	河 (河)	N : river	2
hé	盒 (盒)	M : box of	9
hēi	黑 (黑)	N/SV : black / to be black, to be dark	7
hēibǎn	黑板 (黑板)	N : blackboard	8
hézih/hézi	盒子 (盒子)	N : box, ease	9
hóng	紅 (红)	N/SV : red / to be red	8
hòulái	後來 (后来)	MA (TW) : afterwards, later on	4
hòutiān	後天 (后天)	MA/N(TW) : the day after tomorrow	10
huā	花 (花)	N : flower	8
huài	壞 (坏)	SV : to be bad	1
huàile	壞了 (坏了)	SV : to be broken, ruined, out of order, spoiled	1
huàn	換 (换)	V : to change	8
huáng	黃 (黄)	N/SV : yellow / to be yellow	8
huángsè	黃色 (黄色)	N : yellow	8
huānyíng	歡迎 (欢迎)	V/IE : welcome	6
huásyuě/huáxuě	滑雪 (滑雪)	VO : to ski	1
Huáyǔ	華語 (华语)	N : Chinese language	5
huàjhuāng/ huàzhuāng	化妝 (化妆)	VO : to put on make-up	8
huèi/huì	會 (会)	N : meeting, party	11
huǒshìh/huǒshì	或是 (或是)	CONJ : or, either......or	10
hūrán	忽然 (忽然)	A : suddenly	8

jìncyù/jìnqù	進去 (进去)	DC : go in	6
jǐnjhāng/jǐnzhāng	緊張 (紧张)	SV : to be nervous, to be tense	10
jiòu/jiù	就 (就)	A : (indicating immediacy)	1
jyù/jù	句 (句)	M : measure word for sentences, phrase	3
jyuédìng/juédìng	決定 (决定)	V : to decide	4
júzih/júzi	橘子 (橘子)	N : orange, tangerine	11
jyùzih/jùzi	句子 (句子)	N : sentence	3

K

kāi	開 (开)	V : to bloom, to blossom	8
		V : to hold an event	11
kāihuā	開花 (开花)	VO : to bloom, to blossom	8
kāihuèi/kāihuì	開會 (开会)	VO : to have a meeting	11
kāikāi	開開 (开开)	DC : to turn on, to switch on	7
kāishǐh/kāishǐ	開始 (开始)	V : to start, to begin	9
kǎo	烤 (烤)	V : to roast, to toast, to bake	9
kǎoròu	烤肉 (烤肉)	N : barbecue (lit. roast meat)	9
kě	渴 (渴)	SV : to be thirsty	9
kěnéng	可能 (可能)	A/SV/N : possibly / to be possible / possibility	1
kècì/kèqì	客氣 (客气)	SV : to be polite	2
kěsí/kěxí	可惜 (可惜)	SV/A : to be a pity; too bad	11
kòng	空 (空)	N/SV : free time	6
kōng	空 (空)	SV : to be empty	6
kǒngpà	恐怕 (恐怕)	MA : (I'm) afraid that, perhaps, probably	4
kōngcì/kōngqì	空氣 (空气)	N : air	10
kǒudài	口袋 (口袋)	N : pocket, bag, sack	9
kū	哭 (哭)	V : to cry	12
kuàilè	快樂 (快乐)	SV : to be happy	13
kuàizih/kuàizi	筷子 (筷子)	N : chopsticks	3

L

lán	藍 (蓝)	N/SV : blue / to be blue	8
láncióu/lánqiú	籃球 (篮球)	N : basketball	10
lǐ	里 (里)	M : Chinese mile	5
liǎn	臉 (脸)	N : face	10
liàng	亮 (亮)	SV : to be sunny, to be bright	7
liáng	涼 (凉)	SV : to be cool	8
liángkuài	涼快 (凉快)	SV : to be (pleasantly) cool	8
liǎnsè	臉色 (脸色)	N : color (of face), facial expression	10
liànsí/liànxí	練習 (练习)	V/N : to practice, to drill / practice, exercise	10
liáo	聊 (聊)	V : to talk, to chat	13
liǎo	了 (了)	RE : used at the end of a verb to indicate ability or completion	10
lǐbài	禮拜 (礼拜)	N : week	1
lǐbàitiān	禮拜天 (礼拜天)	N : Sunday	1
líkāi	離開 (离开)	V : to leave	2
Lín	林 (林)	N : a common Chinese sruname	6
lióu/liú	留 (留)	V : to leave (message, thing, etc.), to stay, to remain	4
lǐwù	禮物 (礼物)	N : present, gift	13
lǐzih/lǐzi	李子 (李子)	N : plum	11
lù	錄 (录)	V : to record	7
lyù/lǜ	綠 (绿)	N/SV : green / to be green	8
luàn	亂 (乱)	SV : to be messy	12
lùkǒu	路口 (路口)	N : street entrance	2
lùyǐngjī	錄影機 (录影机)	N : video machine	7

M

máfán	麻煩 (麻烦)	SV/V/N : to be annoyed; to bother; an annoyance, troublesome	4
mànpǎo	慢跑 (慢跑)	N/V : jogging; to jog	10
mànyòng	慢用 (慢用)	IE : eat slowly (enjoy your meal)	3
máobǐ	毛筆 (毛笔)	N : brush pen	3
méiguānsì/ méiguānxì	沒關係 (没关系)	IE : no problem, never mind, it doesn't matter	1
méishìhr/méishìr	沒事兒 (没事儿)	IE : never mind, it doesn't matter, it's nothing, that's all right	1
miàn	麵 (面)	N : flour, dough, noodle	9
miànbāo	麵包 (面包)	N : bread	9

N

ná	拿 (拿)	V : to bring, to carry (in one's, or with one's hand)	6
nǎlǐ	哪裡 (哪里)	IE : an expression of modest denial "NO, no"	3
nàme	那麼 (那么)	A : well, in that case	3
nán	南 (南)	N : south	2
niánjí	年級 (年级)	N/M : grade in school	8
niánjì	年紀 (年纪)	N : age	5
nióu/niú	牛 (牛)	N : cow, cattle	3
nióuròu/niúròu	牛肉 (牛肉)	N : beef	3
nòng	弄 (弄)	V : a generalized verb of doing-make, get, fix, etc.	12

P

pà	怕 (怕)	V : to fear	4
pán	盤 (盘)	M : tray of, plate of, dish of	6
pàng	胖 (胖)	SV : to be fat	5

Q

R

ràng	讓 (让)	CV/V : used in a passive sentence structure to introduce the agent; to let, to allow, to permit, to make	12
ránhòu	然後 (然后)	A : afterwards, then	2
rènào	熱鬧 (热闹)	SV : to be lively, to be fun, to be bustling with noise	13
rèndé	認得 (认得)	V : to know (as in to recognize)	4
rēng	扔 (扔)	V : to throw, to toss, to cast	7
rènshìh/rènshì	認識 (认识)	V : to recognize, to realize	4
rìhjì/rìjì	日記 (日记)	N : diary	9
rìhzih/rìzi	日子 (日子)	N : day (date), days (time)	5
ròu	肉 (肉)	N : meat	3

S

sè	色 (色)	BF : color	8
shān	山 (山)	N : mountain	1
shémede	什麼的 (什么的)	N : etc., and so on	12
shēngbìng	生病 (生病)	VO : to become ill, to be sick	1
shēngcì/shēngqì	生氣 (生气)	SV/VO : to be angry; to take offence	12
shēngrìh/shēngrì	生日 (生日)	N : birthday	11
shēngyīn	聲音 (声音)	N : sound, voice	9
shēntǐ	身體 (身体)	N : body, health	10
shìh/shì	市 (市)	BF : city municipality, market	2
shìhchǎng/shìchǎng	市場 (市场)	N : market	6
shìhjiè/shìjiè	世界 (世界)	N : the world	5
shìhcíng/shìqíng	事情 (事情)	N : affair, something to do, a matter, event	13
shìhcyū/shìqū	市區 (市区)	N : urban area, urban district	6

tèbié	特別 (特別)	A/SV : especially; to be special	1
téng	疼 (疼)	SV : to be ache, to be pain, to be sore	10
tì	替 (替)	CV : for, in place of, a substitute for	3
tián	甜 (甜)	SV : to be sweet	11
tiáo	條 (条)	M : measure word for long narrow things such as rivers, roads, fish, etc.	2
tóngsyué/tóngxué	同學 (同学)	N/V : classmate; to be in the same class	7
tōngjhīh/tōngzhī	通知 (通知)	V : to inform, to notify	13
tóu	頭 (头)	DEM/N : first, the top / head	4
tōu	偷 (偷)	V : to steal, to burglarize	12
tuō	脫 (脱)	V : to peel, to take or to cast off, to escape	7
tuōsiàlái/tuōxiàlái	脫下來 (脱下来)	DC : to take off	7

W

wàitào	外套 (外套)	N : overcoat	8
wán	完 (完)	RE : to finish, to complete (something)	10
wǎn	碗 (碗)	M/N : measure word for servings of food; bowl	3
wǎnān	晚安 (晚安)	IE : good night	9
wàng	忘 (忘)	V : to forget	1
wǎng	往 (往)	CV : to go toward	2
wǎng	網 (网)	N : net	10
wǎngcióu/wǎngqiú	網球 (网球)	N : tennis	10
wǎnguèi/wǎnguì	碗櫃 (碗柜)	N : (kitchen) cabinet, cupboard	7
wànshìhrúyì/ wànshìrúyì	萬事如意 (万事如意)	IE : get everything your heart desires	13
wéi	喂 (喂)	P : a common telephone or intercom greeting "hello"	4
wèidào	味道 (味道)	N : taste, flavor, smell, odor	11
wèir	味兒 (味)	N : taste, flavor, smell, odor	11
wún/wén	聞 (闻)	V : to smell, to listen	7

sīnwén/xīnwén	新聞ㄣ (新闻)	N : news	7
sǐshǒujiān/ xǐshǒujiān	洗手間 (洗手间)	N : washroom, restroom	12
sīwàng/xīwàng	希望 (希望)	V/N : to hope, to wish; hope	12
syǔ/xǔ	許 (许)	V : to allow, to permit	1
syuě/xuě	雪 (雪)	N : snow	1
syūyào/xūyào	需要 (需要)	V/AV/N : to need, to require; need to; need, requirement	6

Y

yàng	樣 (样)	BF/M : appearance, shape; kind of, type of	5
yǎnjīng	眼睛 (眼睛)	N : eye	11
yàngzih/yàngzi	樣子 (样子)	N : appearance, shape, model, pattern	5
yánjiòu/yánjiù	研究 (研究)	V : to research, to study	13
yánjiòusuǒ/ yánjiùsuǒ	研究所 (研究所)	N : graduate school	13
yánsè	顏色 (颜色)	N : color	8
yào	藥 (药)	N : medicine	1
yàobùrán	要不然 (要不然)	MA : otherwise	9
yàoshih/yàoshi	鑰匙 (钥匙)	N : key	7
yàoshìh/yàoshì	要是 (要是)	MA : if	2
yè	頁 (页)	M : measure word for page	6
yěcān	野餐 (野餐)	V/N : to picnic; picnic	9
yěsyǔ/yěxǔ	也許 (也许)	MA : perhaps, maybe, might	1
yī	醫 (医)	V : to cure, to treat (an illness)	1
Yìdàlì	義大利 (义大利)	N : Italy	4
yīguèi/yīguì	衣櫃 (衣柜)	N : closet	7
yǐhòu	以後 (以后)	MA (TW) : afterwards, after	4
yīngchǐh/yīngchǐ	英尺 (英尺)	M : foot	5
yīnglǐ	英里 (英里)	M : mile (American measurement)	5

| yǔyán | 語言 (语言) | N : language | 5 |

Z

zài	再 (再)	A : then	2
zàishuō	再說 (再说)	A : moreover, what's more, besides	10
zāng	髒 (脏)	SV : to be dirty	7
zěnmele	怎麼了 (怎么了)	IE : what't wrong?	1
jhá/zhá	炸 (炸)	V : to deep fry	9
jhāi/zhāi	摘 (摘)	V : to take off, to pick, to pluck	12
jhájī/zhájī	炸雞 (炸鸡)	N : fried chicken	9
jhǎng/zhǎng	長 (长)	V : to grow (up)	10
jháo/zháo	著 (着)	RE : used at the end of a verb to indicate success or attainment	10
jhe/zhe	著 (着)	P : a verbal suffix, indicating the action or the state is continuing	8
jhème/zhème	這麼 (这么)	A : so, like this	3
jhèng/zhèng	正 (正)	A : just (now), right (now)	11
jhí/zhí	直 (直)	SV/A : to be straight / continuously	2
jhǐ/zhǐ	紙 (纸)	N : paper	9
jhǐhhǎo/zhíhǎo	只好 (只好)	A : cannot but, have to	8
jhòng/zhòng	重 (重)	SV : to be heavy	5
jhōngsyué/zhōngxué	中學 (中学)	N : middle school	4
jhòngyào/zhòngyào	重要 (重要)	SV : to be important, to be vital	12
jhōumò/zhōumò	週末 (周末)	N : weekend	1
jhù/zhù	祝 (祝)	V : to wish (someone good health, good luck, etc.), to offer good wishes	11
jhuǎn/zhuǎn	轉 (转)	V : to turn	2
jhuāng/zhuāng	裝 (装)	V : to fill, to load	9
jhǔnbèi/zhǔnbèi	準備 (准备)	V/N : to prepare, to intend; preparations	9
jhùsiào/zhùxiào	住校 (住校)	VO : to live at schook	8

SYNTAX PRACTICE

LESSON 1

I. Question Words as Indefinites
II. Change Status with Particle 了
III. Imminent Action with Particle 了

LESSON 2

I. Motion toward a Place or a Direction with Coverb 往
II. 部 and 邊 Contrasted
III. Adverb Used as Correlative Conjunctions

LESSON 3

I. Inclusiveness and Exclusiveness (with question words as indefinites)
II. Exclusiveness Intensified (not even, not at all)
III. 多 and 少 Used as Adverbs
IV. 跟，給，替，用 and 對 as Coverbs

LESSON 4

I. General Relative Time (as a Movable Adverb)
II. Specific Relative Time
III. 次（or 回）as a Verbal Measure
IV. Verbal Suffix 過 as a Marker of Experience

LESSON 5

I. Stative Verbs with Intensifying Complements
II. Similarity and Disparity
III. Comparison
IV. Measuring Age, Length, Height, Distance, etc.
V. Degree of Comparison

LESSON 6

I. Directional Compounds (DC)
II. Directional Compounds with Objects
III. 在，到，給 Used as Post Verbs (PV)
IV. 快 and 慢 in Imperative Mood

國家圖書館出版品預行編目資料

新版實用視聽華語 / 國立臺灣師範大學主編. – 二版. – 新北市新店區：
正中，2008.2
冊；19×26公分 含索引

ISBN 978-957-09-1788-8（第1冊：平裝）
ISBN 978-957-09-1789-5（第1冊：平裝附光碟片）
ISBN 978-957-09-1790-1（第2冊：平裝）
ISBN 978-957-09-1791-8（第2冊：平裝附光碟片）
ISBN 978-957-09-1792-5（第3冊：平裝）
ISBN 978-957-09-1793-2（第3冊：平裝附光碟片）
ISBN 978-957-09-1794-9（第4冊：平裝）
ISBN 978-957-09-1795-6（第4冊：平裝附光碟片）
ISBN 978-957-09-1796-3（第5冊：平裝）
ISBN 978-957-09-1797-0（第5冊：平裝附光碟片）

1. 漢語 2. 讀本

802.86   96021892

新版《實用視聽華語》（二）

主　　編　者◎國立臺灣師範大學
編　輯　委　員◎王淑美・盧翠英・陳夜寧
召　　集　　人◎葉德明
著 作 財 產 權 人◎教育部
地　　　　　址◎(100)臺北市中正區中山南路5號
電　　　　　話◎(02)7736-7990
傳　　　　　眞◎(02)3343-7994
網　　　　　址◎http://www.edu.tw

發　　行　　人◎蔡繼興
出　版　發　行◎正中書局股份有限公司
地　　　　　址◎(231)新北市新店區復興路43號4樓
郵　政　劃　撥◎0009914-5
網　　　　　址◎http://www.ccbc.com.tw
　　　　　　　E-mail：service@ccbc.com.tw
門　　　市　　部◎(231)新北市新店區復興路43號4樓
電　　　　　話◎(02)8667-6565
傳　　　　　眞◎(02)2218-5172

香 港 分 公 司◎集成圖書有限公司－香港皇后大道中283號聯威
商業中心8字樓C室
TEL：(852)23886172-3・FAX：(852)23886174
美 國 辦 事 處◎中華書局－135-29 Roosevelt Ave. Flushing, NY
11354 U.S.A.
TEL：(718)3533580・FAX：(718)3533489
日 本 總 經 銷◎光儒堂－東京都千代田區神田神保町一丁目
五六番地
TEL：(03)32914344・FAX：(03)32914345

政府出版品展售處
教育部員工消費合作社
地　　　　　址◎(100)臺北市中正區中山南路5號
電　　　　　話◎(02)23566054
五 南 文 化 廣 場
地　　　　　址◎(400)臺中市中山路6號
電　　　　　話◎(04)22260330#20、21

國立教育資料館
地　　　　　址◎(106)臺北市大安區和平東路一段181號
電　　　　　話◎(02)23519090#125

行政院新聞局局版臺業字第0199號(10573)
出版日期◎西元2008年 2月二版一刷
　　　　　西元2013年10月二版八刷
ISBN 978-957-09-1791-8
定價 / 600元（內含MP3）
著作人：王淑美・盧翠英・陳夜寧
◎本書保留所有權利

分類號碼◎802.00.069

GPN 1009700071

著作財產權人：教育部